EL GRAN LIBRO DEL VINO ARGENTINO

EL GRAN LIBRO DEL VINO ARGENTINO

Catapulta

INTRODUCCIÓN

1 — 14

HISTORIA Y EVOLUCIÓN DEL VINO EN LA ARGENTINA
LA CONQUISTA ¶ LOS NOMBRES DE LA TRADICIÓN
LA LLEGADA DEL MALBEC ¶ UN PAÍS DEL VINO: MÁS ALLÁ DE CUYO
EL VINO EN LAS ALTURAS: LOS VALLES CALCHAQUÍES
LA EVOLUCIÓN DE LA ENOLOGÍA ¶ LA ENTRADA AL SIGLO XXI
LA MODERNIZACIÓN ¶ FIN DEL MUNDO ¶ LAS FAMILIAS DEL VINO

2 — 70

TERRUÑO
UN MARCO REGULATORIO DE LA INDUSTRIA ¶ CLIMA ¶ SUELOS
VITICULTURA Y ELABORACIÓN ¶ REGIONES PRINCIPALES
OTRAS REGIONES

3 — 138

VARIEDADES
MALBEC ¶ CABERNET SAUVIGNON
CABERNET FRANC ¶ CHARDONNAY
SYRAH ¶ SEMILLÓN
PINOT NOIR ¶ SAUVIGNON BLANC
CRIOLLAS ¶ CHENIN BLANC
RIESLING ¶ GEWÜRZTRAMINER
BONARDA ¶ MERLOT ¶ TORRONTÉS

4 — 174

TRADICIÓN E INNOVACIÓN
EL ROBLE: UNA RELACIÓN PENDULAR ¶ LA REVOLUCIÓN DE LOS BLANCOS
UN PAÍS BURBUJEANTE ¶ SUSTENTABILIDAD, LA PALABRA DEL SIGLO XXI
LA DIVERSIDAD AL PODER

5 — 202

HACEDORES DE VINO
CONSULTORES INTERNACIONALES

6 — 374

ENOTURISMO
LA FIESTA NACIONAL DE LA VENDIMIA
UN PAÍS CELEBRANDO AL VINO
TURISMO DEL VINO: VIAJAR DETRÁS DE UNA COPA
CAFAYATE Y LOS VALLES CALCHAQUÍES
LA CORDILLERA COMO TELÓN DE FONDO
LUJÁN DE CUYO ¶ VALLE DE UCO
TUNUYÁN ¶ TUPUNGATO
SAN CARLOS ¶ SAN RAFAEL
SAN JUAN ¶ PATAGONIA ¶ RÍO NEGRO

EPÍLOGO ¶ BIBLIOGRAFÍA

INTRODUCCIÓN

☛ MARÍA BARRUTIA, FLAVIA RIZZUTO Y RODOLFO REICH

UNA POSIBLE DEFINICIÓN DEL VINO dirá que se trata de una bebida alcohólica, resultado químico de fermentar el mosto de uva mediante la acción de levaduras. Pero esa definición no es suficiente, al menos no en el caso de la Argentina. Para este país, el vino es mucho más que la simple suma de procesos químicos y biológicos de transformación de azúcares en alcohol y dióxido de carbono. En esta tierra, el vino es historia y geografía, es gastronomía y economía, es turismo y diversidad. Es un componente de ese almuerzo de un domingo al mediodía y esa copa que bebemos al llegar a casa de noche. El vino representa los infinitos brindis del pasado y aquellos que vendrán en el futuro. Es festejo y disfrute, compañero de cocineros y de platos, pero también es el trabajo del agricultor sobre suelos áridos y desérticos, de los cosechadores en la vendimia, de los analistas y de los climatólogos. Tan solo contando la evolución del vino, es posible narrar los últimos quinientos años de la Argentina, comenzando por la construcción de acequias de riego por las poblaciones originarias hasta la llegada de los conquistadores y su necesidad de elaborar vinos para realizar los rituales religiosos. En esa línea de tiempo, aparece el trazado de la línea ferroviaria, la conquista del desierto, la apertura a la exportación, los linajes familiares, la aventura, el riesgo, la ciencia y la experimentación. ¶
Si los vinos pueden contarse en añadas, su industria debe contarse en generaciones; en ese traspaso de conocimientos y experiencias que se da entre los responsables de elaborarlo: son los enólogos, los agrónomos y los bodegueros los que empujan los límites apostando por la calidad y la identidad. Como nunca antes, hoy existe una diversidad de vinos y de protagonistas que recorren el país, fortaleciendo regiones tradicionales y expandiendo las viñas a zonas impensadas hace apenas una década. La góndola global exhibe miles de etiquetas de vino argentinas, con puntajes y premios que demuestran que esta industria es parte de una elite mundial. Se trata de etiquetas de malbec, la cepa embajadora de la Argentina, pero también se suman otras decenas de variedades que demuestran no solo versatilidad, sino también la curiosidad y las posibilidades de la industria local. ¶
El vino argentino es como el paisaje donde crece: amplio, múltiple, inabarcable a simple vista. Por eso es necesario este libro; a lo largo de estas casi quinientas páginas, con decenas de entrevistados y cientos de fotografías, *El gran libro del vino argentino* intenta mostrar lo que esta bebida representa para el país y para el mundo. Es un recorrido por sus regiones, estilos, suelos y rutas turísticas; por sus protagonistas, familias y cepajes más importantes. ¶
A su modo, este libro se presenta como una posible respuesta a esa definición imposible que mencionamos al principio; una definición que se adentra en la historia, en la identidad y en el futuro del vino argentino. ¶

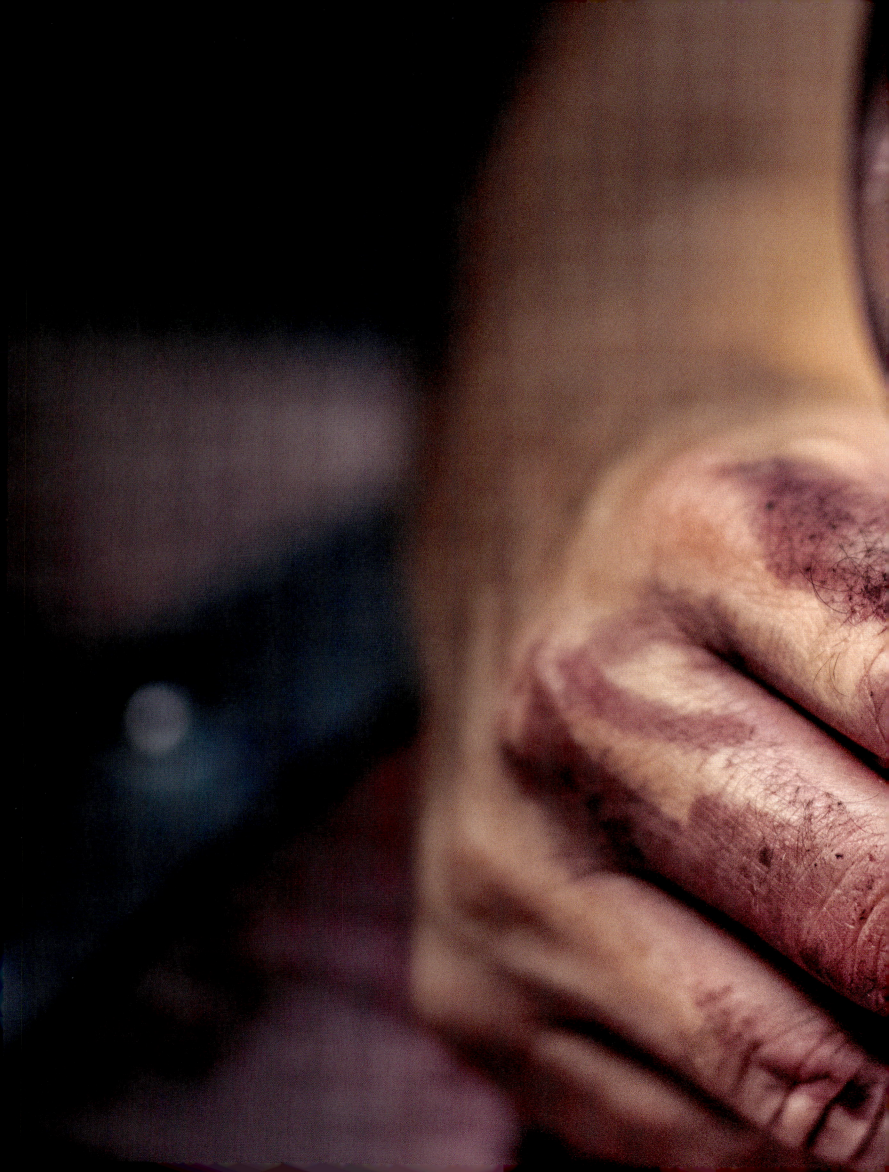

1

HISTORIA Y EVOLUCIÓN DEL VINO EN LA ARGENTINA

El vino es parte de la historia más profunda de la Argentina. Es la conquista de América y es la inmigración que bajó de los barcos a lo largo de los siglos XIX y XX. Es la economía y es el desarrollo productivo de las distintas provincias que conforman el territorio nacional. Es la industrialización, el nacimiento de los trenes y la apertura de las exportaciones. El vino es también parte de una cultura que se forjó al amparo de esa historia. Es una mesa compartida, un sabor, un alimento. Es el trabajo en la cosecha y en la bodega, es su comunicación y su distribución. Es ese ruido único que se escucha al descorchar una botella o al servir el líquido en una copa. Es el sol y el clima, el suelo y su gente, la investigación y el desarrollo.

Hablar de vinos en Argentina es mucho más que disertar sobre una simple bebida. Comprende estudiar detenidamente un continente y su conquista, así como los trabajos forzados que sufrieron los pueblos originarios y los esclavos traídos de África. Es también recordar a millones de inmigrantes que vinieron a estas tierras con sus esperanzas, miedos, sabores y culturas a cuestas. El surgimiento de una incipiente industria del vino en la época colonial fue responsable del desarrollo económico en regiones enteras del país, de la creación de pueblos nacidos alrededor de las viñas; influyó en los modos de comunicación y de transporte y en la división de la tierra en pequeñas fincas familiares. Constituye una historia, por lo tanto, que atraviesa intereses, pasiones y conocimientos. Y, como toda saga, incluye a grandes héroes que, en distintos momentos cruciales, dejaron una marca personal e indeleble; e involucra a otros tantos anónimos, cuyos nombres se olvidaron en los parrales de la historia. ¶

Hablar de vinos exige alejarse de la copa para pensar en una cultura y en una idiosincrasia, en infinitos encuentros alrededor de la mesa, así como en la investigación, el trabajo y la curiosidad de viñateros y enólogos. Encarna una historia colmada de emprendedores pioneros y de grandes inversores, con sistemas de riego nacidos en la sabiduría de los huarpes, testigos de una increíble diversidad de tierras y de terruños, de climas y de suelos: de Cuyo al noroeste; de la Patagonia a Entre Ríos; de Córdoba a la costa bonaerense. El recorrido, incluso, podría comenzar mucho antes, en tiempos inmemoriales, cuando las placas oceánicas dieron forma a la cordillera de los Andes, y continuar con el movimiento de los glaciares, que arrasaron con todo a su paso, para generar los suelos que hoy se investigan con las tecnologías más modernas. Como muy pocos otros productos, el vino modela la vida social, económica y gastronómica de nuestro país a través de millones de botellas que cada día se suben a los camiones y a los barcos para dar de beber al mundo entero con sabor, diversidad y calidad. ¶

La historia del vino nacional es, ante todo, la historia que los argentinos vivimos a lo largo de los últimos quinientos años. Cinco siglos que marcan el trazado productivo, económico y cultural que la uva y los vinos crearon en nuestro país. ¶

LA CONQUISTA

El primer hito en este largo recorrido comenzó en 1492, con la conquista del continente americano por parte de Europa: aquel primer viaje dirigido por Cristóbal Colón en su afán por llegar a la India, que terminó en las paradisíacas playas del Caribe. Más aún, para la historia del vino, cobró incluso mayor importancia el segundo viaje que realizó Colón apenas un año más tarde, en 1493. Si el primer viaje había sido de expedición, el segundo tenía claramente un objetivo de conquista y ocupación. Esa vez Colón no vino con apenas tres carabelas, sino que tenía a su mando una flota de nada menos que diecisiete embarcaciones, dotadas de caballos, burros y ganado vacuno y porcino, además de semillas de todo tipo. Entre todo ese equipaje, Colón trajo también los primeros sarmientos de *Vitis vinifera*, la planta responsable de las uvas de las cuales nacían los vinos que daban de beber a Europa. Y, si bien esos sarmientos no prosperaron (claramente, el clima del Caribe no resultó ser propicio), sí lograron marcar una intencionalidad política y económica que, a lo largo del siglo XVI, se repitió de manera sistemática con los siguientes colonizadores: la de generar una incipiente industria del vino en los distintos centros de poder económico y social de la época, incluyendo primero Perú y Paraguay, luego Chile y Bolivia y, finalmente, Cuyo y otros puntos de la Argentina. En esos primeros y turbulentos siglos tras la llegada de Colón, la uva siguió un recorrido en dirección al sur del continente, con regiones que se dedicaron específicamente a su cultivo. "La vitivinicultura latinoamericana ha recorrido un sinuoso y accidentado camino histórico desde su introducción por los conquistadores españoles, en el siglo XV, hasta el momento actual, con la consolidación del Nuevo Mundo Vitivinícola. Este proceso fue liderado por los polos vitivinícolas, que en cada momento fueron los principales enclaves de cultivo de la vid y elaboración del vino. Perú, Paraguay, Chile, Cuyo y Brasil compitieron por los lugares de liderazgo en la industria vitivinícola regional, en el marco de un cambiante proceso de estructuración y desestructuración de los mercados regionales y mundiales", escribe Pablo Lacoste, doctor en Historia y uno de los principales investigadores del desarrollo de la vitivinicultura en nuestra región. ¶

EL PAÍS DEL VINO

Si bien Europa es responsable de que la *Vitis vinifera* llegase a América, en este continente ya había vides previas a la conquista, aunque de especies distintas a la *Vitis europea* y que no dieron tan buenos resultados como esta última en la producción vitivinícola. De hecho, las sagas nórdicas aseguran que los primeros europeos en cruzar el Atlántico no fueron Colón y los conquistadores españoles, sino los propios vikingos. En particular, Leif Erikson, quien alrededor del año 1000 lideró una expedición desde Groenlandia, que desembarcó en la isla de Terranova, en la costa noreste de Norteamérica. Allí encontró un paisaje repleto de uvas salvajes, posiblemente de especies como *Vitis riparia* o la salvaje *Vitis labrusca* (que no tiene relación, como suele pensarse, con la cepa italiana lambrusco). Tanta fue la sorpresa y alegría de Erikson que bautizó la zona con el nombre de Vinland, "la tierra del vino".

HISTORIA Y EVOLUCIÓN DEL VINO EN LA ARGENTINA

Durante los siglos XVI y XVII, el principal polo vitivinícola en Sudamérica se encontraba en la costa peruana, sobre el Pacífico, con epicentro en el valle de Ica, y agrupaba prósperas haciendas –muchas de ellas dirigidas por jesuitas, pero también por dominicos, betlemitas y agustinos, entre otros– dedicadas a la producción de vino y de aguardiente a base de su destilación. En simultáneo, Paraguay competía con sus propios viñedos y una industria pujante. Por esos años, la capital política y económica de la zona rioplatense era la ciudad de Asunción y, debido a su cercanía, por más de un siglo, sus vinos fueron los dominantes en el comercio con Buenos Aires. "A pesar de las elevadas temperaturas [de Paraguay], los españoles se dedicaron a cultivar la vid y lograron una importante extensión de las viñas, que llegarían a contar con dos millones de plantas a comienzos del siglo XVII", asegura Lacoste. ¶

Esta doble vertiente, del lado del Pacífico y del lado del Atlántico, explica cómo los viñedos y la cultura del vino se fueron abriendo camino en lo que hoy es la Argentina, tanto en la zona de Cuyo como en Misiones, en el Litoral e, incluso, en Buenos Aires. Del lado litoraleño, en 1663, el cronista francés Acarete du Biscay escribía en su relato *Relación de un viaje al Río de la Plata y de allí por tierra al Perú*: "Sobre el Paraná se hallan tres o cuatro aldeas, bastante alejadas unas de las otras y escasamente pobladas, aunque la región es muy apropiada para los viñedos y ya tiene plantados bastantes como para abastecer de vino a los pueblos vecinos". Del lado del Pacífico, el camino es el más documentado: los sarmientos fueron bajando a lomo de mulas a través de Bolivia para llegar así a Chile, que pronto se convirtió en el referente vitivinícola regional. Ya en Chile, el paso al otro lado de los Andes era solo una cuestión de tiempo. ¶

El vino, por ese entonces, constituía más que la bebida predilecta de los conquistadores: revestía un carácter sagrado de crucial importancia para la Iglesia católica y su afán evangelizador, como parte del ritual de la eucaristía. Y, como bien lo documenta Felipe Pigna en su libro *Al gran pueblo argentino, salud*, no extraña así que los principales productores de vino durante los primeros siglos tras la conquista hayan sido, justamente, las distintas congregaciones religiosas, particularmente las jesuitas. Estas misiones fueron las responsables de enseñar y ampliar los cultivos de viñas y las técnicas de la elaboración de vino en la región. ¶

LA MANO DE OBRA ESCLAVA

Mucho se habla del papel que cumplieron los jesuitas y la Iglesia en el nacimiento del vino en América: no solo tuvieron las fincas y bodegas más grandes en los años de la conquista, sino que también se encargaron de distribuir sus conocimientos a través de monasterios y conventos en toda la región. Pero hay otros protagonistas en esta historia, muchas veces olvidados: los esclavos. Traídos desde África (ya que los huarpes habían sido sometidos al sistema de encomiendas, por el cual eran enviados a Chile para trabajos forzados), los esclavos al mando de las misiones religiosas aprendían allí técnicas de poda y de cultivo, de pisado de la uva y de fermentación. Luego, eran vendidos a "dueños" particulares por un buen precio, que los compraban por ese conocimiento que poseían como viñateros pioneros de América.

El papel de la Iglesia es fundamental para entender el auge que tuvo el vino en los primeros siglos tras la conquista y hasta la expulsión de los jesuitas de América, en 1767. Las primeras viñas que cruzaron los Andes desde el Reyno de Chile, o Capitanía General, a la futura Argentina fueron traídas en 1556 nada menos que por un clérigo, el padre Juan Cedrón (o Cedrón, según las fuentes). Cedrón comenzó su viaje en La Serena, ciudad costera de Chile, convocado como cura para la recientemente fundada Santiago del Estero. "Llegó con estacas de vid y semillas de algodón, su crucifijo y su breviario por un paso cordillerano a lomo de mula", explica el profesor de Historia Emilio Maurín Navarro en su libro *Contribución al estudio de la historia de la vitivinicultura argentina*. Luego, Cedrón llevó también los sarmientos a Salta, donde los jesuitas fueron responsables de extender las viñas por los valles Calchaquíes e, incluso, algo más tarde, comenzaron a escribir la historia del vino en Córdoba, cuando en 1618 la Compañía de Jesús compró la Estancia de Jesús María: allí cultivaron viñedos y construyeron una bodega y lagares donde fermentar sus mostos. ¶

La llegada del vino a Cuyo, por lejos la principal región del país en materia vitivinícola, comenzó en 1561, cuando Pedro de Castillo –bajo las órdenes del gobernador de Chile– realizó la primera fundación de la ciudad de Mendoza, que se reforzó un año más tarde, de la mano de Juan Jufré, con la segunda fundación. "El mismo mes de la fundación de Mendoza se plantaron las primeras vides, con lo que se estima que, en 1564 o 1565, se obtuvo una primera cosecha", afirman en un ensayo publicado por el Fondo Vitivinícola Nacional. "En San Juan, Juan Mallea acompañó a Jufré, y fue el primer viticultor de esa provincia. Los viñedos también se cultivaron en Salta, Córdoba y Paraguay", continúan. ¶

Las órdenes religiosas elaboraban vinos en base a uvas como moscatel de Alejandría y listán prieto (esta última es conocida hoy en día como "criolla chica" en Argentina, "país" en Chile y "mission" en Estados Unidos). Sin embargo, estas congregaciones no buscaban elaborar vinos para la venta y el libre consumo, sino para su propio uso ritual. El comercio, a su vez, durante esos primeros siglos de la conquista, estuvo signado por los cambios de humor trasatlánticos, exponiendo los caprichos del lejano trono español. En un principio, el rey Carlos I fomentó, e incluso premió, a quienes plantasen viñedos en las nuevas tierras conquistadas, con el fin de replicar aquí los mismos alimentos básicos y costumbres a los que sus súbditos españoles estaban acostumbrados en la tierra materna. En 1531, emitió un real decreto que ordenaba que todos los navíos con destino a la Nueva España llevaran en sus bodegas viñas y olivos para ser cultivados. Sin embargo, apenas medio siglo más tarde, en 1595, su hijo Felipe II ya comenzaba a vislumbrar que los productos del Nuevo Mundo podían suponer una competencia para las exportaciones desde España. Así, este monarca no solo dejó de propiciar los cultivos, sino que incluso comenzó a perseguirlos, prohibiendo de manera terminante la creación de nuevas viñas y exigiendo arrancar las ya existentes. ¶

De esta ley quedaban exceptuados únicamente los viñedos más pequeños y familiares, así como los pertenecientes a las distintas misiones religiosas.

Afortunadamente, estas directivas llegadas desde miles de kilómetros de distancia no siempre fueron bien recibidas –y menos aún obedecidas– por los nuevos viñateros y los distintos gobiernos locales, que debían enfrentar el disgusto de los vecinos. Esta tensión entre los distintos protagonistas se mantuvo por varias décadas hasta que, en 1631, en la necesidad de reconocer tácitamente la realidad que se vivía, Felipe IV decidió "perdonar" los viñedos existentes a cambio de cobrar un tributo del 2 % del fruto que se obtenía de ellos.

Pronto, la incipiente industria del vino encontró en Cuyo su lugar de pertenencia. Esta región era perfecta para este cometido. Por un lado, ya existía un ingenioso sistema de acequias y canales diseñado con anterioridad a la conquista española por los huarpes, una de las principales comunidades prehispánicas en la región. Se trataba de una compleja red de riego artificial que permitía direccionar las aguas provenientes de los deshielos, lo que posibilitaba así el surgimiento de un verdadero oasis en medio de tierras áridas y desérticas. Por otro lado, con el riego asegurado, el clima de los Andes demostró ser ideal para el cultivo de las viñas. A esto se sumaba la ubicación estratégica de Cuyo, que tuvo como principal logro convertir el vino en la principal actividad económica de la región, desde donde se distribuía a otras jurisdicciones coloniales (Potosí, Asunción, Tucumán y Buenos Aires). "En 1807 el vino representaba casi el 69 % del valor de los productos enviados desde Mendoza hacia el resto del virreinato", detalla Pigna. El crecimiento en la producción, en especial durante el siglo XVIII, fue acompañado también del crecimiento en el consumo; el vino nacional, más allá de las etiquetas importadas que desde el primer momento consumía la elite gobernante, pasó de ser una excepcionalidad a ser parte del consumo diario, tanto en las pulperías como en las mesas hogareñas. Era una industria en nacimiento, que aún tenía mucho camino por recorrer. Y ese camino terminaría de desarrollarse con la independencia de la Argentina.

LOS NOMBRES DE LA TRADICIÓN

Tras varios siglos en los que el vino y los viñedos crecieron a la sombra de las órdenes religiosas con desarrollos e influencias locales, la siguiente revolución del vino en Argentina comenzó a mediados del siglo XIX, con la llamada "gran inmigración": ese flujo poderoso y masivo de inmigrantes llegados entre 1880 y las primeras décadas del siglo XX. El preámbulo de la Constitución proclamada en 1853, en un explícito plan de modernización del país, ya incluía a todos los hombres del mundo que quisieran habitar el suelo argentino. Era una invitación global, pero en la práctica miraba claramente a Europa. En 1869 apenas un 12,1 % de la población en Argentina era extranjera; en 1914 ese número rondaba el 30 %, mientras que, para 1940, el país había recibido a 3 000 000 de italianos, 2 000 000 de españoles y unos 250 000 franceses, atraídos por una promesa de paz y desarrollo económico. En Cuyo, en particular, estos inmigrantes con conocimientos sobre el trabajo de la tierra fueron especialmente bienvenidos, bajo la premisa de reemplazar una economía basada en la ganadería comercial por otra sustentada en la agricultura para abastecer, de esta forma, el mercado nacional. ¶

Estos inmigrantes fueron cruciales en la historia del vino nacional por dos motivos. Por un lado, porque en su gran mayoría traían la cultura de beberlo como parte de una dieta diaria. Esto hizo que el consumo creciera en el país de manera exponencial, lo que generó un mercado que requería ser satisfecho. Los siguientes números sirven de ejemplo: los 23 litros per cápita de 1869 se triplicaron en apenas cuarenta años, y en 1913 el consumo alcanzaba ya los 64 litros per cápita. Para 1915 el vino era el tercer producto de consumo en el país, después del pan y de la carne, y representaba poco menos del 10 % del gasto promedio familiar para alimentos y bebidas. Por otro lado, buena parte de los recién llegados habían sido viñateros y hacedores de vino en sus países natales; justamente, huían de una Europa que había sido azotada por la filoxera, la plaga que, desde finales de 1860, devastó enormes proporciones de viñedos en el Viejo Mundo. ¶

De estos años provienen aquellos protagonistas que forjaron la tradición vitivinícola nacional tal como la conocemos hoy, con nombres de bodegas y familias que siguen estando presentes en nuestros tiempos. Sobran los ejemplos: la bodega en funciones más antigua del país es la salteña Colomé, fundada originalmente en 1831, por quien fuera el gobernador español de Salta, Nicolás Severo de Isasmendi y Echalar. "En 1854, su hija Ascensión, quien contrajo matrimonio con José Benjamín Dávalos, introdujo en Colomé las vides francesas malbec y cabernet sauvignon", explican desde esta casa; la misma familia Dávalos que, con ya seis generaciones de viñateros, está actualmente detrás de la Bodega Tacuil, en Molinos, población serrana de los valles Calchaquíes. ¶

En Mendoza, en el distrito de Panquehua (departamento de Las Heras), la Finca González Videla exhibe sus instalaciones originales, levantadas en 1856. Por esos años comenzaron a proliferar decenas de bodegas, que marcaron el ritmo y crecimiento de la vitivinicultura argentina a costa del trabajo de inmigrantes pioneros. Etchart, por ejemplo, fue fundada en 1850 (originalmente, por Flavio Niño y Plazaola; luego, adquirida por los Etchart en 1938) y Finca Flichman, en 1873 (las vides son de ese año; los Flichman compraron y "reinauguraron" la bodega en 1910). En las últimas décadas del siglo XIX y los primeros años del siglo XX, junto con la llegada del ferrocarril a la región de Cuyo, surgieron otros nombres, como Goyenechea, Arizu, La Rural, La Celia, Bodegas Giol, La Abeja, Orfila, López, Escorihuela, Furlotti, Suter, Toso, Norton, Luigi Bosca, Lagarde, El Trapiche, Nieto Senetiner, Catena Zapata y Canale, entre otros. ¶

En ese tiempo Argentina consumía tanto vinos nacionales como importados. Los primeros eran vinos económicos, enviados a granel en cascos de madera, que de a poco reemplazaban a las vasijas de barro y de cerámica anteriores. Estos viajaban desde las zonas productoras hasta las capitales provinciales, donde eran envasados y comercializados. Previamente al tendido de las vías del ferrocarril, el traslado de vinos de Cuyo a las regiones cercanas a Buenos Aires podía demandar de dos a tres meses en carretas arrastradas por caballos. Dicha dificultad y el alto costo de estos viajes funcionaban como aliciente para la producción de los vinos del Litoral y la costa bonaerense, que aprovechaban las ventajas que significaba la cercanía al consumo. Los vinos importados, por su parte, provenían principalmente de Francia, Italia y España, y eran los elegidos por un sector reducido de la población con alto poder adquisitivo. Abundaban en aquel entonces los testimonios que definían los vinos nacionales como alcohólicos, rústicos y de baja calidad con respecto a los extranjeros. Otro de los grandes problemas de la época era el estiramiento (con agua) y la adulteración (con alcohol) de los vinos nacionales para lograr más volumen a bajo precio, tanto por los propios bodegueros como por los fraccionadores y los comerciantes. ¶

LA LLEGADA DEL MALBEC

Cada 17 de abril, Argentina celebra el Día Internacional del Malbec. Esa fecha conmemora a dos de los grandes protagonistas de la futura reconversión vitivinícola que iba a vivir la Argentina unas décadas más tarde. Ellos son Domingo Faustino Sarmiento y Michel Aimé Pouget. El 17 de abril de 1853, por influencia de Sarmiento, se creó la Quinta Agronómica de Mendoza, un espacio de experimentación, investigación y enseñanza para mejorar los cultivos en la región. Contratado para estar a cargo de la finca, el francés Michel Aimé Pouget, quien trabajaba en Chile, fue el responsable de introducir y estudiar la adaptación de las cepas más reconocidas de Francia en la región, incluyendo la cabernet sauvignon y la malbec. Unos años más tarde, ya como gobernador de San Juan, Sarmiento replicó esta idea y fundó, en 1862, la Quinta Normal y Escuela de Agricultura sanjuanina, en este caso dirigida por el alemán Enrique Röveder. ¶

En esos finales del siglo XIX, con la *belle époque* en su apogeo, Francia era el faro luminoso que guiaba a Occidente en aspectos tan disímiles como la arquitectura, el arte, la gastronomía y, también, la cultura del vino. La llegada de las famosas cepas francesas a los viñedos argentinos se combinó con un nuevo –y más profesional– modo de pensar la elaboración y venta de vinos en el país, con nombres de fantasía que recordaban a regiones y vinos de Francia y de otras partes de Europa. "Chablis", "borgoña", "champagne" y otros términos similares comenzaron a ser comúnmente utilizados por las más importantes bodegas. ¶

CON LA FUERZA DE MUCHOS

La cooperativa La Caroyense nació en 1930 con cuarenta y nueve socios a fin de eliminar los agentes intermediarios en la industrialización y la comercialización de la vid. Su crecimiento fue vertiginoso; nueve años más tarde, contaba ya con cien socios y, en 1940, la expansión la llevó incluso más allá de Córdoba, con la adquisición de una bodega en Chilecito, provincia de La Rioja (esa sucursal riojana se independizó en 1989 y se convirtió en la actual cooperativa La Riojana). Para 1967 el grupo contaba con más de setecientos socios y procesaba 20 000 000 de kilos de uva. "En la década de los setenta, La Caroyense Cooperativa Vitivinícola de Córdoba y La Rioja Limitada estuvo ubicada entre las ocho más importantes del sector: elaboraba el 1 % de los vinos argentinos y sus productos eran distribuidos en todo el país a través de sus más de cien representantes –hacía dieciséis tipos de vinos, grapas, licores secos y dulces, jugo de uvas, alcohol vínico y carbonato de calcio–", relata la socióloga Ana Peresini.

UN PAÍS DEL VINO: MÁS ALLÁ DE CUYO

Los años transcurridos entre 1850 y las primeras décadas del siglo XX marcaron la modernización de la industria del vino. Fueron tiempos de grandes definiciones políticas, militares y económicas: tuvo lugar la llamada "conquista del desierto"; se dio la pacificación del territorio nacional, junto con la firma de tratados de límites con países vecinos; se unificó el sistema monetario de todo el territorio argentino bajo el peso como moneda nacional y se convocó masivamente a inmigrantes europeos. A este conjunto de medidas se sumó la mirada agroexportadora, que dominó las decisiones gubernamentales en las últimas décadas del siglo XX. El resultado derivó en la especialización productiva de distintas regiones del país, en particular, carnes y granos que se hicieron fuertes en las llanuras pampeanas y en el Litoral. Esto marcó un devenir nacional que, en materia de vitivinicultura, echó raíces en gran parte de su territorio. ¶

Desde 1850 en adelante, aprovechando las ventajas de los puertos litoraleños, Entre Ríos pisó fuerte en el mapa vínico nacional. Para 1907 contaba con unas 4000 hectáreas de viñedos cultivadas y con sesenta bodegas en funcionamiento. "La producción principal se ubicó en la costa del río Uruguay, para tener como centros las periferias de Colón (poblado por inmigrantes franceses y suizos), Concordia y Federación –explican desde Vulliez Sermet, una de las actuales bodegas entrerrianas que recuperan esa tradición–. Entre las variedades plantadas, estaban california, isabella, malbec, cabernet sauvignon, tannat, pinot blanc y semillón. En esos años Entre Ríos era la cuarta productora nacional de uvas y vinos. Una parte de la producción se comercializaba en la provincia y, por los puertos a través del transporte marítimo, también se abastecía parte del mercado de Buenos Aires, Rosario, Santa Fe, y se exportaba a Uruguay y Brasil", afirman. Pionero en la zona de Concordia, el inmigrante vasco Juan Jauregui poseía viñedos propios ya desde 1860, en especial de una variedad tinta de origen francés que, por ese entonces, se llamaba "lorda", en honor a su productor. Luego, se supo que era nada menos que la cepa francesa tannat, y se reconoció justamente a Jauregui por haberle dado las primeras estacas de esta variedad a Pascual Harriague, quien las convirtió en el emblema del vino en Uruguay. ¶

Sobran las anécdotas y los nombres sobre el auge del vino entrerriano; incluso, en 1887, los vinos blancos de Victoria fueron premiados en la Primera Exposición de Entre Ríos, que le mereció a esta zona ser denominada la "Champagne entrerriana". La crisis, según explica la historiadora Susana de Domínguez Soler, autora del libro *Entre Ríos, viñas y vinos*, ocurrió como respuesta a la sobreproducción vitivinícola. "Entre 1894 y 1916, la producción en todo el país creció un 700 %. En 1934 la Ley Nacional 12137 dispuso la creación de la Junta Reguladora de Vinos con el fin de desanimar radicalmente la actividad para imponer la región de Cuyo como única productora de vinos. Su actuación entre 1935 y 1943 representó para los entrerrianos un período muy triste", dice.

En cumplimiento de esa ley, fueron destruidos toneles y arrancadas las viñas, lo que frenó por el resto del siglo la producción vitivinícola entrerriana. Recién en los últimos veinte años, la provincia comenzó a recuperar parte de su tradición con la inauguración de nuevas bodegas. ¶

La costa bonaerense también fue una importante región productora, con consumo local y venta a Buenos Aires y La Plata. "Durante el período de la inmigración masiva, del que Berisso fue protagonista singular por su historia portuaria, en las tierras bajas de la isla y del monte costero, muchos de los pioneros cultivaron sus quintas de verduras, hortalizas, frutales y vides, aprovechando la cercanía al mayor mercado consumidor del país. La implantación de la vid americana (principalmente de uva isabella) bajo el sistema de parral se adaptó singularmente a las condiciones locales, lo que dio como resultado un vino diferente por su aroma frutado y particular sabor, que es reconocido desde hace un siglo por la población de nuestra ciudad y región –explican desde la municipalidad–. Su comercialización llegó pronto a restaurantes y comercios de barrio, a las fondas de la calle Nueva York, a Ensenada y a La Plata. Entre 1940 y 1960, se llegaron a vender más de un millón de litros anuales. Hecho con esfuerzo y corazón, su elaboración fue siempre un proceso casero, que buscó por aquel entonces seducir los paladares de los trabajadores de los frigoríficos y acompañar sus horas de descanso, tal como ahora nos acompaña, intenso testigo del trabajo y la cultura locales", agregan. A partir de esos años, la producción y el consumo comenzaron a menguar por distintos factores: entre ellos, la preponderancia de los vinos de San Juan y de Mendoza, las crecidas del Río de la Plata y la migración interna de los hijos de los quinteros. Hoy la zona suma unas pocas y orgullosas hectáreas, que dan vida a un circuito turístico y a una fiesta anual del vino que, en 2020, cumplió su decimoséptima edición. ¶

En Córdoba el vino es parte constitutiva de la provincia, con más de cuatrocientos cincuenta años de historia a sus espaldas. Los jesuitas, que arribaron a la provincia a mediados del siglo XVI, dieron vida a colegios, universidades y estancias, como Caroya –la primera estancia jesuita en el país–, Jesús María y Santa Catalina, entre otras. Fueron ellos los pioneros en promover el cultivo de la vid para elaborar los vinos necesarios para los ritos religiosos, y también inauguraron un modesto comercio que seguía la ruta del Camino Real, desde la estancia Jesús María hacia Cuzco. Según afirman cronistas de la época, el propio rey Carlos III de España tuvo la oportunidad de probar vinos elaborados en esa estancia. ¶

En 1767, con la expulsión de los jesuitas, esa incipiente industria del vino comenzó un largo declive, del que recién logró recuperarse más de cien años después, cuando en 1878 arribaron a Colonia Caroya unas sesenta familias provenientes del Friuli, en el nordeste de Italia. Con sus dialectos y cultura, estas familias trajeron también la pasión por el vino. Así, recuperaron las vides de la zona e incorporaron variedades criollas y otras importadas. Unas décadas más tarde, en 1930, se fundó allí La Caroyense, una cooperativa vinifrutícola que, por varios años, supo ser una de las bodegas más grandes del país. ¶

El caso de la Patagonia merece atención especial. La historia comenzó allí con la llamada "conquista del desierto", la campaña militar dirigida por Julio Argentino Roca en 1878 contra las poblaciones originarias que habitaban más allá del río Negro. Pero el gran empuje a la viticultura se dio unos años más tarde, con la consolidación del Alto Valle del río Negro como polo agrícola. En su libro *Vinos de la Patagonia*, el periodista Gustavo Choren explica que esta génesis tuvo su origen en 1898 con la llegada del ferrocarril a la zona, planificada para poder llevar rápidamente tropas ante una eventual guerra con Chile. "El 16 de marzo de 1896, se firmó el contrato con el Ferrocarril del Sud, la empresa ferroviaria más grande de Sudamérica. La construcción de 554 km de vías en zona desértica, y con la premura del caso, no era una tarea sencilla. Pero el viejo ferrocarril inglés cumplió los plazos y, en algo más de dos años, a un promedio de unos 800 m diarios a pico y pala, casi sin maquinarias pesadas, los rieles surcaron los suelos patagónicos –analiza Choren–. Esto tuvo como corolario la construcción de un formidable sistema de represas y canales, financiada por ese mismo ferrocarril, para fomentar el desarrollo agrícola y la inmigración masiva". Así se consolidó un polo agrícola que recibió con los brazos abiertos a una parte de la gran marea inmigratoria que cada día arribaba a los puertos argentinos. ¶

PONER EN VALOR

Nacida en 1992, Finca La Anita fue mucho más que una nueva bodega mendocina; representó el símbolo de un cambio que estaba recién comenzando, con bodegas que apuntaban exclusivamente a la alta calidad de sus vinos. En palabras de Manuel Mas, uno de los fundadores de la casa: "Cuando empezamos, era un momento de bajón total de la vitivinicultura. Las grandes bodegas tradicionales estaban mal, la calidad de los vinos era muy básica; en la mayoría de los casos, eran 'vinos para el asado', a los que había que agregar soda para que fuesen más fáciles de tomar. En los restaurantes no existían las copas: el vino venía en damajuana y se pasaba a los pingüinitos. Todas esas tierras que había alrededor de La Anita estaban desvalorizadas, muchos incluso arrancaban las viñas, vendían el alambre de los espalderos y plantaban ajo –recuerda–. La Anita buscaba un modelo a la europea, como con esos vinos del norte de Italia, con la cosecha prevendida antes de salir. También por ese entonces se empezaba a hablar de los varietales. Y, a partir de ahí, todo cambió muy rápido, con ayuda del INTA de Mendoza, estudiando variedades y desarrollos de varietales. De inmediato, el vino se puso de moda: todos querían saber qué vinos estaban tomando, surgieron los sommeliers, los consumidores jóvenes hablaban de varietales… La prensa colaboró muchísimo con este proceso, con grandes nombres, como Elisabeth Checa, Miguel Brascó, Fernando Vidal Buzzi. También con el canal El Gourmet. Fue algo explosivo", dice. Los vinos de Finca La Anita pronto se convirtieron en etiquetas de culto, elaborados con clara conciencia sobre la calidad. "Nos llamaron *boutique*, pero nunca me gustó ese apodo, porque tiene una connotación poco profesional, reduccionista. Yo soy ingeniero; Finca La Anita elabora producciones limitadas, pero siempre con la mejor tecnología, con mucha profesionalidad, usando uva propia, cuidando cada proceso. Recuerdo esos años con la alegría de haber conocido a muchos amigos, entre periodistas y 'restauranteurs'. Yo quería que nuestros vinos se vendiesen en el país, y sabía que había un consumidor con ganas de comprarlos".

Junto con otros frutales, la uva destinada a vinos ganó importancia y prestigio; tanto que, a lo largo de gran parte del siglo XX, la provincia de Río Negro fue la tercera productora del país, detrás de Mendoza y de San Juan. Entre 1920 y 1960, se contabilizaban en la zona 260 bodegas y 17 000 hectáreas de viñedos, con una característica muy especial, única en esa época: en su mayoría eran viñedos de variedades nobles, basados en las grandes cepas francesas, al contrario de lo que sucedía en Cuyo y el noroeste, donde se prefería la productividad de las variedades criollas por sobre la calidad de los malbec y los cabernet sauvignon. "Eran los días del vino burdo en damajuana, cuando muy pocos eran capaces de valorar la elegancia que otorga a los racimos el clima fresco y moderado de los viñedos del sur. Ese contexto, sumado a una política comercial demasiado cerrada y localista, determinó la imposibilidad de competir con Mendoza y con San Juan, y la mayoría de sus protagonistas no tuvo más remedio que erradicar los viñedos para plantar peras y manzanas", describe Choren. ¶

EL VINO EN LAS ALTURAS: LOS VALLES CALCHAQUÍES

Con menos del 5 % de la producción, pero con gran prestigio (e importante participación relativa en los vinos exportados de Argentina), Salta y el resto de los valles Calchaquíes exhiben un orgulloso pasado vitivinícola. Durante los primeros años posteriores a la conquista española, surgió el nombre del padre Juan Cedrón, responsable de introducir los primeros sarmientos desde Chile hacia la Argentina. Fue él quien los llevó a Santiago del Estero, y de allí a Salta y a los valles Calchaquíes, donde supieron ser aprovechados por los jesuitas para sus actividades religiosas. Asegura la historiadora María Teresa Cadena de Hessling que los viñedos se plantaron en la provincia desde el siglo XVI. Sobre la vid, la autora añade: "Pacificado transitoriamente el valle Calchaquí, los jesuitas la llevaron y plantaron en las misiones de San Carlos de Borromeo y en Santa María de Yocavil (actual Catamarca), con interrupciones forzosas por las nuevas sublevaciones calchaqueñas". Por su parte, cuenta el historiador Rodolfo Leandro Plaza Navamuel, principal investigador sobre la historia del vino en la región: "Pacificado el valle, se replantaron viñedos por obra de los particulares, como la familia de Aramburu que, en 1785, tenía plantadas 3500 cepas que producían más de setenta arrobas de vino y 2050 cepas destinadas a la obtención de pasas de uvas que se vendían al Alto Perú". ¶ Los valles Calchaquíes tenían una ubicación estratégica en el desarrollo comercial de la época colonial, como parte de un camino que iba desde Perú hasta Chile, a través de pueblos como San Carlos, Molinos y Cachi. Pero, para que el vino ganase prestigio, era necesario reemplazar las cepas criollas por variedades francesas. El nombre de Wenceslao Plaza haría en ese entonces su aparición. "La elaboración de vinos alcanzaría décadas más tarde una señalada importancia, comenzando a ser reclamados por el comercio; fue entonces cuando uno de los nietos de Julián de Lea y Plaza, el coronel don Wenceslao

Plaza, introdujo en los valles Calchaquíes desde Chile las primeras vides francesas en 1886 –entre otras, la tinta malbec–, cultivadas en su establecimiento La Perseverancia, en Animaná. Don Wenceslao inició, de esta forma, la plantación de viñedos de uvas finas que hicieron cambiar la vieja industria vitivinícola y se constituyó, a fines del siglo XIX, en uno de los más importantes productores de la provincia. Sus vinos fueron reconocidos por su calidad en todo el noroeste argentino. Posteriormente, su afán progresista hizo que trajera a Salta, de sus viajes a Chile, otras variedades francesas, como la pinot (blanca y tinta) y la lorda o tannat, propulsando además la implementación de un nuevo sistema de riego por canales, que se venía utilizando exitosamente en Mendoza", explica Plaza Navamuel.

Desde mediados del siglo XIX en adelante, la concentración de la industria vitivinícola se dio en las zonas de San Carlos y, especialmente, de Cafayate, que pronto se convertiría en el principal polo vitivinícola de la provincia salteña.

Plaza Navamuel enumera muchas de las bodegas de aquellos años: Colomé, de Nicolás Severo de Isasmendi y Echalar; la de Peñalva, en Tolombón; y la de José Modesto Moreno del Corro, en Cafayate. "En 1865 alcanzaban un especial interés los vinos de Cafayate y de San Carlos, y en esa época, el Registro Estadístico de la Provincia reconocía diecinueve bodegas y cinco destilerías en Salta –asegura–. Hacia fines del siglo XIX, las mejores bodegas eran la de don Salvador Michel y La Perseverancia, de don Wenceslao Plaza, en Animaná; la de don Amadeo Vélez, en Angastaco; la de López Hermanos, en San Felipe; y La Angostura, que primero fue de don Indalecio Gómez y luego de don Juan Uriburu. También, la de don José Antonio Chavarría, con la Bodega La Rosa, y El Recreo, de Peñalva Hermanos, en Cafayate. Esta última, dirigida por don José Tomás de Peñalva Frías, fue una de las más modernas, con máquinas moledoras a vapor y secciones bien montadas para alambique y destilería con toneles de madera. En esta época se cultivaban vides criollas, moscatel y malbec, a las que se irían incorporando vides de torrontés, semillón y lorda o tannat, entre otras", afirma.

Para 1908 Cafayate era claramente la principal zona de producción, con 583 hectáreas de viñedos, muy por encima de las 140 hectáreas en San Carlos y en Molinos.

LA EVOLUCIÓN DE LA ENOLOGÍA

Partiendo de aquellos primeros bodegueros, cuyos conocimientos se basaban en la práctica y en la intuición, en lo aprendido a través de la experiencia y en lo heredado de generaciones anteriores, a lo largo de los últimos ciento cincuenta años, se desarrolló la figura del enólogo, el especialista en la elaboración de vinos, con los conocimientos técnicos y químicos inherentes a la tarea. Un ejemplo de esta búsqueda, promovida en Argentina por los gobiernos provinciales, fue la inauguración en 1896 de la Escuela Nacional de Vitivinicultura, ubicada en el predio de la antigua Quinta Agronómica, la misma que en 1853 dirigía Michel Pouget. ¶

A grandes rasgos, puede decirse que la enología moderna nació junto con los descubrimientos realizados por Louis Pasteur, a pedido de un bodeguero francés. Fue este reconocido científico quien, en 1857, demostró que la fermentación alcohólica se debía a la presencia de la levadura: esos microorganismos que transforman el azúcar en alcohol y liberan dióxido de carbono. Así, Pasteur dio inicio a la llamada "enología curativa", en un período que abarcó desde 1870 hasta 1960. En esos años, el papel del enólogo se desarrollaba esencialmente en la bodega, sin conexión con el viñedo. Se recibía la uva y se la guardaba en toneles para fermentar, intentando corregir en el momento los distintos defectos que surgían por contaminaciones y acidificaciones. ¶

A este período le siguió el de la enología preventiva, en el cual, a través de investigaciones teóricas y prácticas, se comenzaron a mirar de cerca los procedimientos que van desde la cosecha hasta la botella final, incluyendo procesos en la finca –como el pronto traslado de las uvas cosechadas– y en la bodega, como la selección, el prensado y las opciones de maceración. En este caso, la búsqueda ya no era corregir en bodega los errores encontrados, sino intentar mejorar cada etapa en la elaboración para lograr así vinos naturalmente sanos, que requirieran menos intervenciones. ¶

FRANCESES E ITALIANOS EN SAN RAFAEL

San Rafael, el oasis sur de Mendoza, nació de la unión de regiones europeas con gran trayectoria vitivinícola. En 1880 el presbítero Manuel Marco destinó su fortuna familiar a comprar grandes extensiones de terreno virgen en la zona. Para comenzar los cultivos, el propio Marco viajó a Buenos Aires, donde convenció a un grupo de inmigrantes italianos recién bajados de los barcos para que lo ayudasen. Desafortunadamente, el viento zonda y los granizos hicieron fracasar este proyecto, y Marco quedó en la ruina. Ahí es donde la historia se cruzó con Francia. También por esos años, en 1884, el acaudalado inmigrante francés Rodolfo Iselín compró grandes terrenos con la idea de reconvertirlos en explotaciones agrícolas. Convencido por el clima y por las bondades de la región, Iselín levantó allí la colonia francesa, para lo cual convocó a un grupo de amigos de su país natal –entre ellos, Rafael Violet y Jean Brun, quienes luego tuvieron sus propias bodegas–. Además, Iselín les dio trabajo a varios de esos italianos convocados originalmente por Marco, a cambio de tener sus propios terrenos a pagar en cuotas a lo largo de cinco años. Así comenzó la historia del vino en San Rafael, que, a lo largo de las siguientes décadas, convocó a grandes familias bodegueras de distintas nacionalidades, como Suter –Otto Rudolf Suter, nacido en Suiza en 1864, obtuvo del propio Marco sus primeras 7 hectáreas de tierras incultas, con la condición de que las transformara en productivas–, Bianchi y los vascos Goyenechea y Arizu, entre otros.

El último paso se dio a partir de 1990, con la llamada "enología sensitiva": "El vino nace en el viñedo" es hoy el mantra que repiten los grandes enólogos del mundo. En esta etapa, la división de tareas entre ingeniero agrónomo y enólogo comienza a desdibujarse para cederle paso a la conformación de un equipo de trabajo comunitario e interdisciplinario. Pensar realmente que el vino nace en el viñedo significa minimizar los trabajos en la bodega, lo que permite así que cada variedad de uva exprese el terruño de donde proviene. De algún modo, se trata de una suerte de vuelta al pasado, al poder absoluto de la naturaleza, pero con los conocimientos adquiridos a través de décadas de investigación y estudio, comprendiendo la importancia de los riegos, de la insolación y de la poda; analizando también la composición material de los suelos y las temperaturas; comparando fechas de cosecha y modos de conducción de los viñedos; incorporando tecnología de avanzada en las bodegas y priorizando la limpieza y los protocolos de trabajo, entre muchísimas más variables. Incluso, cada vez más bodegas prefieren dejar de utilizar el término "enólogo" a cambio del más abarcador "hacedor de vinos", que suma la importancia crucial que tiene la degustación de las uvas y de los vinos, más allá de lo que muestren los análisis químicos. ¶

A esto se puede sumar hoy una característica más que estos hacedores de vinos incorporan a sus responsabilidades: la de ser portavoces de cada bodega, como embajadores globales frente a clientes, catadores y periodistas. Es que, si bien el vino nace claramente en el viñedo, también es verdad que luego las personas siempre interpretan ese resultado de la naturaleza, sumando su mirada, su paladar y sus propios criterios subjetivos. Entonces, qué mejor que sean estas mismas personas, los hacedores detrás de cada vino, quienes los definan. ¶

LA ENTRADA AL SIGLO XXI

Si los años entre 1880 y 1910 fueron claves para el desarrollo de una primera industria del vino nacional, la siguiente revolución ocurrió un siglo más tarde, desde 1990 hasta comienzos de 2000. Antes, durante todo el siglo XX, el vino alternó momentos de crecimiento con grandes caídas. Muchas crisis comenzaron por razones externas –la Primera Guerra Mundial, el crac de la Bolsa de 1929–, y otras, por causas políticas y sociales propias del país, con una vitivinicultura heterogénea compuesta por una red de protagonistas tan extensa como frágil. En 1917 Mendoza contaba con 2700 viñateros "puros", dueños del 45 % de las 67 000 hectáreas cultivadas; se sumaban unos 1100 viñateros y bodegueros al mismo tiempo; y 60 bodegueros "puros", es decir, sin viña propia. Esa radiografía de pequeños productores definió –y aún define– un mapa vitivinícola propio, distinto a lo que suele mostrar el resto del Nuevo Mundo del vino (Australia, Estados Unidos o Chile, entre otros), y más parecido a países como España, Francia e Italia. ¶ Grandes crisis como la de 1913 –con una sobreproducción de vino que llevó a una estrepitosa caída del precio de la uva–, o la de 1930, fueron acompañadas de intervenciones estatales, la creación de la Junta Nacional del Vino, nuevas leyes para evitar adulteraciones y falsificaciones, la prohibición de cultivo de uvas fuera de las zonas productoras más grandes y varias otras políticas que tuvieron más o menos éxito según el caso. De todas maneras, en el largo plazo, el consumo de vinos en Argentina, desde el siglo XIX hasta 1970, se caracterizó por su crecimiento, y se convirtió en un ítem básico de la canasta alimentaria nacional. De 23 litros per cápita en 1869 se pasó a 62 litros en 1911. A partir de finales de la década de los cuarenta, ese número comenzó nuevamente a subir y llegó a los 90 litros per cápita en 1970, con una característica particular: más de dos tercios de esos litros correspondían a vino blanco sin distinción varietal, que se bebía usualmente con hielo o aligerado con soda, casi a modo de refresco. ¶ Por esos años, se vivía el auge de los llamados "vinos de mesa" (en oposición a los finos), muchos envasados en damajuana, nacidos en viñedos que priorizaban el rendimiento por sobre la calidad. En lugar de malbec o de cabernet sauvignon, los vinos eran en su mayoría cortes que se identificaban por sus marcas comerciales o por el empleo de toponimias europeas, como Borgoña, Champagne y Chablis, entre otras, en una lógica que se mantenía desde finales de siglo XIX. Vale destacar que estas toponimias poco tenían que ver con los vinos que afirmaban encarnar: es decir, el borgoña local no pretendía ser similar al de Francia, utilizando, por ejemplo, la cepa pinot noir en su composición, sino que el nombre buscaba convertirse, antes que nada, en un símbolo de calidad y no de estilo. Recién en los años sesenta y setenta, surgieron las primeras y tímidas etiquetas de malbeck –en esa época se solía escribir con una "k" final–, cabernet sauvignon, torrontés y algunos otros varietales, que por varias décadas serían apenas una excepción a la regla. Así se explica también que la gran mayoría de los viñateros

haya decidido en ese tiempo suplantar las antiguas fincas de prestigiosas cepas francesas por otras de mayor productividad. A diferencia de lo que sucede hoy, por ese entonces, los viñedos de malbec no eran negocio; resultaba mucho más redituable arrancarlos y cultivar, en cambio, variedades criollas de poca calidad enológica. ¶
A partir de los años setenta, los números en el consumo de vino comenzaron a caer por cambios culturales que se dieron al mismo tiempo en gran parte del mundo: jornadas de trabajo de horarios corridos, concentración de las poblaciones en los centros urbanos, pérdida gradual de rituales como la siesta y los almuerzos familiares, la tendencia hacia una alimentación más saludable, la competencia de la cerveza y el resurgimiento de la coctelería, entre otros factores. De esta manera, en los últimos cincuenta años, países con fuerte tradición vinícola, como España, Francia, Italia o Portugal, vieron disminuir su consumo de manera constante, con reducciones que en general superaron el 50 %. Lo mismo sucedió en Argentina: de los 90 litros per cápita de los años setenta, se pasó a un promedio actual de apenas 20 litros. Dicha transformación también modificó la mirada sobre esta bebida: el vino dejó de ser parte de una dieta habitual y popular para convertirse en un consumo de ocasión, específico para horarios de la cena, almuerzos de fin de semana o salidas en restaurantes. No extraña tampoco que la mayor caída se haya registrado en el segmento de los vinos más económicos: al beber menos, muchos decidieron beber mejor. ¶
Los cambios culturales sorprendieron a una industria a la que le costó reaccionar a la velocidad que exigía la sociedad. Tras varios años de crecimiento constante, en los que se priorizaron zonas y una enología de alto rendimiento, para 1977 Argentina tenía más de 350 000 hectáreas de viñedos. Más del 90 % del vino que se producía en el país se consumía puertas adentro; tan solo unas pocas bodegas se atrevían a la exportación, como Trapiche –con marcas fuertes que incluían Fond de Cave y Broquel–, Lagarde, Goyenechea, Norton y Cavas de Weinert. Más allá de estos pioneros, y también de algunas grandes inversiones extranjeras –como el desembarco en 1959 de la casa Moët & Chandon, en Mendoza, que abrió su primera filial fuera de Francia–, Argentina tenía los ojos cerrados al mundo, y el mundo respondía apartando su vista de la Argentina. Incluso siendo uno de los cinco principales países productores de vino en el mundo, las etiquetas nacionales eran por completo desconocidas fronteras afuera, mientras que otros países del Nuevo Mundo, como Australia o Chile, ocupaban rápidamente los mercados de exportación. ¶
El récord de hectáreas cultivadas y la producción masiva con destino a un consumo local que estaba en caída fueron los ingredientes que provocaron una nueva crisis en la industria del vino en los años ochenta. La primera respuesta, urgente y necesaria, fue una drástica reestructuración de los viñedos, con una caída en la superficie cultivada de más de 140 000 hectáreas en apenas quince años. Entre ellas, muchas eran fincas viejas de malbec, que por entonces todavía no tenía valor de mercado. En Mendoza,

por ejemplo, de las 72 000 hectáreas de malbec que había en 1978, quedaron apenas 10 000 en 1990. Recién en la última década del siglo XX, la reestructuración entendió que no solo se trataba de cantidad, sino de calidad. Y que, más allá de un mercado interno cada vez más chico y, a la vez, más exigente, nuestro país debía apostar también al mercado externo para sostenerse. ¶

LA MODERNIZACIÓN

En los noventa y principios de 2000, el vino argentino cambió de paradigma, aprovechando la particular coyuntura que vivía el país. La ley de convertibilidad del gobierno de Carlos Saúl Menem, por la cual un dólar equivalía a un peso argentino, logró –entre muchos otros efectos– que fuera económica la importación de bienes de capital. Con la mirada puesta en lo que se hacía en el exterior, las bodegas comenzaron rápidamente a reemplazar los viejos toneles y las antiguas piletas de cemento por tanques de acero con capacidad de refrigeración; sumaron nuevos equipos de molienda y prensado; adquirieron tecnologías de avanzada para investigar terruños y climas, todo en pos de modernizar y actualizar una industria que había vivido por más de un siglo encerrada en su propia burbuja. Una vez reequipadas las bodegas, ya en el cambio de siglo, la economía argentina dio otro cimbronazo: la fuerte devaluación de 2001. Y, nuevamente, para el vino argentino se dio una paradoja particular: de pronto, su precio y calidad comenzaron a ser muy competitivos para el mundo. Se multiplicaron así las inversiones que habían comenzado diez años antes, tanto locales como de capitales extranjeros, e incluso

CAMBIO DE PARADIGMA

Una de las bodegas que dio forma al mapa vitivinícola de finales del siglo XX en Argentina fue Finca Sophenia, creada por Roberto Luka y un grupo de amigos. "En los noventa empecé como director general de Finca Flichman. Por esos años, el paradigma del vino argentino era oxidado, añejado en enormes cubas de roble que no solían estar limpias. Ahí comencé a pensar en los vinos de otra manera, para que pudieran competir en el exterior. Para 1997 ya había visto las virtudes del valle de Uco, así que con un amigo, Gustavo Benvenuto, compramos 130 hectáreas en Gualtallary, Tupungato. El lugar era un desierto, no había nada a 10 kilómetros a la redonda, pero yo sabía que ahí se podían hacer muy buenos vinos. Enseguida, esto empezó a cambiar: llegaron bodegas como Salentein, Andeluna, Bousquet. La gran revolución fue el riego por goteo, que nos permitió a todos cultivar en las pendientes de las laderas sin necesidad de hacer terrazas. Así subimos en la altura, donde, gracias a un clima más frío, la madurez zucarina de las uvas era más lenta. La altura permitió pensar que Argentina podía hacer grandes vinos".
Con una mirada comercial, Roberto Luka fue presidente de la Asociación Vitivinícola, embrión de las actuales Wines of Argentina (WOFA) y de Bodegas de Argentina. "Formamos el primer grupo de exportación con marca país: Argentine Top Wines. Debíamos trabajar en conjunto para que el país se hiciera conocido fronteras afuera. Ayudaron mucho las inversiones extranjeras, como Chandon, Codorníu, Freixenet, Pernod Ricard, todos con distribución inmediata en el mundo. Nuestros enólogos empezaron a viajar al exterior, vinieron también los *flying winemakers*. Y tuvimos la suerte de tener el malbec, una cepa extraordinaria, que permite lograr vinos ricos y simples, así como complejos e increíbles".
Finca Sophenia tomó el modelo de *château*, elaborando vinos solo con uva propia. "Plantamos la viña en 1998; construimos una bodega con la misma tecnología de las mejores bodegas del mundo. Y, lo más importante, armamos un gran equipo humano. Así, con base en un gran terruño, llegamos a veinticinco países en el mundo, con altos puntajes en catas internacionales. Hoy vendemos el 30 % de nuestros vinos en el país; el resto se distribuye entre Estados Unidos, Brasil, Reino Unido, China, Corea y más países".

se crearon muchas bodegas nuevas con modelos comerciales que apuntaban principalmente al mercado externo. Por esos años también comenzaron a llegar al país los grandes consultores internacionales, que no solo fueron parte en la reconversión enológica que se estaba llevando a cabo, sino que además funcionaron como embajadores globales de marcas argentinas en el mundo. En 1988 Michel Rolland aterrizó en Salta, junto con la familia Etchart; también en ese año, Paul Hobbs comenzó a trabajar junto con Catena Zapata, hasta que en 1999 fundó Viña Cobos, su propia bodega, acompañado de la dupla local Andrea Marchiori y Luis Barraud. En 1995 el reconocido enólogo italiano Alberto Antonini creó Altos Las Hormigas, y el propio Rolland convocó, en 1999, a un grupo de amigos e inversores franceses para dar vida a Clos de los Siete, el gran proyecto enológico con base en el valle de Uco. ¶

Todo esto es apenas una muestra de los avances acelerados a los que se sometió la industria del vino nacional en ese cambio de siglo. Surgieron las llamadas bodegas *boutique*, con producciones menores al millón de litros, en exclusiva de vinos de alta gama, y con nombres pioneros, como Finca La Anita (creada en 1992) y Fabre Montmayou (en 1993). Bodegas de gran tradición familiar, como Zuccardi, emprendieron una rápida reconversión para llegar a los mercados extranjeros, mientras que Catena Zapata demostró el valor que podían tener los vinos argentinos en el mundo, con su primer malbec del valle de Uco en 1994. ¶

Esos años, los que van de 1990 a principios de 2000, transformaron el modo de pensar los vinos en el país. Fueron cambios determinantes, que alcanzaron a todas las regiones productoras: desde Salta, donde proliferaron las nuevas bodegas de alta calidad, hasta el naciente polo vitivinícola de Neuquén, que en pocos años se convirtió en la principal provincia productora de la Patagonia. De a poco, Argentina comenzó a convertirse en una potencia exportadora, embanderada a la cepa malbec, sin olvidar nunca el mercado interno. ¶

LA IMPORTANCIA DEL FERROCARRIL

De dos a tres meses podía demorar una carreta repleta de cascos de vino para llegar de Mendoza a Buenos Aires. El trayecto era caro y peligroso, una barrera difícil de superar para el comercio entre provincias. De hecho, desde la época colonial, la región cuyana creció mirando al Pacífico, como parte de una ruta dirigida hacia Chile y el Alto Perú. De este modo, el ferrocarril, que unió Mendoza, San Juan y Buenos Aires a partir de 1885, fue mucho más que un medio de transporte: significó la integración simbólica y real de un país en formación. Ese ferrocarril, que se había comenzado a gestar durante la presidencia de Domingo Faustino Sarmiento, continuado por Nicolás Avellaneda y terminado por Julio Argentino Roca, representaba el ideario de la generación del 80, con un modelo económico basado en la agroexportación y una incipiente sustitución de importaciones. Para las bodegas de Cuyo, más allá de los altos precios exigidos por los capitales ingleses para el traslado de los cascos de madera rebosantes de vino listo para ser envasado, esto significó poder llevar sus productos a los mercados urbanos en apenas dos o tres días, lo cual selló la supremacía de Mendoza y de San Juan por sobre las demás zonas productoras. Como consecuencia, entre 1887 y 1895, la superficie de viñedos de Cuyo creció a un ritmo medio del 15 % anual, y así se convirtió en la principal actividad industrial de la zona.

FIN DEL MUNDO

Entre 1990 y principios de los 2000, cambió el modo de pensar los vinos en el país. Fueron cambios determinantes, que alcanzaron a todas las regiones productoras. No se trata solo de Mendoza y de la avanzada sobre el valle de Uco, región que se convertiría desde entonces en el principal foco de novedades e inversiones del vino argentino. También el resto del país se sumó con fuerza, personalidad y características propias a esta verdadera revolución vitivinícola. Salta, con ese precioso oasis que es Cafayate, equilibró su larga historia de tradición y grandes apellidos con la modernización de instalaciones antiguas y la creación de nuevas bodegas apostando en su enorme mayoría a la alta calidad, y definiendo así una nueva era del vino calchaquí. Lo mismo sucedió yendo hacia el sur: Río Negro, con la Bodega Humberto Canale a la cabeza, comenzó a recuperar terreno perdido, y de esta manera dio pie a nombres nuevos en la región que modificaron de manera definitiva el mapa local. Así también sucedió en 2001 con la llegada de Noemía, la bodega creada por la condesa Noemi Marone Cinzano junto con el *winemaker* Hans Vinding-Diers (Hans había conocido la Argentina tres años antes, convocado por Canale como consultor internacional); y con Chacra, creada en 2004 por Pietro Incisa della Rocchetta, que llegó seducido por las posibilidades del pinot noir en la Patagonia. ¶

También al sur, en Neuquén surgió San Patricio del Chañar, con grandes inversiones, tecnología y extensos viñedos haciéndoles frente a los vientos patagónicos. Bodegas pioneras en la región, como Del Fin del Mundo (que plantó allí sus primeras vides en 1999), Schroeder (que comenzó la construcción de la bodega en 2001) y Malma (nacida también en 2001, en ese momento bajo el nombre de NQN), dieron forma al más nuevo de los polos vitivinícolas de Argentina, donde se siguieron sumando otros protagonistas de distintos tamaños y filosofías. ¶

Con estos cambios abruptos, y más importante aún, con una mirada y objetivos renovados, Argentina comenzó a convertirse en una potencia exportadora embanderada en la cepa malbec, sin olvidar nunca la importancia y el valor del mercado interno. ¶

Este país, que hasta los años noventa había vivido encerrado en sí mismo, de pronto descubría al mundo; y el mundo descubría a este país. Queda todavía mucho por contar: en los próximos capítulos desarrollaremos el presente del vino nacional, ese presente que se escribe cada día a través de los enólogos, de las bodegas, de los terruños, de las añadas y de los millones de consumidores de vino argentino en el mundo. ¶

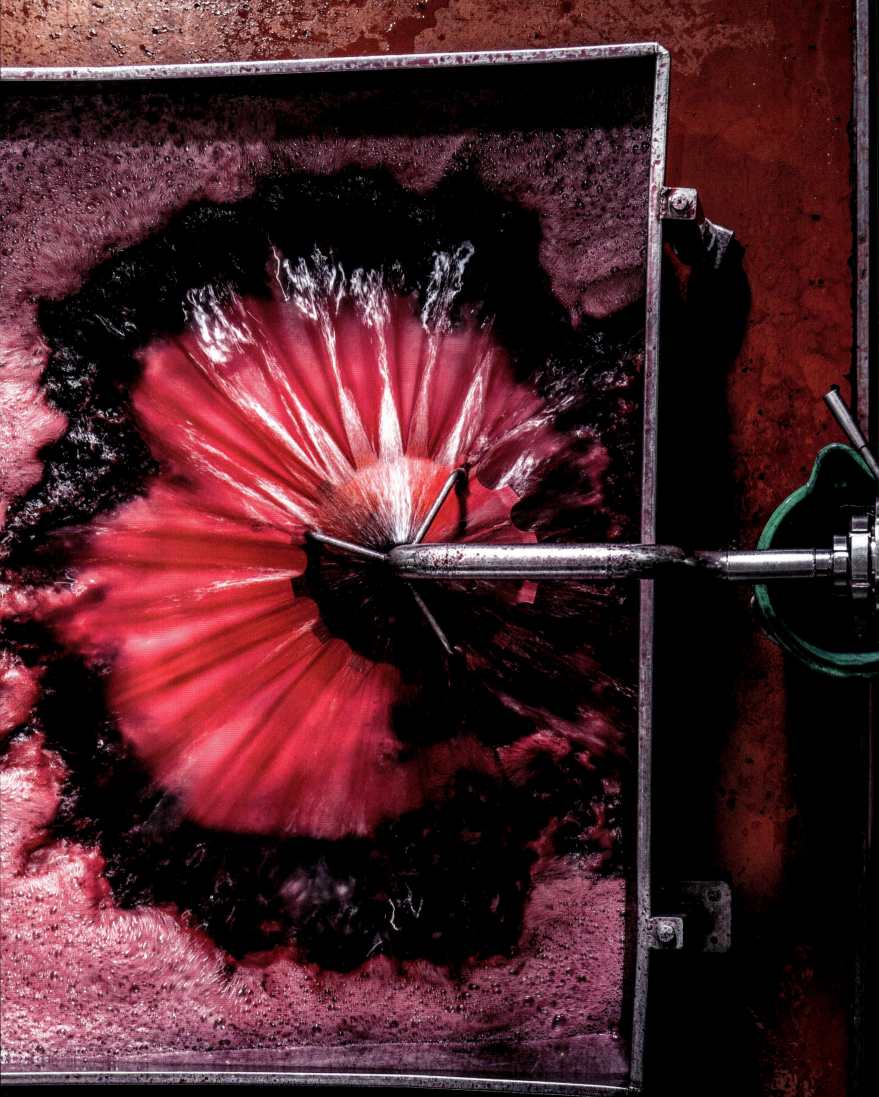

A
ARIZU

Entre 1877 y 1887, la vitivinicultura de Navarro, al norte de España, vivía su edad de oro. Es de ese lugar y de ese tiempo de donde partieron los primeros Arizu en dirección a la Argentina. El primero fue Balbino, luego sus hermanos y más tarde fue el turno de su sobrino Leoncio Arizu, apenas un niño. Balbino fue responsable de crear Balbino Arizu y Hnos., que, a lo largo de buena parte del siglo XX, se convirtió en uno de los mayores productores de vino de la Argentina. Leoncio, en cambio, después de trabajar con sus tíos, emprendió otro camino, el de la calidad. Así, se unió a un piamontés de apellido Bosca y dio vida a la actual Luigi Bosca. "Me gusta decir que Luigi Bosca es la primera bodega *boutique* de la Argentina, produciendo desde siempre vinos de calidad. En los sesenta ya teníamos varietales de malbec, riesling, cabernet sauvignon, chardonnay. El mercado priorizaba el precio, pero mi bisabuelo, mi abuelo y mi padre estaban convencidos de lo que querían lograr", cuenta Alberto Arizu (h), cuarta generación de la bodega mendocina.

Es una saga familiar: Leoncio creó la bodega en 1901; su hijo Saturnino, un ingeniero agrónomo, se hizo cargo de los viñedos en 1933. En 1963 fue el turno de Alberto Arizu, testigo y protagonista de los cambios que vivió el vino en el país. Su hijo, también Alberto, se sumó en 1993, manteniendo la apuesta pionera por la calidad. También le tocó vivir la apertura de la Argentina al mundo, promoviendo las exportaciones no solo de su bodega, sino de toda la industria y siendo repetidas veces presidente de Wines of Argentina.

Más de ciento veinte años defendiendo al vino argentino convirtieron a Luigi Bosca en lo que es hoy: una de las bodegas más respetadas, queridas y deseadas en el país.

B
BARZI

No son tantos los apellidos que logran convertirse en embajadores de una región. El de los Barzi Canale es un caso emblemático: hablar de esta familia –y de su bodega, Humberto Canale– es hablar de la historia del vino en el Alto Valle del río Negro. Un recorrido que arranca hace más de un siglo, allá lejos, en 1909. Humberto Canale, hijo de un genovés, fue un ingeniero civil que trabajó en el Alto Valle a finales del siglo XIX, implementando en la zona sistemas de irrigación bajo las órdenes del gobierno del general Roca. La zona aún no era productiva, pero él, convencido de sus posibilidades económicas, compró tierras y se comprometió con el desarrollo regional. Para 1912 la propiedad ya tenía 200 hectáreas de viña plantadas con cepas que el propio Canale había traído de Francia.

A lo largo del último siglo, los Canale fueron conocidos por diversas actividades industriales: fábrica de bizcochos, de dulces y conservas, aserradero, distribuidora y, claro, la bodega patagónica. Entrado el siglo XX, Humberto le dio el manejo de los vinos a su sobrino Manuel, y luego en 1981 fue Guillermo Barzi Canale quien potenció el emprendimiento familiar. "En 1978 empezamos a exportar junto a once bodegas mendocinas. En 1987 participamos en un concurso en Francia y obtuvimos tres medallas de oro. Desde entonces fue el *boom*. Con el uno a uno invertí en tecnología para estar a la altura de ese desafío. La última temporada tuvimos un millón y medio de botellas de los mejores vinos de la Patagonia", cuenta.

Humberto Canale sigue hoy en manos de la familia fundadora, con la quinta generación ya trabajando en bodega, y con los objetivos intactos: levantar la bandera de la calidad en los grandes vinos del valle del Río Negro.

B
BENEGAS

Según el censo nacional de 1895, el principal bodeguero del país era por ese entonces Tiburcio Benegas, un verdadero visionario que era parte de la construcción de la Argentina en esos años turbulentos de cambio de siglo. Era representante de la reconocida generación del 80, un protagonista en la política nacional: fue diputado, luego senador nacional y finalmente gobernador de Mendoza. Fue él quien en 1883 fundó nada menos que El Trapiche, donde comenzó a elaborar vinos a base de las cepas francesas más renombradas.

No es casual tampoco que Benegas haya sido yerno de Eugenio Blanco, autor de *El manual del viñatero en Mendoza*, una guía práctica cuyo objetivo explícito era mejorar la industria vinícola de Mendoza, así como también la de San Juan, La Rioja, Catamarca y Salta. La familia completa estaba inmersa en la pasión por el vino; una pasión acompañada de calidad y trabajo.

"Frente a la crisis económica que atravesaba la provincia, que era productora de alfalfa y de trigo, don Tiburcio tenía la visión de que Mendoza debía ser un gran productor de vinos finos a nivel mundial, y no solo se enfocó en su proyecto, sino que también alentó a que otros productores incorporaran nuevas técnicas y plantaran variedades finas repartiendo las estacas que había traído de Francia a todo aquel que quisiera plantar vides", explican hoy en Bodega Benegas, propiedad de Federico Benegas Lynch, bisnieto de aquel Tiburcio que supo entender como pocos el futuro de Mendoza en el mapa global del vino. Hoy Bodega Benegas mantiene esa misma visión intacta a través de vinos de guarda y etiquetas jóvenes que acompañan la evolución de una industria y un mercado siempre en movimiento.

B
BIANCHI

De la Puglia a Mendoza. Unos 12 000 kilómetros en línea recta separan estas dos regiones del mundo. Ese recorrido realizó en 1910 un joven Valentín Bianchi buscando nuevos horizontes. Y los encontró, poco más de una década más tarde, cuando en 1928 inauguró en San Rafael la Bodega El Chiche, con viñedos propios y una idea en mente: ser "la pequeña bodega de los grandes vinos". Desde entonces, el apellido Bianchi se convirtió en embajador de su región con nuevas generaciones familiares ahondando sobre los pasos dados por las anteriores. A Valentín le siguió su hijo Enzo Bianchi, luego sus nietos Valentín, Raúl y Sylvia, quienes trabajaron junto a sus primos, los Stradella. Es imposible hablar de Bianchi sin mencionar vinos que son indelebles en el consumo nacional. Etiquetas que siguen presentes, desde Valentín Lacrado hasta Bianchi Particular, pasando por Famiglia Bianchi y uno de los símbolos de esta casa, el *blend* Enzo Bianchi. Con champañera propia inaugurada en los años noventa, la bodega incursionó en el mundo de las burbujas, donde se convirtió en uno de los grandes jugadores nacionales. Quien vaya a San Rafael sabe que debe visitar Bodega Bianchi, parada obligada en la ruta enoturística de la región. Pero hay más: lejos de quedarse quieta, Bianchi continúa su viaje en el siglo XXI. En 2017 sumó una nueva bodega con 170 hectáreas en el valle de Uco, donde presentaron, por ejemplo, el Enzo Bianchi Gran Malbec, de un viñedo de Los Chacayes. Grandes puntajes y reconocimientos (su IV Generación Gran Corte 2019 fue elegido por la revista *Decanter* como uno de los cincuenta mejores vinos de 2022); vinos ícono y vinos populares; burbujas, tintos y blancos. Con ese presente, Bodega Bianchi se prepara para festejar su siglo de vida.

PIONERO

Es sabido: el apellido Catena es sinónimo del mejor vino argentino en el mundo. Esta historia comienza con Nicola Catena, quien aprende los trabajos de la viña de su padre Doménico y de su abuelo Vincenzo en la comarca de Belforte del Chienti, en Italia, en el siglo XIX. Él emigra muy joven a Argentina y planta sus primeras vides en Mendoza, en 1902. Luego será el turno de Domingo Vicente, su hijo mayor, uno de los más importantes tipificadores de vino mendocino durante las décadas de los cincuenta y sesenta. Pero fue su hijo Nicolás Catena Zapata, de la quinta generación, quien inició la gran revolución exportadora.

CATENA

"En 1982 fui a los Estados Unidos como profesor invitado a la Universidad de California, Berkeley, al Departamento de Economía Agrícola. Allí cerca, en Napa Valley, pude ver y estudiar los cambios en la búsqueda de mayor calidad mundial que impulsaba el legendario Robert Mondavi. En esos años, en Argentina, producíamos vinos caracterizados por un altísimo nivel de oxidación, un sabor apreciado en el consumo doméstico. En el resto del mundo las preferencias se inclinaban por otro estilo de elaboración bien diferente, un estilo que cuidaba proteger el sabor de la fruta. Entonces me pregunté: si en 1976 un vino de Napa pudo ganar en el famoso Juicio de París a las grandes etiquetas francesas, por qué no intentarlo y lograrlo en mi país. En 1983 inicié un proyecto orientado a modificar radicalmente el cuidado de nuestras viñas y nuestras prácticas enológicas introduciendo lo que deseo denominar: 'el estilo californiano-Francés'".

Para ello Nicolás convocó a consultores extranjeros como Paul Hobbs, especializado en chardonnay, a Jacques Lurton, de la renombrada familia de Burdeos, y a Atiglio Pagli, de la Toscana, que se convirtió en el experto de la variedad malbec.

La primera cosecha de este proyecto pionero fue la de 1990, que se exportó totalmente a los Estados Unidos. Un éxito rotundo. Aunque lo más importante fueron los elogios de Robert Parker al sabor del Catena Malbec elaborado en este nuevo estilo, que dio pie a la fama internacional del malbec argentino. "Recuerdo la difícil tarea de mi mujer Elena cuando comienza la venta en Boston ofreciendo estos nuevos vinos. Le dicen que la calidad argentina era tan desconocida que para comprarle debían tener la calidad de un californiano con el triple de precio. Insistió, compararon, y pudo venderle a quien hasta hoy ha sido uno de nuestros mejores clientes".

Cuentan que en una cena Nicolás le dio a probar a Jacques Lurton el cabernet sauvignon que se elaboraba con uvas de la zona de Maipú, en Mendoza. El bodeguero francés comentó: "Me recuerda a los ricos vinos de Languedoc".

A Nicolás le inquietó el comentario. Internacionalmente Languedoc no era considerada una gran zona por su alta temperatura promedio. "Inmediatamente decidí que debía buscar lugares más fríos, estudiando ir hacia el sur o subir a la montaña. Plantamos finalmente el Viñedo Adrianna, en Tupungato, a 1500 metros de altura y así comienza la revolución de los vinos de altura". Cuando Nicolás inició este viñedo, sus colegas creyeron que estaba loco. Opinaban que no madurarían las uvas y las heladas impedirían cosechar.

Sucedió algo inesperado. La altitud produjo sabores notoriamente más intensos, muy diferentes, especialmente en las variedades chardonnay y malbec. Las tierras altas mendocinas se valorizaron enormemente hasta transformarse hoy en las de mayor precio por hectárea del país. Nicolás se convierte así en uno de los pioneros en descubrir la mayor calidad en los vinos de altura.

Elena y Nicolás tuvieron tres hijos: Ernesto, Laura y Adrianna. "Cuando tenía 18 años mi sueño era dedicarme a la vida académica. La muerte repentina de mi abuelo y mi madre Angélica en un accidente automovilístico, sumado a un infortunio económico que amenazó a la bodega familiar, me forzaron a involucrarme y relegar mis ambiciones académicas. No quise que mis hijos tuvieran que vivir esa experiencia y los incentivé a que tomaran en la vida sus propios caminos". Ernesto estudió Ciencia Informática en Estados Unidos, Diseño Industrial en Milán e Historia de la Ciencia en el Imperial College de Londres. Laura estudió Biología en Harvard y luego Medicina en Stanford, en Estados Unidos, y Adrianna –la menor y quien había acompañado a su padre durante la plantación del viñedo que lleva su nombre– decidió doctorarse en Historia en la Universidad de Oxford, en Inglaterra.

Pero el destino tomó un giro inesperado que sorprendió a Elena y Nicolás en la tarea de transformar la vitivinicultura argentina y conquistar al mundo con el malbec. Y ocurrió que cada uno de sus hijos –un poco por azar y un poco porque tal vez estaba en su sangre– fue enamorándose del mundo del vino. Ernesto fue precursor y es un apasionado defensor de los vinos orgánicos y biodinámicos. Laura fundó el Catena Institue of Wine y está fuertemente involucrada en la investigación de los suelos, los vinos de altura y las selecciones masales. Adrianna ofrendó sus conocimientos históricos y se convirtió en la narradora de la familia al crear el emblemático Catena Zapata Malbec Argentino, primera etiqueta en el mundo en contar la historia de un varietal. "Los hijos siempre te acompañan", reflexiona Nicolás.

Nicola Catena, su mujer y sus hijos.

LA CIENCIA DETRÁS DEL TERRUÑO

A FINES DE LOS NOVENTA, la idea de "terruño" en Argentina era tan solo un concepto lejano, importado de la tradición francesa. Por ese entonces, la vitivinicultura nacional deambula otros caminos urgentes: se reconvierte de un modelo de volumen a otro de calidad, apoyándose en las variedades y en técnicas agrícolas y bodegueras. El suelo no parecía ser prioridad. Pero fue ahí que nació el Catena Institute of Wine (CIW), un proyecto pionero y revolucionario convencido de que en Argentina también había terruños. "Cuando comencé a trabajar con mi padre descubrí que mucha gente alrededor del mundo no conocía nuestros vinos, no sabían siquiera que en Argentina se elaboraban vinos desde el siglo XVI. Encontré muchas personas que pensaban que todos los malbec eran iguales, que todo el vino de Mendoza era igual. Decían que solo había terruño en lugares como Francia, con sus distintos climas y sus crus. Pero yo sabía que en Mendoza había terruños. Con el Catena Institute estamos en este viaje, buscando entender el terruño del malbec", explica Laura Catena, Managing Director y fundadora del CIW. Como sexta generación vitivinícola de su familia, bióloga recibida en Harvard y médica en la Universidad Stanford, Laura comprendió que el trabajo en la bodega y en los viñedos debía sumar la ciencia para lograr los mejores vinos del país. "Para que haya un futuro del vino, un futuro tan increíble como el que tenemos hoy, con tantos vinos distintos de diferentes productores y orígenes, tenemos que aplicar el conocimiento científico y la investigación, alentando la colaboración entre distintos productores e institutos de investigación". Bajo el compromiso explícito de mejorar los vinos de la Argentina para los próximos cien años, en estas dos décadas el CIW trabajó sobre variedades, suelos, alturas y climas, y compartió los resultados con la comunidad vitivinícola global. Su último estudio, uno de los más ambiciosos llevados a cabo en el mundo (dirigido por el enólogo Roy Urvieta junto con investigadores el Conicet), fue publicado en la prestigiosa revista *Scientific Reports* con el título "Perfil sensorial y fenólico de vinos malbec de distintos terroirs de Mendoza, Argentina". Este estudio comparó 3 grandes regiones, 6 departamentos, 12 indicaciones geográficas, 23 parcelas individuales de menos de 1 hectárea de superficie en 3 añadas (2016, 2017, 2018), sumando datos climáticos detallados y analizando químicamente 201 vinos microvinificados en condiciones similares, comprobando la capacidad que tiene la cepa más representativa de la Argentina en expresar el terruño con persistencia a lo largo de las distintas añadas. "Por primera vez el estudio demostró que el efecto del terruño puede diferenciarse químicamente de una cosecha a otra dentro de regiones más extensas y dentro de parcelas más pequeñas", cuenta con entusiasmo Laura Catena.

DÁVALOS

Es difícil imaginar cómo era la región de los valles Calchaquíes en esos finales de siglo XVIII, previos, incluso, a la Revolución de Mayo. Seguro estaban allí los cactus, los paisajes imponentes, el clima; fue entonces que Nicolás Severo de Isasmendi plantó algunos viñedos en la zona de Molinos, e instaló allí una pequeña bodega. Seguramente sin imaginarlo, comenzó así una saga que continúa viva al día de hoy. Es la saga de los Dávalos, siete generaciones de una familia que elabora grandes vinos salteños.

La hija de Nicolás fue Ascensión Isasmendi de Dávalos; ella llevó a Molinos los primeros plantines de cepas francesas como malbec, cabernet sauvignon y tannat. Fueron también los Dávalos quienes en 1831 crearon la Bodega Colomé, considerada la bodega activa más antigua del país. Y fue Raúl Dávalos, quinta generación familiar, el que en 2001 –tras la venta de Colomé– se quedó con uno de los viñedos más altos de la bodega y abrió Tacuil, hoy emblema de esta familia.

En estas dos décadas Tacuil se convirtió en un nombre de culto entre los vinos argentinos: alturas extremas, vinos extremos y una impronta familiar que le hicieron ganar el respeto y la pasión de sus consumidores. La sexta generación de esta casa se divide hoy entre hijos y sobrinos de Raúl Dávalos, que no solo cuidan y perpetúan el prestigio y la calidad de esta bodega, sino que además cada uno de ellos elabora vinos propios, sumando a los valles Calchaquíes nuevas ideas y estilos. Si el vino se lleva en la sangre, el apellido Dávalos es un gran ejemplo.

DOMINGO MOLINA

Es imposible no recordar esas grandes damajuanas de vino salteño, parte del consumo de los vinos del siglo XX, que se bebían a lo largo de infinitos almuerzos bajo el sol y con los fuegos encendidos. Uno de los responsables de tanta felicidad fue Osvaldo "Palo" Domingo, cafayateño que comenzó como vendedor de vinos y terminó como uno de los bodegueros icónicos de la Argentina. Fue él quien en la década de 1960 creó Domingo Hermanos, primero como productora de uvas, luego como bodega (en 1978). Y años más tarde, en 2009, dio vida a Domingo Molina, enfocándose también en la alta gama.

Como parte activa de la vida política y social de Cafayate y de toda Salta, Osvaldo se enamoró del vino y de las viñas, y transmitió esa pasión por la tierra a sus tres hijos –Rafael, Osvaldo y Gabriel–, quienes continúan el legado. Entre ambas bodegas, con etiquetas que provienen de cuidados viñedos en Cafayate, Yacochuya y Tolombón, producen más de tres millones de litros, incluyendo varietales de alturas extremas, con variedades como malbec, tannat, torrontés y cabernet sauvignon.

Osvaldo Domingo y su familia mantienen no solo el orgullo por su tierra, sino también por unas raíces familiares que se pueden percibir al probar sus vinos. En cada uno de ellos se siente el sol de los valles Calchaquíes, las alturas extremas de los terruños donde nacen las uvas y una historia que cuenta ya con más de siete décadas como parte de una cultura y tradición locales. Esa es la marca registrada de la familia Domingo.

E
ETCHART

"La bodega originalmente es de 1850. Antes se llamaba La Florida y pertenecía a los Lema Niño. Mi abuelo, Arnaldo Benito, la compró en 1938, el mismo año en que nació mi papá, Arnaldo. De todas maneras, ya los Lema Niño eran parte de la familia, en este caso por el lado de mi abuela materna", cuenta Arnaldo Etchart (h), remontando así la historia de uno de los nombres más reconocidos de los vinos en los valles Calchaquíes.

En los años sesenta, con el lanzamiento del Etchart Privado torrontés, esta bodega fue pionera en vender vinos embotellados con marca propia, en lugar de enviarlo a granel para ser embotellado en Salta. Este torrontés fue uno de los que le dio a Salta su merecida fama en vinos blancos, en una época en que en la Argentina se bebía mucho más blanco que tinto. "Luego, en 1988, fuimos pioneros convocando a Michel Rolland al país, para que nos ayude a elaborar vinos que fueran capaces de competir en el exterior. Ahí nació el Arnaldo B", explica este bodeguero.

En 1995 la familia Etchart vendió su bodega al grupo Pernod Ricard, y se quedó con un único viñedo, en Yacochuya, a más de 2000 metros sobre el nivel del mar, donde, con participación de Rolland, inauguraron una pequeña bodega dedicada de manera exclusiva a la alta calidad, algo novedoso en ese momento para la provincia. Hoy Yacochuya es sinónimo de vinos de altura, con añadas verticales muy codiciadas por coleccionistas.

G
GOYENECHEA

Son muy pocas las bodegas argentinas que pueden mirar hacia atrás y descubrir una historia que lleva más de ciento cincuenta años siendo escrita, cosecha tras cosecha, vino tras vino, con calidad y con perseverancia. De eso se trata Goyenechea, cuyos orígenes se remontan a los hermanos Santiago y Narciso, dos inmigrantes españoles que tenían almacenes de vino y licores en la ciudad de Buenos Aires. Fueron ellos quienes en 1868 adquirieron la finca y bodega en Villa Atuel, al sur de la provincia de Mendoza. También fueron los Goyenechea quienes, junto con la familia Arizu, comenzaron a plantar vides hasta lograr tener entre 1930 y 1940 el mayor viñedo del mundo. Son muchos los hitos y los cambios que se dieron en este siglo y medio de vida. Entre ellos, el haber sido parte de la creación de la denominación de origen controlada (DOC). San Rafael; y luego haber sido también la primera bodega de todo el continente americano en exportar un vino con una DOC, mostrando así su espíritu pionero.

Si los vinos se pueden pensar por añadas, una bodega como Goyenechea se debe pensar por generaciones. Hoy trabajan allí en conjunto la cuarta y la quinta generación familiar, responsables de haber modernizado y reequipado las instalaciones para una elaboración moderna y acorde a los tiempos que corren. "Nuestro futuro se vislumbra acentuando la diversidad y calidad, esperando convertirnos en un gran referente del sur de Mendoza", explican. Para lograrlo, lo saben, tienen a la historia de su lado.

G
GRAFFIGNA

"Soy la tataranieta de don Santiago", dice hoy Milagros Graffigna, parte de una extensa línea familiar unida a los cimientos de la enología sanjuanina. Oriundos de Italia, de la localidad de Borzonasca (Génova), los primeros Graffigna en venir a la Argentina fueron José, en 1862, y su hermano Juan, en 1865. Radicados en San Juan, comenzaron a plantar viñedos y, pronto, convencidos de las bondades de la zona, convocaron a su sobrino, Santiago Graffina. "Santiago llegó en 1876 y se hizo cargo de todo. Llegó a tener la variedad ampelográfica más grande del país, con ochocientas variedades. Tuvo trece hijos, que viajaron a Europa y volvieron con nuevas ideas para elaborar vinos finos. En 1970 la bodega lanzó la línea Centenario, un malbec y un cabernet sauvignon, cuando aún muy pocos pensaban la enología en términos varietales. Y también marcó la vida social y económica de la provincia, con anécdotas como cuando el ferrocarril fue desviado para pasar por la bodega, la fundación del Club Colón Junior en 1925 e incluso la creación de una radio propia en 1930, que supo tener la antena más alta de Latinoamérica", cuenta Milagros.

Tan importante es el nombre de Graffigna que en San Juan hasta tiene museo propio: allí se exhibe una sala de cubas, que incluye una cuba gigante de 200 000 litros, utilizada originalmente para guardar el vino.

En 1981 la familia vendió la Bodega Graffigna al grupo Allied Domecq (luego pasó a manos de Pernod Ricard, y desde 2019 pertenece al grupo CCU). Pero como familia, siguen ligados al vino, de una forma u otra. Los primos hermanos de Milagros, por ejemplo, tienen finca y elaboración propia directamente en Pedernal, bajo la marca Graffigna Yanzón, una perla de tradición y calidad en la zona más codiciada de la provincia.

L
LAVAQUE

José Fortunato Lavaque fue parte de esa numerosa inmigración libanesa que arribó a Buenos Aires a finales del siglo XIX buscando tierras pacíficas donde armar una familia. Seducido por los paisajes del valle, se instaló en Cafayate y fundó allí una propia bodega de vinos, que eran trasladados en carruaje a Salta. Años más tarde, su hijo Félix no solo continuó la historia, sino que le dio jerarquía y proyección, embotellando sus propios vinos y convirtiendo al apellido en una referencia de la zona.

El vino es su gente; eso queda claro siguiendo el recorrido de los Lavaque. A Félix le siguió Gilberto Lavaque, quien, casado con Malena Paolucci, se mudó a San Rafael y fundó Bodega Lavaque. Luego fue su hijo Rodolfo quien dio el gran salto de calidad, representando a la cuarta generación familiar al frente de la marca. Manteniendo la bodega sanrafaelina, Rodolfo decidió volver a los paisajes calchaquíes que eran parte de la historia de su padre, abuelo y bisabuelo: en 1993 adquirió Finca El Recreo en Cafayate, donde, con una idea moderna sobre los vinos de altura, se convirtió en uno de los principales actores de la reactivación vitivinícola de la región.

Hoy el apellido Lavaque sigue creciendo, reorganizándose en su quinta generación. Mientras que Julio Lavaque continúa al frente de la bodega sanrafaelina, Francisco "Pancho" y Dolores, junto a su madre Alicia, mantienen la saga familiar en Salta con Finca El Recreo. Ahí, además, Pancho da rienda suelta a su creatividad con dos proyectos que dan que hablar: Vallisto, en Cafayate; e Inculto, un pequeño proyecto llevado en conjunto con Matías Michelini que representa paisajes de alturas extremas en el norte del país.

L
LÓPEZ

1898. Hace más de un siglo nacía López, la reconocida bodega argentina. Una marca, unos vinos y un estilo que atravesaron el siglo XX y lo que vivimos de este XXI, acompañando las mesas, los brindis y las comidas de todo el país. Es una clásica historia de inmigración: en 1886 el español José Gregorio López Rivas desembarcó en Argentina, seguido luego sus hermanos y su madre. En su Málaga natal, los López tenían viñas y olivos; con ese conocimiento en su sangre, comenzaron a cultivar uvas en una pequeña extensión de tierra que arrendaron en Maipú (Mendoza), y así definieron los primeros pasos de esta bodega icónica. A partir de entonces, esta genealogía suma nacimientos, evolución y futuro. A José Gregorio le sigue su hijo José Federico; luego, sus nietos José Federico, Carlos Alberto y Marta y sus bisnietos Carlos, Eduardo y María, cuarta generación, que actualmente dirige la bodega. A lo largo del tiempo, mientras la bodega crecía e incorporaba grandes toneles de roble francés, estos más de ciento veinte años de vida fueron testigos del surgimiento de grandes vinos de la casa como Prestigio de Cuyo (el primer vino fino de la casa en botella de vidrio, 1927), Chateau Vieux (1934), Rincón Famoso (1938) y Montchenot (1966), entre otros. También López fue parte de los pioneros en la exportación de vinos, y así llevó su apellido más allá de las fronteras nacionales ya desde la década de 1970. Pero no todo se trata de historia: con el cambio de siglo, esta bodega sigue demostrando su vigencia y compromiso en el consumo argentino. No solo es sinónimo de restaurantes clásicos, de bodegones y de esos almuerzos de domingo en todo el país, sino que continúa innovando con nuevos vinos y modos de elaboración. Lo hace siempre con respeto a la tradición y a una mirada enológica basada en la calidad, lo que la familia fundadora llama "el estilo López": una identidad con el apellido al frente.

P
PULENTA

Esta historia comienza en 1902, cuando Ángelo Polenta y Palmina Spinssanti, dos inmigrantes italianos de la región de Ancona, encontraron en la Argentina su lugar en el mundo. Polenta fue rebautizado en los registros nacionales como Pulenta, el apellido que perduró en el tiempo. Cuyo fue y sigue siendo el destino de la familia. Ángelo y Palmina vivieron primero en Mendoza, luego en San Juan. Tuvieron nueve hijos. Entre ellos, Antonio Pulenta, que con el tiempo se convirtió en uno de los grandes protagonistas del vino en el país. Fueron los Pulenta los creadores de Peñaflor, el grupo que en los años sesenta se sumó a la Bodega Trapiche, convirtiéndola en una gran marca nacional.

De esos nueve hijos, para la década del noventa, la familia sumaba ya más de setenta primos, momento en que decidieron cerrar un ciclo. La tercera generación de los Pulenta se desprendió en 1997 de Peñaflor, para comenzar cada uno nuevos emprendimientos por separado. Tras presidir por seis años Salentein, en 2003, Carlos Pulenta dio vida a Bodega Vistalba, en el corazón de Luján de Cuyo. Hoy la bodega es dirigida por su hija Paula, que aprovecha viñedos históricos de la zona y suma variedades que cultivan en el valle de Uco.

En 2002 nace en Mendoza Pulenta Estate, de los hermanos Eduardo y Hugo Pulenta. En esta casa de Agrelo los vinos están bajo el mando de Eduardo (hijo), cuarta generación familiar encargada de mantener la herencia viva y proyectada al futuro. La saga sanjuanina la continuó Mario Pulenta, quien, junto a sus hijos Mario Daniel, María Andrea y María Gabriela, dirigen la Bodega Augusto Pulenta, con viñedos propios en el valle de Tulum. Allí levantan en alto la bandera de los vinos de San Juan. No hay dudas: Pulenta es un apellido que lleva el vino en la sangre.

R
ROCA

De España y de Italia, en un largo viaje transatlántico. Así comienza la historia de la familia Roca, afincada desde el lejano año de 1912 en San Rafael, uno de los grandes oasis de la vitivinicultura mendocina. "Se dedicaron a lo que ellos sabían hace: cultivar viñedos", explican desde la bodega. Ese amor por la tierra y por las vides fue transmitido a las generaciones siguientes. El gran salto lo dio Alfredo Roca en 1976, cuando decidió que era hora de ir más allá: pasar del viñedo a la botella. Fue así que en un antiguo establecimiento (construido originalmente en 1905), nació la que hoy es Bodega y Viñedos Alfredo Roca, un símbolo del vino argentino en general y de San Rafael en particular. "Fue la concreción de mi gran sueño, como enólogo que soy, el establecimiento propio para la elaboración de las uvas provenientes de los viñedos de la familia ha sido un gran tesoro", dice Alfredo.

Bajo el lema de "dedicación familiar, vinos con alma", esta bodega elabora hoy vinos de terruño, de estilos contemporáneos y con una mirada doble, que cuida a su consumidor local, pero que también seduce en las exportaciones. Al trabajo de Alfredo y Nuri (su pareja) lo continúan sus hijos, Alejandro (a cargo de la presidencia y la dirección enológica y vitícola), Graciela (en el sector comercial) y Carolina (con las exportaciones y administración). Una cuarta generación demostrando que la pasión por el vino también es una herencia, un modo de ver el mundo. "Somos una empresa 100 % familiar con viñedos en San Rafael por cuatro generaciones", explican con orgullo. Un orgullo merecido.

V
VIOLA

No todos los apellidos del vino argentino tienen detrás un siglo de historia. Ese es el caso de Julio Viola, empresario nacido en Uruguay y radicado desde hace ya cincuenta años en la Patagonia argentina. Fue allí que, a finales del siglo XX, imaginó frondosos viñedos en medio del desierto. Imaginación que convirtió en realidad.

Corría el año 1998 cuando Viola, un empresario del rubro inmobiliario, planificó con apoyo del gobierno provincial un área de fruticultura de más de 3000 hectáreas en San Patricio del Chañar. Para esto instaló sistemas de riego y una infraestructura moderna. Si bien la idea original era cultivar frutos rojos, pronto entendió que la industria del vino generaba mayor valor agregado. El resto es conocido: desde entonces, San Patricio del Chañar se convirtió en el principal polo vitivinícola de la Patagonia, con un puñado de bodegas que producen vinos de alta calidad.

De esas 3000 hectáreas, Julio Viola se quedó con 800, y creó la Bodega Del Fin del Mundo con Michel Rolland como consultor y Marcelo Miras como enólogo. Ya pasaron más de veinte años desde esos primeros pasos: hoy los Viola son dueños de la Bodega Malma (en 2019 vendieron su parte de Del Fin del Mundo a la familia Eurnekian), y es su hija Ana la que está a cargo de la gerencia, acompañada por su hermano y su pareja. Médica devenida bodeguera, Ana Viola eligió a Hans Vinding-Diers como su nuevo consultor, y mantiene la herencia viva, con la férrea convicción de que San Patricio del Chañar nada tiene que envidiarle a otros terruños de Argentina. Una mirada orgullosa de su tierra y de una historia vitivinícola familiar que recién está comenzando.

TRANSFORMADOR

Z
ZUCCARDI

Tres generaciones del vino en Argentina. La historia de la familia Zuccardi –propietarios de las bodegas Santa Julia (en Maipú) y de Familia Zuccardi (en Paraje Altamira, en el valle de Uco)– comenzó casi de casualidad, con Alberto Zuccardi, un ingeniero civil que en 1950 trabajaba adaptando sistemas de riego para vinos, y buscaba una mayor eficiencia en el uso del agua. "En 1963 mi padre implantó un pequeño viñedo pensado para mostrar su sistema de riego. Ahí descubrió una faceta suya que no conocía, su amor por la tierra", cuenta José "Pepe" Zuccardi.

En 1968 José comenzó con la bodega que años más tarde se llamó Santa Julia, en honor a Julia, actual responsable de hospitalidad de la bodega, hija de José y Ana Amitrano, actual gerenta comercial de las bodegas y una de las mujeres más influyentes del vino en la Argentina. "Vendía a granel a otras bodegas. En ese momento la industria estaba separada entre productores, elaboradores y fraccionadores. Mi padre tenía en mente un modelo de integración, y empezó por el riego, luego por los sistemas de conducción de viñedo y de racionalización de cosecha, apuntando siempre a mejorar el sistema productivo", recuerda José.

Pepe Zuccardi se sumó a la bodega en 1976, y luego vivió la gran crisis de los años ochenta. "En diez años el país perdió un tercio de sus viñedos. Esto terminó de definir el cambio de rumbo de la empresa: me tocó enfrentar el proceso de integración, reconvirtiendo viñedos para llegar al mercado con nuestras propias botellas". Por diez años desarrolló primero el mercado interno, para luego, a principios de la década del noventa, apuntar al mundo. "Éramos el cuarto productor del planeta y nadie nos conocía. Fraccionar los vinos, llegar a los mercados, esa fue la tarea de mi generación en la empresa". En el camino, Santa Julia fue pionera en trabajar con cepas de gran tradición que el resto de la industria no valorizaba, como bonarda, tempranillo, viognier o sangiovese, entre otras. Crearon un área de investigación y desarrollo y trajeron variedades de afuera, como ancelotta, caladoc, marselan, verdejo, zinfandel y otras. Algunas funcionaron, otras no; siempre aprendieron. "Pensamos la vitivinicultura a lo largo de cuatro ejes –dice Pepe–: el primero es la calidad, ir un escalón más arriba en producto y en gestión. El segundo es la innovación, sean variedades, sistemas de elaboración, nuevos terruños. El tercero es el ambiente: empezamos con cultivos orgánicos en 1998 y hoy somos el proyecto orgánico número uno en hectáreas de Argentina. Por último, nos comprometimos con ser útiles socialmente, armando por ejemplo un centro cultural en la finca de Santa Rosa, desarrollando escuelas para nuestros trabajadores. Emma, mi madre, se involucró muy fuerte con esto: motorizó la sala de arte con artistas mendocinos, también nuestra fundación con proyectos educativos y recreativos".

El concepto de familia es parte intrínseca de Zuccardi. Hoy la tercera generación toma las riendas con Sebastián al frente de la bodega, Julia como responsable de Turismo y Hospitalidad y Miguel Zuccardi llevando adelante Zuelo, el exitoso proyecto de olivicultura de la familia.

"El vino siempre estuvo en la mesa de la familia, es parte de nuestra dieta y de nuestra cultura. El eje común de las tres generaciones es que fuimos y somos viticultores. Recuerdo algo que me decía mi padre: mirá el viñedo y conocerás sobre la realidad del viticultor. El viñedo expresa siempre la realidad de su entorno. Para nosotros, la vitivinicultura no es solo un negocio, sino una forma de expresarnos, una forma de vivir".

HISTORIA Y EVOLUCIÓN DEL VINO EN LA ARGENTINA

REGIONES VITIVINÍCOLAS ARGENTINAS

1. **QUEBRADA DE HUMAHUACA**
   - 2700-3300 MSNM (JUJUY)

2. **VALLES CALCHAQUÍES**
   - 2250-2800 MSNM
   Cachi (SALTA); Molinos (SALTA); Payogasta (SALTA); Cafayate (SALTA); San Carlos (SALTA); Colalao del Valle (TUCUMÁN); Amaicha del Valle (TUCUMÁN); Santa María; Chañar Punco (CATAMARCA)

3. **FIAMBALA**
   - 1000-2000 MSNM (CATAMARCA)

4. **TINOGASTA**
   - 1097-2042 MSNM (CATAMARCA)

5. **VALLE DE FAMATINA**
   - 1375-1800 MSNM (LA RIOJA)

6. **VALLES DE SAN JUAN**
   - 450-1750 MSNM
   Valle de Tulúm; Ullúm; Valle del Zonda; Valle del Pedernal; Calingasta

7. **NORTE DE MENDOZA**
   - 575-710 MSNM
   Lavalle; Guaymallén; Las Heras

8. **ESTE DE MENDOZA**
   - 500-690 MSNM
   Junín; Rivadavia; Santa Rosa; San Martín; Distrito Medrano

9. **ZONA ALTA DEL RÍO MENDOZA**
   - 615-1300 MSNM (MENDOZA)
   MAIPÚ: Coquimbito; Beltrán; Lunlunta; Russel; Maipú; Cruz de Piedra; Barrancas y otros
   LUJÁN DE CUYO: Las Compuertas; Vistalba; Mayor Dummond; Luján de Cuyo; Chacras de Coria; Carrodilla; Perdriel; Agrelo; Ugarteche y otros

10. **VALLE DE UCO**
    - 900-1700 MSNM (MENDOZA)
    TUPUNGATO: Villa Bastía; San José; Ancón; El Peral; Tupungato; La Arboleda; El Zampal; Agua Amarga; Gualtallary; Anchoris y La Carrera
    TUNUYÁN: El Algarrobal; Villa Seca; Las Rosas; Vista Flores; Los Sauces; Tunuyán; Campo de los Andes; Colonia; Los Árboles; Los Chacayes y San Pablo
    SAN CARLOS: La Consulta; Paraje Altamira; Eugenio Bustos; Tres Esquinas; San Carlos; Pampa El Cepillo; Chilecito; El Indio; Las Pareditas

11. **SUR DE MENDOZA**
    - 430-885 MSNM
    San Rafael, General Alvear

12. **ALTO VALLE DEL RÍO NEGRO**
    - 180-126 MSNM (RÍO NEGRO)
    Roca; Fernández Oro; Villa Regina; Mainqué y Valle Azul

13. **VALLE MEDIO DEL RÍO NEGRO**
    - 120-165 MSNM (RÍO NEGRO)
    Choele-Choel; Fray L. Beltrán; Avellaneda y Gral. Roca

14. **VALLE INFERIOR DEL RÍO NEGRO**
    - 4-16 MSNM (RÍO NEGRO)
    San Javier

15. **VALLES DEL RÍO COLORADO**
    - 170-265 MSNM (LA PAMPA)
    Colonia 25 de Mayo; Casa de Piedra; Gobernador Duval

16. **SAN PATRICIO DEL CHAÑAR**
    - 335-420 MSNM (NEUQUÉN)

17. **AÑELO**
    - 300-450 MSNM (NEUQUÉN)

18. **CHUBUT**
    - 70-400 MSNM
    El Hoyo de Epuyén; Trevelin; Gaiman; Lago Puelo; Paso del Sapo; Sarmiento y otras.

19. **CÓRDOBA**
    - 350-1280 MSNM
    Colonia Caroya; Cruz del Eje; San Javier

20. **ATLÁNTICO**
    - 25-500 MSNM
    Chapadmalal (BUENOS AIRES); Villa Ventana (BUENOS AIRES); Bahía Bustamante (CHUBUT)

Las regiones y alturas mencionadas en este mapa son aproximadas.

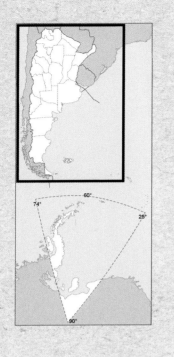

TERRUÑO

Terroir, una palabra muy usada y no siempre entendida. Es un concepto importado de un idioma –el francés– y de un país –Francia– que echó raíces en el mundo vitivinícola. *Terroir* o terruño habla del lugar de donde proviene un vino, habla de donde son esas uvas que le dan vida. Un vino que expresa su terruño muestra en su sabor, color y aromas esa conjunción de suelos, de clima, de variedades plantadas, pero también de la mano del ser humano que las cultiva. Es la historia de una región y es la interpretación que de ella hace cada bodega. En los últimos veinte años, agrónomos y enólogos de la Argentina comenzaron a investigar los terruños locales, profundizando en esas diferencias que se dan, incluso, en pocos metros de distancia. El terruño logra que cada vino sea realmente único, que tenga identidad y firma. Le da su propia voz en ese enorme coro que son los vinos del mundo.

Hablar de la Argentina vitivinícola es hablar de un país y una región que cuentan detrás con una historia de inmigración y de cultivos, de avances y de retrocesos, de climas variados y de una geología compuesta por suelos heterogéneos con millones de años de existencia. A lo largo de sus más de 4000 kilómetros de extensión y casi 3 000 000 de kilómetros cuadrados de superficie (1 000 000 más sumando el continente antártico e islas australes), nuestro país posee características que lo hacen único en el mundo del vino: no extraña, por ejemplo, que tengamos el viñedo más alto del planeta; también, el más austral. Pero más allá de la diversidad, hay normas y lógicas que trascienden al menos en el aspecto general: la mayor parte de los viñedos nacionales se encuentran recostados sobre la cordillera de los Andes, en zonas de gran altura, con un clima continental desértico que resulta bien distinto al que impera en la mayoría de las regiones del mundo. Pero, además de esa generalidad, a lo largo de la historia, y particularmente en las últimas dos décadas, se desarrollaron –y se siguen desarrollando– zonas vitivinícolas en lugares impensados unos pocos años antes, como sucede en zonas de la provincia de Santa Cruz, junto al mar Atlántico en la provincia de Buenos Aires o en paisajes serranos de Córdoba, entre otras. Lugares que, en muchos casos, tienen también una tradición de siglos a sus espaldas (por ejemplo, los primeros viñedos y vinos de Córdoba son de la etapa previa al virreinato, con la llegada de los jesuitas en los primeros años del 1600, cuando se instalaron en la estancia Jesús María), pero que actualmente, con nuevos ímpetus, inversiones, tecnología y emprendedores, comienzan una nueva etapa. ¶
Mucho se habla hoy de la importancia del lugar geográfico donde nace un vino, pero esta definición no siempre fue tan evidente. Mientras que Europa supo históricamente distinguir a sus vinos por región (de allí que se nombren según de dónde vienen, por ejemplo, Burdeos, Borgoña, Rioja, Alsacia, Toscana y muchísimos más etcéteras), el Nuevo Mundo apostó, en cambio, a la variedad como modo de comunicación. Fue Estados Unidos el país que lideró este modo de pensar las etiquetas para simplificar la elección de sus consumidores: para quienes no conocían la geografía europea, les resultaba imposible elegir un vino de la góndola basándose tan solo en nombres que no les significaban nada. En cambio, era –y sigue siendo– mucho más simple saber que les gustaba el cabernet sauvignon, y poder comparar distintas marcas más allá de si eran de Burdeos, de Chile o de California. ¶

En Argentina, este modo de entender el vino dominó la industria en esa reconversión de finales de siglo XX que llevó a un meteórico crecimiento de exportaciones: lo que importaba era si se trataba de malbec, torrontés, syrah, chardonnay o cabernet sauvignon, y en cambio, era un dato menor si provenía de Mendoza, Salta o la Patagonia. En un principio, esta estrategia demostró su eficacia, pero pronto mostró también sus limitaciones: sin hablar del lugar, los vinos perdían aquello que los hacía tan únicos. Desde 2010 en adelante, este paradigma varietalista entró en discusión y comenzó a mostrar cambios. Esto no significa que de pronto Argentina pensaba sus vinos como el Viejo Mundo: aquí (como en gran parte del planeta), la variedad, claramente, sigue siendo determinante (con el malbec como cepa insignia del país), pero, gracias al trabajo consciente de bodegueros, enólogos, agrónomos y comunicadores (e incluso por demanda de los consumidores), comenzó a ser entendida y reflexionada dentro de un contexto particular, el de su lugar de origen. Ya no se trata simplemente de un malbec (u otra cepa) a secas, sino que la variedad es ahora evaluada en conjunto con el lugar donde se cultiva. La variedad podría ser el nombre; el lugar, su apellido. ¶
Argentina comenzó así un proceso de definición de lugares geográficos, llevando el concepto de lugar de origen, de terruño, al frente. Ese terruño del que tanto se hablaba, pero con el que poco se hacía. La palabra *terroir* (en francés) refiere entonces a esa conjunción única e irrepetible entre clima y suelo donde crecen los viñedos, pero también a la tradición cultural de ese lugar y a la mano y el pensamiento de las personas que allí trabajan. ¶
Definir un terruño es mucho más complejo de lo que parece a primera vista. No solo se trata de limitar un espacio geográfico dado, por capricho o necesidad comercial, sino de entender qué es lo que tiene ese lugar en particular para dar vida a vinos distintivos, que se diferencian respecto a otros de otras regiones. Para lograr esto, para pensar en una identidad de lugar, se requieren años de experiencia, incluso décadas; pero también son necesarios hoy los estudios de suelos y de climas, de formas de cultivo (desde orientaciones de las vides hasta sus modos de conducción) y de podas, de experimentación con distintas variedades y con distintas selecciones masales y clonales dentro de una misma variedad. Los terruños existen, son reales y palpables, pero comprenderlos y aprovecharlos es una tarea actual y constante que desde hace unos años emprendieron los protagonistas del vino argentino. ¶

Se trata, siempre, de un proceso de afinación y precisión. Hace apenas unos años bastaba con definir grandes regiones (Luján de Cuyo o el valle de Uco, por ejemplo). Hoy la búsqueda es cada vez más concreta, ya que cubre superficies menores, analiza incluso los distintos suelos que coexisten en una misma finca, a veces en esos metros de distancia que hay entre una hilera de plantas y la que le sigue. En ese afán de comprensión, se utilizan tecnologías como la conductividad electromagnética y los mapas de vigor, se cavan profundas calicatas y se multiplican los estudios de laboratorio, se analizan temas como fertilidad, profundidad, nutrición, composición y mineralidad de cada suelo. Es un trabajo largo: muchos de los cambios y movimientos en viñedo requieren al menos de una cosecha para poder entender su verdadero efecto en la planta y en la fruta. Y cada cosecha implica un año de espera. ¶

Desde finales de la década de 1990, comenzaron a delinearse diversas indicaciones geográficas (IG) elaboradas en conjunto entre sectores privados (las bodegas) y el sector público (el INTA), que permiten clasificar de manera objetiva a muchos de los vinos argentinos que hoy salen al mundo. Pero esto no es más que el principio de un camino que promete ser de larga recorrida. Definir una IG (y también posibles nuevas denominaciones de origen) implica consecuencias económicas para las bodegas que están dentro de esa IG (y para las que quedan fuera). Son discusiones políticas y empresariales, pero que siempre deben refrendar en la realidad de sus geografías, de sus suelos y tradiciones. En la industria hoy nadie duda de que serán muchas más las IG que veremos en un futuro cercano, con acuerdos, investigaciones y *papers* publicados en revistas científicas. ¶

Este largo camino apunta siempre a un mismo objetivo, una misma idea basal en la mente de todos los que son parte de la gran bebida nacional. Esa idea es que el vino es, antes que nada, y más que todo, una representación de la tierra que lo vio nacer; y de las personas que lograron ese nacimiento. ¶

En las próximas páginas veremos un análisis sobre las principales regiones del país. Para ello convocamos a veinticinco ingenieros agrónomos para que expliquen una selección de las zonas destacadas de la viticultura nacional, cada uno en sus propias palabras, según las experiencias que vivieron en cada uno de esos lugares. Una mirada particular y multiplicada sobre los suelos y los vinos de la Argentina. ¶

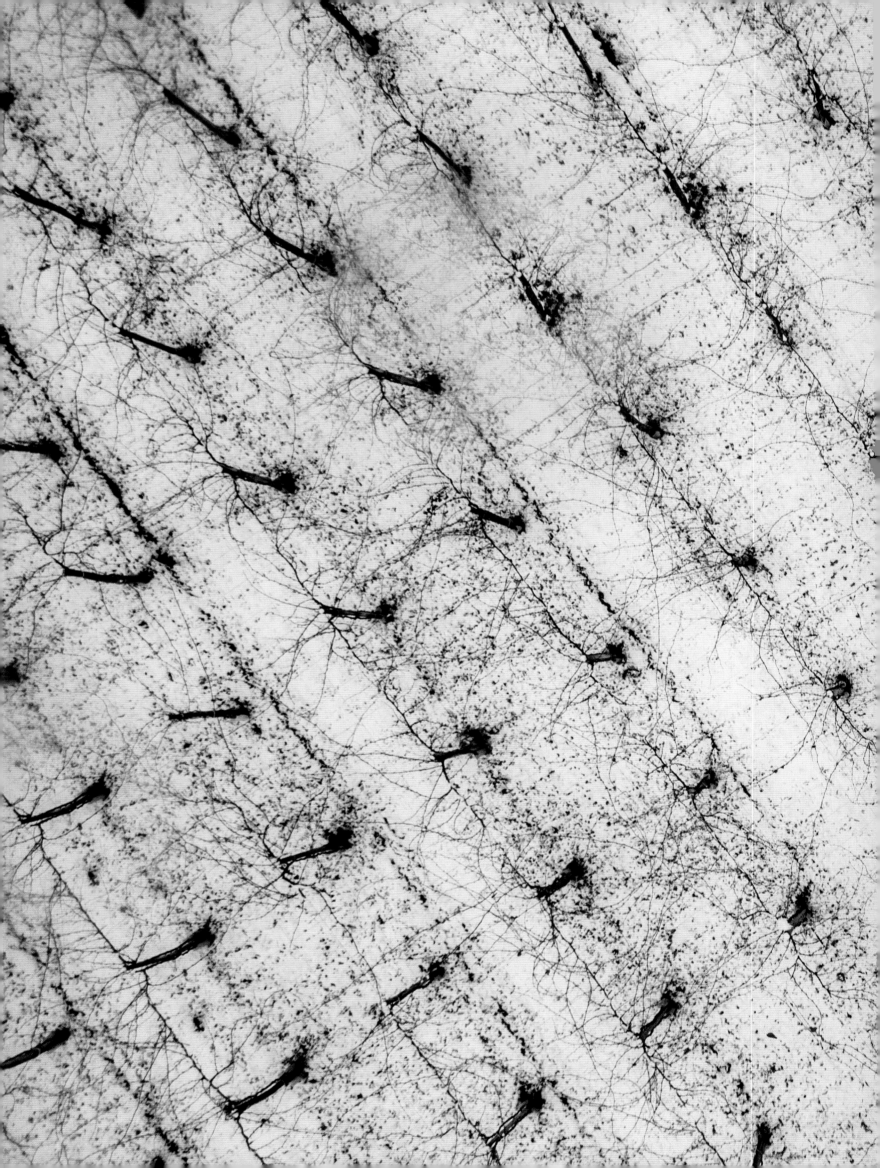

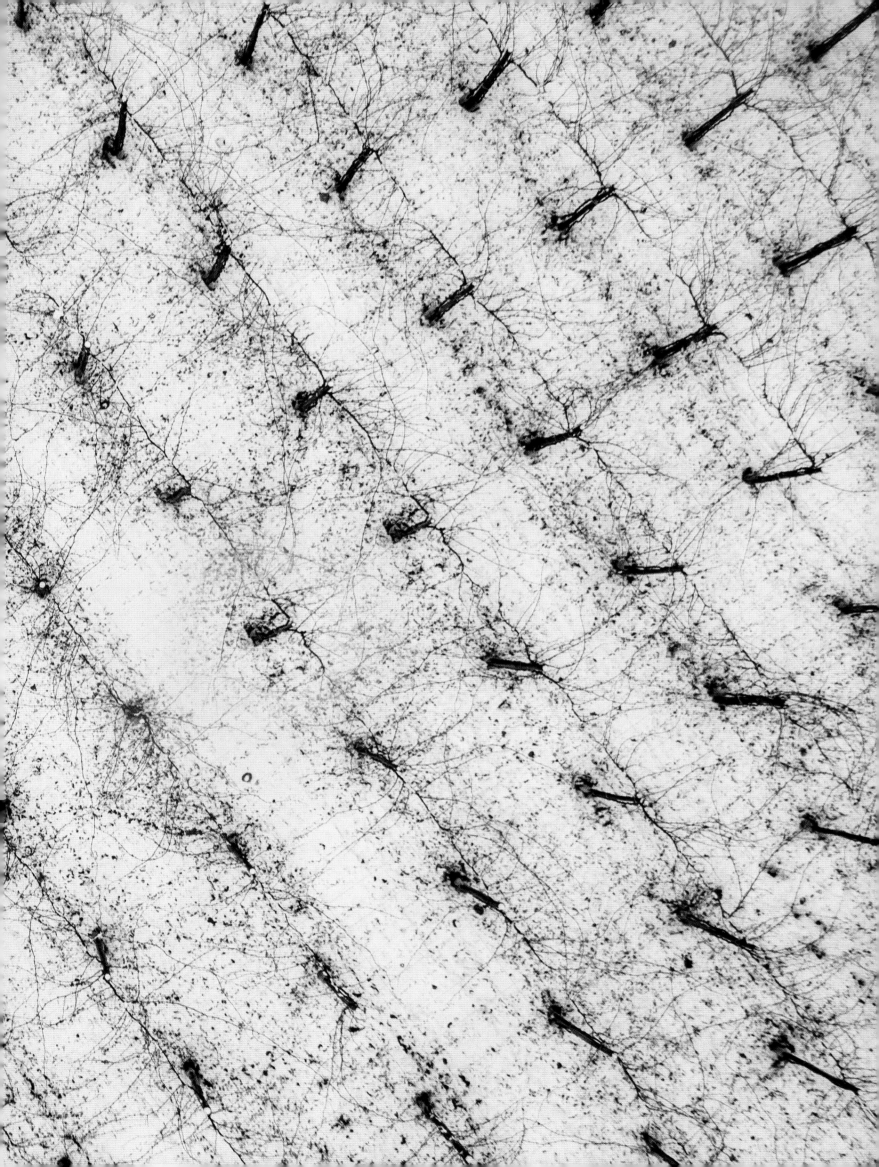

UN MARCO REGULATORIO DE LA INDUSTRIA

La industria del vino en Argentina se encuentra bajo el ámbito de aplicación de la ley 14878, promulgada en 1959, y las modificatorias que se dictaron a partir de entonces. Esta ley creó el Instituto Nacional de Vitivinicultura (INV), el organismo encargado de la promoción y control técnico de todo lo relativo al desarrollo de la actividad vitivinícola. ¶

Siguiendo el modelo regulatorio europeo, se define al vino como el producto "de la fermentación alcohólica de la uva fresca y madura o del mosto de la uva fresca" (artículo 17). Esto significa que otras bebidas fermentadas –a base de cereales, de vegetales e incluso de otras frutas, como por ejemplo ciruela o frambuesa– no son consideradas vino en nuestro país. Vale la pena destacar esto porque hay países en el mundo donde sí es legal llamar "vino" a una bebida alcohólica elaborada a base de otras frutas. No es así en Argentina. ¶

El vino y su elaboración no son iguales en todo el mundo. Cada país y región genera distintas regulaciones, de acuerdo a sus necesidades, ecosistemas y lógicas propias. Por ejemplo, respecto a las prácticas de elaboración, en Argentina, la ley prohíbe la chaptalización del mosto (el agregado de azúcar para aumentar la graduación alcohólica en el vino), algo que sí está permitido en vinos de Europa; en cambio, sí se admite aquí la acidificación del mismo, prohibida en otras regiones. Otras reglas se relacionan con el modo de etiquetado: para que un vino puede ser considerado un "varietal", debe estar elaborado en al menos un 85 % con una sola cepa, una norma que suele ser la misma en otros países productores. El mismo porcentaje se aplica a la añada: para poder denominarse un vino de un año en particular, al menos el 85 % debe provenir de la cosecha mencionada. ¶

Un aspecto de importancia vital hoy en la clasificación de los distintos vinos a nivel mundial tiene que ver con su lugar de origen, aquello que hace que cada vino sea único. Respecto a este tema, en Argentina conviven dos categorías: la denominación de origen controlada (DOC) y la indicación geográfica (IG). La primera, muy utilizada en el Viejo Mundo, hace referencia no solo a la región de donde proviene un vino, sino también a la cepa con la que se lo elabora y a las prácticas llevadas a cabo para su elaboración, tanto en el viñedo como en la bodega. La IG, en cambio, implica una expresa referencia a la zona de origen de un vino de calidad, más allá de la cepa utilizada y de sus técnicas de elaboración. ¶

A fines de la década de 1990 se crearon las primeras DOC en nuestro país, dos ubicadas en la provincia de Mendoza: la pionera fue la DOC Luján de Cuyo y, unos años más tarde, le siguió la DOC San Rafael. La DOC Luján de Cuyo se concibió pensando en la protección de vinos varietales de malbec de esa región, que, por su tradición e importancia histórica, es considerada la cuna de esta cepa en nuestro país. Por otro lado, la DOC San Rafael contemplaba gran variedad de cepas tintas y blancas que podían producirse para elaborar vinos en esa región del sur de la provincia mendocina. En la actualidad, seis bodegas elaboran malbec con DOC Luján de Cuyo, y tras una fuerte renovación de su reglamento en 2021, se espera que pronto se sumen más exponentes. La DOC San Rafael, en cambio, se encuentra, al menos en este momento, en desuso. ¶ De manera paralela, a principios de este siglo comenzó también un proceso de reconocimiento de diversas regiones de nuestro país como productoras de vinos de calidad a través de diversas IG. En este caso, no existe un reglamento específico sobre el modo en que se deben elaborar los vinos, sino que tan solo es necesario el reconocimiento de una región por el INV para que cada productor pueda poner en la etiqueta el nombre de la zona de donde provienen las uvas utilizadas. Las IG pueden coincidir o no con los límites políticos de nuestro país y a la vez se superponen: existen IG que abarcan grandes regiones interprovinciales (como los valles Calchaquíes o la Patagonia), IG provinciales (como Mendoza o San Juan), IG regionales (como el valle de Uco, en Mendoza, o el valle de Tulum, en San Juan), IG departamentales (como Maipú o San Carlos, en Mendoza) y, finalmente, IG que hacen referencia a pequeñas zonas intradepartamentales (como por ejemplo, Paraje Altamira en el departamento de San Carlos, al sur del valle de Uco, en Mendoza). Todo esto da vida a un gran sistema de clasificación que permite entender los vinos desde su origen. Un sistema que se encuentra todavía en desarrollo, con nuevas IG en plena formación. ¶

CLIMA

Las regiones vitivinícolas argentinas se extienden desde los 22° hasta los 46° de latitud sur. La gran mayoría se encuentra al oeste, al pie de la cordillera de los Andes. Esta cadena montañosa funciona como una barrera natural que detiene la humedad proveniente del océano Pacífico, lo que genera como consecuencia un clima de tipo continental semi-desértico, con precipitaciones anuales promedio de 200 milímetros, lo que hace imprescindible la irrigación. Sin riego, en la mayoría de estos lugares (salvo algunas excepciones con un microclima mucho más húmedo), los viñedos no podrían subsistir. ¶ Existen dos tipos de riego que se aplican mayormente en nuestras zonas vitivinícolas: el riego tradicional por inundación y el riego por goteo, que es el sistema más moderno y extendido a nivel mundial. El primero, también llamado riego por manto, es un sistema adoptado en Argentina desde los comienzos de la viticultura en las zonas cordilleranas, gracias a canales (llamados "acequias") que llevan el agua de los ríos hasta las fincas, que les permite inundar sus viñedos en días y horarios preestablecidos por el Estado provincial. En el año 1884 se promulgó la Ley de Aguas, que reglamentó el uso y distribución de las aguas provinciales, gracias al otorgamiento de permisos y turnos de riego. Es un sistema modelo en el mundo que, con sus modificaciones, sigue vigente hasta la actualidad. Los canales, construidos en épocas precolombinas, fueron mejorados y extendidos por los españoles y por los sucesivos gobiernos patrios, con el invaluable aporte del ingeniero César Cipolletti, autor de gran cantidad de obras hídricas y de saneamiento de aguas en nuestro país a principios del siglo XX. Este es el riego clásico adoptado hasta hoy por muchas fincas antiguas en las regiones vitivinícolas más tradicionales de nuestro país (por ejemplo, en zonas aledañas a la ciudades capitales de Mendoza y San Juan). Sin embargo, la búsqueda de eficiencia, junto con la creciente crisis hídrica –producto del calentamiento global–, llevó a que muchos productores fueran mutando gradualmente hacia el riego por goteo, el mismo que se usa por definición en zonas de cultivo más nuevas. Este sistema no solo es más eficiente por la menor cantidad de agua que requiere, sino que además permite el uso de las mismas mangueras de riego para pasar fertilizantes y nutrientes a las plantas, en caso de necesitarlos. ¶

El agua utilizada para regar los viñedos proviene de ríos que nacen en la cordillera y transportan agua de deshielo de la montaña, por lo cual su caudal aumenta sensiblemente en la primavera. También se usan napas subterráneas, obtenidas de perforaciones en el suelo que pueden llegar a los 200 metros de profundidad. Tanto los permisos de riego como las nuevas perforaciones deben estar previamente autorizados por el Estado provincial. Con menores nevadas en los últimos veinte años (posiblemente por los cambios climáticos en el mundo), el agua hoy es considerada un recurso crítico que, de hecho, está limitando la capacidad de expandir viñedos en muchas partes de Mendoza y San Juan. Es por esto que aquellas fincas que no cuentan con derecho a riego no tienen valor económico. Son varias las bodegas en el valle de Uco, por ejemplo, que cuentan con terrenos de más de 100 hectáreas, pero que en la práctica solo pueden utilizar un porcentaje de ellas, ya que solo cuentan con permiso para un único pozo o un riego limitado. ¶

En el afán de exploración que caracteriza a los productores argentinos, las zonas vitivinícolas se han extendido de estos desiertos andinos a regiones con índices de humedad algo más altos, donde no siempre es necesario el riego. Esto se puede corroborar en algunos viñedos de San Pablo (Tunuyán), en el valle de Uco, o en la zona de Trevelin, en la provincia de Chubut. Lo mismo sucede en los viñedos ubicados en sierras de la Ventana y en Chapadmalal, provincia de Buenos Aires, y al este de la provincia de Río Negro, cerca de la costa atlántica, donde el clima es fresco y marítimo, con lluvias de más de 1000 milímetros al año; allí las plantas cuentan con agua suficiente para su desarrollo sin necesidad de riego. ¶

El clima es un factor clave en el desarrollo de cada viñedo. Desde este punto de vista, existen dos grandes amenazas para la producción: las heladas y el granizo. Las heladas (principalmente las de primavera, en el momento de la floración; pero también en otoño, durante las últimas cosechas) se combaten de diversas maneras: una de las más extendidas, aunque onerosa, poco ecológica y de baja eficiencia, es a través del uso de calentadores que funcionan con combustible, que generan un microclima a nivel del viñedo y evitan así daños en la planta. Cabe aclarar que un sistema de conducción alto, que mantenga el follaje y los racimos lejos del suelo, hace que las plantas sean menos susceptibles de sufrir daños por heladas (ya que el aire frío, de mayor densidad, baja al nivel del suelo). En este sentido, una ubicación de las plantas en zonas de mayor altura y, más aún si hay pendientes, también las protege. Con respecto al granizo, el riesgo varía de acuerdo a las zonas: este fenómeno, por ejemplo, es mucho más frecuente en las zonas norte, este y centro de Mendoza que en el valle de Uco, aunque también hay lugares en este valle donde el granizo puede ser un gran problema. Actualmente se encuentra muy extendido el uso de mallas protectoras que se colocan a lo largo de las hileras de vides. Una postal clásica de los viñedos de primera calidad en la provincia mendocina suele incluir estas mallas (similares a una media sombra) que cubren los viñedos. ¶

La mayoría de las regiones productoras en el país cuenta con un clima cálido, pero con una característica fundamental: la altura. Esa altitud a la que están muchos de los viñedos en Argentina juega un rol moderador de las temperaturas; esto se ve particularmente en provincias como Mendoza, San Juan, La Rioja, Catamarca, Tucumán, Salta y Jujuy. Los viñedos allí están entre los 600 metros sobre el nivel del mar (msnm) (en algunas zonas de Mendoza y San Juan) y más de 3000 msnm (en las zonas más altas de los valles Calchaquíes y la quebrada de Humahuaca), lo que genera condiciones climáticas particulares e imprescindibles para la elaboración de vinos de calidad, con temperaturas promedio más bajas que en otras zonas de similar clima cálido. A esto se suma una combinación de gran cantidad de días soleados (hasta 300 días de sol al año), con descensos de temperatura abruptos durante las noches (puede variar hasta 20 °C entre el día y la noche). Todo esto permite que la uva logre una buena acumulación de azúcar y, a la vez, gran concentración de aromas y sabores, sin por ello perder acidez gracias a un período de maduración prolongado. ¶

En el caso de la Patagonia, el factor geográfico que asume un rol protagónico no es la altura, sino la latitud. Son viñedos ubicados por debajo de los 600 msnm, pero aquí también se da ese mismo fenómeno de gran amplitud térmica entre el día y la noche, en este caso como consecuencia de estar entre los 37,7° sur, en La Pampa, y los 46°, en Chubut (donde están los viñedos más australes del mundo). Son zonas de veranos cálidos, con días largos y soleados, y noches frescas. Esas condiciones generan una excelente maduración y retención de acidez en la uva. Y si bien hay lugares donde el verano no es tan cálido (como sucede en Chubut), allí los días de verano tienen muchas horas de luz, que contribuyen a lograr una maduración óptima. ¶

En las provincias patagónicas también hay que destacar la incidencia de los vientos secos, fuertes y constantes, provenientes del oeste, que si bien pueden provocar menores rendimientos de las plantas, generan a su vez pieles más gruesas en las uvas (y son estas las que aportan taninos y color al vino) y gran sanidad en las cosechas. ¶

TERRUÑO

TERRUÑO

SUELOS

Los suelos de las regiones cordilleranas son pobres en materia orgánica, con capacidad limitada para el cultivo. Sin embargo, a lo largo de la historia, la vid demostró que se adapta muy bien este tipo de suelos, y así se logra un desarrollo de la viticultura muy exitoso en regiones alejadas de la contaminación que pueden producir otras prácticas agrícolas. ¶

En su mayoría son suelos de origen aluvional del período Cuaternario (de hace casi 3 000 000 de años), generados como consecuencia de la descomposición y desintegración de rocas y minerales provenientes de la cordillera de los Andes, que fueron arrastrados por glaciares y ríos hacia los valles. Poseen diversas texturas (piedras, arena, arcilla) que, a su vez, pueden expresar diversas características en los vinos que se elaboran. ¶

En algunas zonas hay presencia de material calcáreo (conocido como "caliche"), ya sea mezclado en suelos finos como también impregnado en la superficie de las piedras. Muchos aseguran que este material (el carbonato de calcio) puede aportar notas minerales distintivas en los vinos provenientes de esos suelos. De todas maneras, aún queda mucho por investigar respecto de este tema. ¶

Ya desde hace unos años, existen y se siguen realizando numerosos estudios de suelos y sus consecuencias en los vinos para entender los viñedos y poder optimizar las cosechas y las variedades cultivadas en cada uno. ¶

Incluso, algunos estudios han revelado la existencia de áreas con suelos de composición diferente a la del resto, como ocurre con Gualtallary en Mendoza o el valle de Pedernal en San Juan, donde se han descubierto suelos calcáreos más antiguos con presencia de fósiles marinos. ¶

VITICULTURA Y ELABORACIÓN

Argentina cuenta con 215 000 hectáreas de viñedos y produce unos 10,8 millones de hectolitros de vino por año (datos del INV de 2020). Los viñedos se encuentran en su mayoría plantados en hileras con orientación norte-sur, que buscan lograr una insolación equilibrada, pero también hay agrónomos hoy que están probando con distintas orientaciones en cultivos nuevos. La densidad de plantación varía de 2300 a 12 000 plantas por hectárea, si bien en la mayoría de los casos es de 7000 a 8000 plantas por hectárea. Hoy hay varios estudios que están realizando los agrónomos sobre este tema, en los que ven, por ejemplo, cómo una mayor densidad en suelos muy poco profundos ayuda a un mejor equilibrio en cada planta. ¶

Los métodos de conducción más utilizados en el país son parral y espaldera. El primero es el más tradicional, herencia de nuestros inmigrantes españoles e italianos. Es un sistema muy usado en las regiones más cálidas para el cultivo de variedades como la torrontés riojano, donde la media sombra natural que ofrece este sistema de conducción (que protege a los racimos de los rayos del sol) favorece la maduración correcta de los aromas varietales. Algunos productores utilizan también el parral con otras cepas y obtienen buenos resultados. Sin embargo, en los últimos veinte años, se han priorizado los viñedos conducidos con espaldera, que hoy dominan los paisajes de gran parte de Argentina. Esto es así ya que, por un lado, facilita la mecanización de los trabajos y control de rendimientos, pero también porque le permite al agrónomo –mediante la poda elegida– tomar decisiones sobre rendimientos e insolación de los racimos, entre otros. También comienzan a verse algunas pruebas y viñedos bajo otros sistemas de conducción, como las viñas en vaso, donde la vid no cuenta con ningún tipo de sujeción para conducir la vegetación. En general, la poda de invierno se realiza usando los sistemas guyot o cordón pitoneado, y la vendimia suele ser mayoritariamente manual, si bien, en los últimos años, muchas bodegas han comenzado a implementar la cosecha mecánica. El clima semidesértico de las regiones cordilleranas posibilita contar con condiciones naturales de sanidad en las plantas, y se realizan apenas tres o cuatro curaciones anuales para la prevención de enfermedades criptogámicas. Las enfermedades más comunes que afectan a los viñedos en Argentina son el oídio, la peronóspera y, en años más lluviosos, la podredumbre gris, aunque es raro que causen daños de importancia. ¶

La gran sanidad de Argentina también se comprueba respecto a las plagas. En el país se suelen usar portainjertos en las plantas para prevenir el daño de nemátodos y de filoxera; sin embargo, gracias a la presencia de arena en los suelos y al riego por inundación, esta última no se ha propagado tanto como en otras partes del mundo. Y no son pocos los agrónomos que deciden plantar o mantener viñedos con pie franco. Otro insecto a tener en cuenta es la *Lobesia botrana*, también conocida como polilla de la vid, que se combate con un sistema de confusión sexual (que tiene bajo impacto ambiental), además de la utilización de barreras fitosanitarias. Finalmente, en varias regiones –algunas de Mendoza y de San Juan, y particularmente en los valles Calchaquíes y en la Patagonia– las hormigas pueden producir daños de importancia.

La baja humedad, los vientos, la insolación, junto con un correcto manejo del viñedo, en la mayoría de los lugares vitícolas del país posibilitan tener vendimias sanas. Con esas condiciones climáticas a favor, muchos viticultores se han inclinado en los últimos años hacia las prácticas de cultivo orgánicas y biodinámicas (el mayor problema a resolver sigue siendo la presencia de hormigas).

En Argentina existen grandes bodegas productoras y exportadoras –que cuentan con parte de viñedos propios, pero que también compran uva para la elaboración– y pequeños productores que elaboran su propio vino en pequeña escala y en muchos casos lo comercializan únicamente a nivel local. También hay varios productores que solo venden uva y se suma un porcentaje de bodegas especializadas de alta gama, que exportan. La tecnología de producción varía de elaborador a elaborador. En su mayoría utilizan hoy tanques de acero inoxidable y/o piletas de hormigón para llevar a cabo la fermentación. Es necesario tener en cuenta de que la vitivinicultura argentina estuvo por décadas muy influenciada por la tradición de los grandes productores mundiales, en especial España, Italia y Francia, cuyos inmigrantes llegaron a estas tierras trayendo sus usos, costumbres y conocimientos. Durante muchos años, las bodegas locales utilizaron grandes toneles de roble francés para la elaboración de sus vinos, muchos de los cuales hoy se pueden ver en museos del vino como el de Graffigna en San Juan o el de Rutini en Mendoza. En la actualidad, quedan pocas bodegas que aún utilizan dichos toneles, mientras que el uso de las barricas francesas de 225 litros (y, cada vez más, también de tamaños algo más grandes) se generalizó tanto para la crianza como, incluso, para la fermentación de vinos. De todas maneras, esto está todo el tiempo en evolución: hoy se suman fudres de roble de hasta varios miles de litros, también distintos recipientes de cemento, ánforas y otros formatos innovadores. La industria no descansa y busca constantemente superarse a través del trabajo, la exploración, la experimentación y la innovación. En los últimos años proliferaron las prácticas de vitivinicultura natural, muchos enólogos eligen levaduras autóctonas para la fermentación, y otros están logrando vinos de excelente acidez natural gracias a la exploración en zonas cada vez más altas y frescas. También se experimenta plantando distintas variedades en terruños diversos para lograr resultados novedosos, y se elaboran vinos provenientes de microterruños, *single vineyards* e incluso parcelas o hileras donde se encontró alguna característica particular. Los estudios de suelo son cada vez más frecuentes. Por otra parte, la elaboración de vinos blancos de gran calidad sorprende a cada vez más a consumidores y a la crítica internacional, en un país que, al menos en los últimos treinta años, supo ser más reconocido por la elaboración de tintos.

VALLES CALCHAQUÍES

Los valles Calchaquíes siguen el recorrido del río Calchaquí, que corre de norte a sur al pie de la cordillera de los Andes, y de sus numerosos afluentes, a través de las provincias de Salta, Catamarca y Tucumán. Es un lugar caracterizado por su gran altura, que arranca en los 1700 msnm en la IG Cafayate –el epicentro de la industria vitivinícola de los valles–, y alcanza a los 3100 msnm en La Poma, donde se halla el viñedo más alto de los valles, en la localidad de Payogasta. Más allá del lugar elegido, todo vino elaborado de viñedos de los valles puede hacer uso de la IG valles Calchaquíes. ¶
Los suelos en esta región son de origen aluvional, con texturas que varían entre arcilla, arena y piedras, y predominan los suelos profundos y arenosos. El clima es cálido continental semiárido, moderado por la altura. Se caracteriza por contar con veranos prolongados y una gran amplitud térmica entre el día y la noche, que puede fácilmente alcanzar los 20 °C. Este fenómeno, que ralentiza la maduración de la uva, junto con la alta radiación solar predominante, permite que las bayas concentren gran cantidad de compuestos fenólicos. Asimismo, la escasez de lluvias trae como consecuencia el desarrollo de frutos sanos. Todo esto, sumando la influencia de los numerosos ríos que atraviesan las zonas de viñedos, genera un microclima único para el desarrollo de cepas tales como torrontés riojano, malbec, cabernet sauvignon, tannat, merlot y petit verdot, entre otras. ¶
La torrontés riojano, variedad blanca autóctona y emblemática de nuestro país, se desarrolla de manera excepcional en los valles Calchaquíes. Aquí se la vinifica en todos los estilos, desde vinos secos y frescos, pensados para beber jóvenes, hasta vinos más complejos, con paso por madera, además de espumantes y dulces de cosecha tardía. En todos sus estilos, la torrontés presenta una característica particularmente aromática, que recuerda a frutas blancas como la uva, y a flores como el jazmín y el azahar. ¶
También es muy importante la producción de tintos en esta región, entre los cuales la malbec, la cabernet sauvignon y la tannat son las cepas más plantadas. Se elaboran tanto vinos varietales como cortes, que en todos los casos suelen compartir características en común: son vinos en su mayoría de color profundo y aromas intensos a fruta madura, estructurados, con taninos firmes y niveles de alcohol altos. La cabernet sauvignon se expresa de manera particular, ya que exhibe aromas que combinan fruta negra pasa con morrón asado. Es una gran región para elaborar vinos de calidad con alto potencial de guarda. ¶
Las provincias de Tucumán y Catamarca (y también otras, como La Rioja, más allá de estar por fuera de los valles Calchaquíes) cuentan también con clima cálido, donde la altura nuevamente es un factor determinante para la viticultura. Son regiones muy tradicionales, ocupadas por pequeños productores que están de a poco concentrándose en la elaboración de vinos de calidad, a través de la elección de cepas con potencial enológico y de la reducción de rendimientos en las plantas. En Catamarca cabe destacar el paraje Chañar Punco, dentro de la IG Santa María, donde a una altura de 2300 msnm se están produciendo vinos de excelente calidad. ¶

CAFAYATE

1600 A 2000 MSNM

Esta IG abarca el departamento del mismo nombre ubicado al sudoeste de la provincia de Salta. Constituye el epicentro productivo de la IG valles Calchaquíes. Concentra el 75 % de los viñedos de Salta y el 60 % del total plantado en los valles Calchaquíes: son alrededor de 2600 hectáreas plantadas e irrigadas por las aguas del río Santa María. Las cepas más plantadas son malbec, cabernet sauvignon, tannat, merlot, torrontés riojano, chardonnay. ☛ POR JUAN PRATES

Molinos y Payogasta son parte de los valles Calchaquíes. ¿Qué es Cafayate? ¿Qué lo hace tan especial a la vista del turista, del enófilo, del gran conocedor de vinos y del novato? ¿Qué ocurre que este pequeño lugar deslumbra cada vez más a sus visitantes, tienta a los inversores, genera una magia y una mística difícil de encontrar en otras regiones vitivinícolas? Es indudable la belleza impactante de sus paisajes, el ingreso por la quebrada de Cafayate, los colores de sus cerros, el verde profundo de sus valles sembrados y de sus bosques de algarrobos, la belleza de sus arroyos, de sus cascadas. El viajero quedará perplejo, sorprendiéndose a cada paso. Pero hay más: este lugar cuenta con una historia riquísima, con la huella de sus culturas ancestrales, las marcas de la arquitectura colonial. A cada paso puede descubrirse su pasado diverso y presente. Un sincretismo que se relaciona también con lo culinario, con las gastronomías con toques indígenas, con la humita bien criolla y con otros platos mucho más contemporáneos. El clima de Cafayate es de los más propicios para el cultivo de la vid, con más de 300 días de pleno sol al año, donde apenas un puñado de jornadas podrán ser nubosas o con lluvias. La intensidad solar es alta, los días son secos, y culminan en noches frescas, lo que define quizás el principal rasgo que caracteriza a la producción vitivinícola local: la gran amplitud térmica que tenemos. Una amplitud que fisiológicamente genera en las plantas de vid un trabajo de acumulación de azúcares intensos durante el día, vinculando la exposición solar pronunciada, la nutrición de suelos pobres y sus riegos. Al llegar la noche fresca, la planta ralentiza la respiración acumulando polifenoles, materias antociánicas e hidratos de carbono; esta zona funciona como un reservorio vegetal de hidratos, de materias colorantes y compuestos que luego organolépticamente deslumbrarán a los consumidores. Es por esto que nuestros vinos suelen ser descriptos como intensos, frutales, con mucha personalidad en cada varietal, repletos de notas típicas y descriptores característicos. Los vinos de Cafayate no pasan desapercibidos, dejan marcas en quienes los prueban y les hace recordar el lugar de donde provienen, una y otra vez.

Otro punto clave es la altura: el pueblo de Cafayate se encuentra a 1660 metros y sus viñedos aledaños van trepando en sus faldeos hasta los 2200 msnm, condiciones que definen también la concentración de los vinos por esa frescura de las noches lograda por la combinación de altura y latitud. En general, los suelos de Cafayate se encuentran en las familias de los areno arenosos y franco arenosos, muchos de ellos con manifiesta presencia de gravas y gravillas. Son muy permeables, con bajísima presencia de materia orgánica y nutrientes. Es decir, son suelos pobres que generan así expresiones vegetativas controladas, donde la mano del ser humano puede ayudar a expresar moderadamente esos crecimientos. Estos suelos hacen único a Cafayate, trasmitiendo una fruta y mineralidad características.

Más allá de lo técnico, de las características ambientales y ecológicas, esta región cuenta también con una amalgama humana que va moldeando este lugar, sus productos y una manera en el hacer. Es necesario resaltar el recurso humano de Cafayate, sus hombres y mujeres que trabajan la viña anclados en su tierra, notables observadores del fenómeno anual del ciclo productivo. Los regadores que acompañan sus aguas en sus melgas, los cosecheros esperanzados en cada zafra, las pastoras, los elaboradores tradicionales, los noques, los artesanos, los ceramistas, los músicos. Esa cultura que se ve en la baguala, en la zamba, en la serenata. Si decimos que el vino es más vino cuando se comparte, aquí en Cafayate hacemos un culto de ese compartir, nos mezclamos en las zambas y peregrinaciones, nos subimos al cerro de la Cruz, a El Zorrito, o caminamos en la Virgen del Milagro, compartimos las guitarreadas o las coplas del carnaval. Nuestra zona y nuestros vinos llevan las huellas de muchas manos que los forjan y los comunican. Esto también los hace inolvidables.

☛ **Nacido en la provincia de Buenos Aires, el agrónomo Juan Prates es un referente del noroeste argentino, recorriendo diariamente valles en Salta y en Jujuy. Profesor de Viticultura en Cafayate, trabaja en muchas de las mejores bodegas de la región, e incluso asesora a otras en lugares tan disímiles como Ucrania, Bolivia o la Patagonia.**

MOLINOS Y PAYOGASTA
2200 A 2700 MSNM

Se encuentran en el departamento ubicado al sudoeste de la provincia de Salta, a 210 kilómetros de la ciudad capital de la provincia. Esta IG limita con el departamento de Cachi al norte, con la provincia de Catamarca al oeste y con el departamento de San Carlos al sur y al este. Cuenta con aproximadamente 130 hectáreas plantadas, irrigadas por las aguas del río Molinos. Se plantan malbec, cabernet sauvignon, tannat, merlot, petit verdot, bonarda, sauvignon blanc, torrontés riojano. ☛ POR ANDRÉS HÖY

Molinos y Payogasta son parte de los valles Calchaquíes, la región que es dominada en producción por la conocida Cafayate. Son todos suelos que comparten características: son aluvionales, arenosos y con presencia de grava y rocas. Tienen bajo contenido de materia orgánica y suelen ser profundos. Esto representa la generalidad, pero luego cada finca muestra diferencias que vale la pena aprovechar, para que luego se expresen en el vino.

Ubicada a 2300 msnm, Molinos abunda en microterruños que permiten jugar a la hora de hacer los cortes. En general, son suelos franco arenosos, pero también hay presencia de arcilla y de limo, con un porcentaje de materia orgánica mayor al promedio del valle Calchaquí. Allí hay desde vides de veinte años de edad hasta otras con más de ciento cincuenta años, plantadas antes de que la plaga de la filoxera haya azotado a Europa. Son cepas tintas y blancas mezcladas, cultivadas sobre una ladera del cerro sobre un antiguo cauce del río Colomé, que fue haciendo su deposición y formando un suelo franco, no solo con arena, sino también con limo y arcilla, rico en nutrientes, con presencia de rocas enormes que están formando el paisaje dentro del mismo viñedo. El viñedo se plantó alrededor de estas piedras porque en esa época no existía maquinaria para moverlas y los lugareños ya cultivaban estos suelos antes y lo consideraban la mejor tierra. De allí se obtienen vinos muy complejos, frutados, con frescura pero mucho volumen en boca, también con taninos muy finos.

La altura define a los valles Calchaquíes y esto se nota aún más en Payogasta. El Arenal está a 2600 msnm. Su nombre lo dice todo: allí reinan los suelos arenosos y profundos. La principal diferencia con Cafayate es de altura, lo que crea vinos de buen volumen en boca y con taninos presentes pero elegantes. Más arriba aún, también en Payogasta, pero a 3111 msnm, nuestra bodega tiene el Viñedo Altura Máxima, con un suelo muy complejo que presenta arena, arcilla, que es muy pedregoso (calcáreo, granito, e inclusive piedras volcánicas), con mucho drenaje. El clima a esa altura es muy extremo y hostil, y por prueba y error fuimos encontrando la manera de manejar las vides para obtener vinos complejos con notas florales, minerales y muy elegantes.

Si bien todos los técnicos de los valles Calchaquíes hablan de la gran amplitud térmica, la intensa radiación solar se acentúa cuanto más alto se encuentren los viñedos. En lugares como Altura Máxima tendremos noches y mañanas mucho más frescas y radiación mucho más intensa que fincas cultivadas 1000 metros más abajo, lo que se traduce en una piel más gruesa, más antocianos, más taninos y más potencia. Una potencia que bien manejada no impide lograr vinos frescos, de buena madurez y alcohol moderado. Esa gran altura obliga, además, a que la planta complete su ciclo vegetativo hasta la maduración en menos tiempo (ya que las heladas primaverales finalizan después, y las de otoño comienzan antes). Esto se soluciona eligiendo variedades de ciclo más corto, haciendo manejo en poda y defensas contra heladas, entre otras técnicas. Por suerte la malbec, la cepa tinta más plantada en la región, es muy versátil y muestra allí particularidades únicas.

☛ **Responsable de Viñedos de la antigua Bodega Colomé, el ingeniero agrónomo Andrés Höy trabaja codo a codo junto al enólogo francés Thibaut Delmotte, recorriendo y conociendo como pocos las distintas fincas de la bodega cultivadas en las alturas más extremas de los valles Calchaquíes.**

CHAÑAR PUNCO
2000 MSNM

Está en el departamento de Santa María, al nordeste de la provincia de Catamarca. El paraje se encuentra al oeste del río Santa María, cercano al límite con la provincia de Tucumán. Forma parte de los valles Calchaquíes. 280 hectáreas plantadas con malbec, cabernet sauvignon, merlot, syrah, pinot noir, tannat, sauvignon blanc y chardonnay. ☞ POR FRANCISCO TELLECHEA

Chañar Punco ("lugar del chañar" en quichua) está situado al sur de los valles Calchaquíes, en el departamento de Santa María, provincia de Catamarca. Un terruño único, poco conocido en el país, conformado por su historia, sus suelos y clima, su gente y las variedades que allí logran su mejor expresión.

Las poblaciones diaguitas se establecieron en esta zona hace aproximadamente dos mil años, y dejaron un legado de aprovechamiento de los cauces naturales a través del cultivo en terrazas. Su cultura incluía una cosmovisión basada en los astros y en la tierra como madre de todas las cosas. Hoy ese amor por la tierra y el entorno se mantiene intacta, ahora por parte de los lugareños que viven actualmente en la zona, marcados por su historia. Son ellos los que trabajan la finca bajo prácticas vitícolas de manera ejemplar.

Al nivel de la geografía y los suelos, Chañar Punco se encuentra a 2000 msnm, al pie de la sierra de Quilmes, al oeste de los valles Calchaquíes, como parte de una formación montañosa que tiene unos cinco millones de años y que surgió como consecuencia del ascenso de la cordillera de los Andes. Predominan las rocas metamórficas. El hecho de estar al pie de las sierras hace que exista una gran variedad de suelos (por tratarse de conos aluviales) que van desde los pedregosos (80 % de rocas en el perfil) hasta los más profundos arenosos en las partes más distales del cordón montañoso. La antigüedad de estos suelos hace que exista una acumulación de carbonato de calcio que les da un pH del orden de 8,2 (suelos calcáreos). El clima está definido por la gran elevación de la zona, en la que se logran temperaturas frescas y con una gran amplitud térmica (más de 18 °C de diferencia entre el día y la noche en los meses de verano).

La temperatura media en la temporada de crecimiento de la vid es de 20 °C, lo que la convierte en una zona muy cualitativa por la síntesis y preservación de compuestos aromáticos que estimulan estas temperaturas. La altura da también lugar a una intensa radiación UV, que se correlaciona con la síntesis de compuestos que potencian la expresión del color en las uvas. La cercanía a la montaña provoca acumulación de nubes en los meses de verano que contribuyen a la disminución de temperatura por las tardes y generan condiciones templadas en los meses previos a la cosecha (lo que permite una maduración lenta de la fruta). Todo esto se da en un lugar con una precipitación anual de 180 milímetros.

Respecto a las variedades, al igual que en todo el valle Calchaquí, conviven cepas criollas (actualmente puestas en valor), que son parte del patrimonio jesuítico y de la vía de materiales de ingreso desde Chile instaurada después de la conquista, así como las grandes cepas francesas que llegaron en el siglo XIX. Gracias a las primaveras cálidas y los veranos templados de tardes nubosas, hay variedades como la cabernet sauvignon que conservan aromas piracínicos amables que la hacen única en el país. Esto también se percibe en un malbec especiado y en muy buenos tannat y merlot. Aquí también reina el torrontés riojano, que consigue en el valle la mejor expresión de todo el país. Pero más allá de lo mencionado, sin limitaciones por las heladas o el clima, son muchas más las variedades que se adaptan perfectamente a esta región, y así logran identidad y potencia.

☞ Francisco Tellechea, ingeniero agrónomo nacido en Salta, ganó experiencia vitivinícola en lugares tan distintos como Francia, Perú, Mendoza, la propia Salta y Catamarca. Hoy está a cargo de los viñedos de El Esteco, bodega que con 260 hectáreas implantadas en Chañar Punco se convirtió en embajadora y promotora de esta zona en el mundo.

REGIONES PRINCIPALES

VALLES DE SAN JUAN

Los valles vitivinícolas de la provincia de San Juan (particularmente Tulum, Ullum, Zonda, Pedernal y Calingasta) están ubicados en alturas que varían entre los 600 y los 1500 msnm. En esta provincia, al igual que en Mendoza y en algunas regiones de La Rioja, la acción del zonda (un viento cálido y seco que proviene de los Andes) puede afectar la floración y polinización de las plantas, lo que repercute negativamente en la producción. San Juan es la segunda provincia productora del país en volumen de vino, tan solo por detrás de Mendoza. El valle con más viñedos plantados es IG valle de Tulum, la zona vitivinícola más tradicional de la provincia. En esta área de clima cálido y seco, las uvas logran una excelente maduración, con presencia de diversas variedades que aprovechan estas condiciones favorables: entre ellas, la moscatel de Alejandría, muy utilizada para la elaboración de vinos dulces y licorosos (parte de la tradición vitivinícola sanjuanina), también la criolla rosada, la pedro giménez, el torrontés sanjuanino y el torrontés riojano, muy utilizadas para vinos de corte, así como muy buenos exponentes de viognier. En relación con las variedades tintas, se destacan bonarda, syrah, malbec, cabernet sauvignon y cabernet franc, entre otras. ¶

IG valle de Pedernal e IG Calingasta (dentro del cual se encuentra IG Barreal) son dos regiones sanjuaninas que están aportando excelentes ejemplares al mercado. Ambas se encuentran en altura (alrededor de 1500 msnm), por lo que el clima es moderado, y esto permite una maduración lenta en las uvas. Se trata de valles aislados y protegidos por las montañas, con suelos profundos arenosos, arcillosos y pedregosos, con una adecuada capacidad de retención de humedad. Existen sectores con presencia de piedra calcárea y sílex. Dado que el índice de pluviometría es muy bajo –150 milímetros anuales–, se hace necesario irrigar, y para ello se utiliza riego por goteo. En estas regiones, ideales para la elaboración de vinos de calidad, la cepa syrah se expresa de manera singular, produce vinos de color intenso, con aromas a fruta madura, especias y flores, cuerpo medio a estructurado, taninos firmes y excelente acidez. Son vinos con gran potencial de guarda, durante la cual desarrollan aromas complejos a cuero y tierra, entre otros. La cepa malbec también se desarrolla muy bien y presenta aromas distintivos a fruta madura, especias y hierbas. ¶

Finalmente, algunos productores en esta provincia (tal como está sucediendo en algunas zonas de Salta y Mendoza) llevan a cabo un proceso de recuperación de cepajes criollos, apuntando a la calidad. Se están obteniendo buenos ejemplares elaborados en base a criolla chica, entre otras, lo que resulta en vinos tintos equilibrados, de color rubí pálido, aromas terrosos y a fruta roja, cuerpo medio y taninos de medios a suaves. ¶

VALLE DE PEDERNAL

1110 A 1500 MSNM

Al sudoeste de la provincia de San Juan, en el departamento de Sarmiento, a 90 kilómetros de la ciudad capital. Esta IG se encuentra al este de la precordillera y se halla protegido por dos cadenas montañosas: al oeste, la sierra del Tontal y, al este, la sierra de Pedernal. Son alrededor de 800 hectáreas plantadas, con algunos viñedos ubicados en pendientes, como aquellos que se encuentran en los faldeos de la sierra del Tontal, con exposición este (sol de mañana) y otros en los faldeos de Pedernal, con exposición oeste. Es una de las regiones vitivinícolas más frías de San Juan, con baja pluviometría (150 milímetros) y escasez de agua superficiales, lo que hace necesario el bombeo de aguas de napas subterráneas para el riego. Se destacan malbec, syrah, bonarda, cabernet sauvignon, cabernet franc, petit verdot, chardonnay, sauvignon blanc, gewürztraminer, pinot gris. ☛ POR GUSTAVO MATOCQ

Ubicado a 90 kilómetros al sudoeste de la ciudad de San Juan, Pedernal es un valle de la precordillera que limita hacia el oeste con el cordón de Santa Clara y las sierras del Tontal; y hacia el este, con las sierras de Pedernal y de Los Pozos. Su altitud va de los 1110 msnm a los 1500 msnm. Es un valle confinado y aislado de plagas naturales, que genera condiciones únicas para el cultivo de cepajes de alta calidad.

Históricamente ligado a la actividad ganadera a campo abierto, a mediados de la década de 1990, comenzó el primer emprendimiento vitícola, hasta alcanzar las actuales 800 hectáreas cultivadas. Desde el año 2000 la localidad de Pedernal y su zona aledaña forman parte de las áreas naturales protegidas de San Juan. A su vez, desde 2007 el valle de Pedernal es una IG vitivinícola argentina.

Un aspecto característico del valle es su cielo diáfano (el observatorio astronómico El Leoncito está a tan sólo 50 kilómetros de allí). El clima es continental, árido, desértico y soleado en general todo el año. Las precipitaciones rondan los 150-200 milímetros al año, concentradas en primavera y verano, durante el ciclo del cultivo. Es frecuente que se registren nevadas durante el invierno. Durante el período de madurez de las uvas, las temperaturas medias máximas mensuales están entre 24 °C y 28 °C y las mínimas medias, entre 10 °C y 4 °C. Los vientos predominantes son del sur; debido a la cercanía de la sierra de Pedernal con la precordillera central, hay una brisa prácticamente continua durante el día que resulta muy importante para la sanidad de los viñedos. Las sierras de Pedernal y la sierra de Los Pozos constituyen una unidad de la precordillera oriental, compuesta por rocas del período Cámbrico en la era geológica paleozoica, hace más de 485 millones de años. Son rocas de origen marino formadas en un ambiente sedimentario de plataforma carbonática, compuestas principalmente por calizas y dolomías alternadas con pedernal negro (un óxido de silicio). Con el paso del tiempo, estas rocas calcáreas se fragmentaron y desplazaron desde la sierra de Pedernal hacia el oeste del valle. Posteriormente, desde cadenas montañosas del oeste. También otras rocas madres de diferente composición mineralógica se fragmentaron y se desplazaron hacia el este, cubriendo parte del material calcáreo y constituyendo parte del relleno sedimentario del valle. Todo esto formó suelos pedregosos con rocas de distinta composición y tamaño dentro de una matriz constituida por materiales finos, como arenas, limo y arcillas. Los perfiles son profundos con muy buena porosidad, infiltración y aireación, con una retención de agua de buena a excelente dependiendo de la composición y cantidad de estos materiales. El contenido de materia orgánica es bajo, hay una adecuada disponibilidad de nutrientes y actividad biológica. Una particularidad es que en la parte sureste del valle de Pedernal, sobre la sierra de Pedernal, el suelo es 100 % calcáreo geológico, lo que crea un microterruño único que les confiere a las uvas y a los vinos un perfil excepcional. Vale recordar que solo el 7 % de la superficie de la tierra posee suelos calcáreos de origen geológico, y más del 50 % de esos suelos se encuentran en Europa, donde hay vinos de altísima calidad. La topografía del valle, sumada a las variaciones en la composición de los suelos y las condiciones climáticas, crea microterruños de superficies relativamente chicas, menores a las 100 hectáreas, con riego exclusivo por goteo. Las principales variedades tintas cultivadas son malbec, cabernet sauvignon, cabernet franc, syrah, merlot, pinot noir; y entre las blancas, chardonnay y sauvignon blanc. Estas uvas desarrollan pieles más gruesas, con mayor concentración y balance entre azúcares, polifenoles, ácidos y sabores típicos de cada variedad. Los tintos son de color intenso, frutados y con notas especiadas. Sobresale la fruta fresca, las hierbas aromáticas y la mineralidad típica de Pedernal, con una muy buena estructura que permite distintos tiempos de añejamiento. Los taninos resultan dulces, y en los blancos la fruta, la acidez y la mineralidad son puntos destacados.

Un caso especial es el malbec proveniente del microterruño calcáreo sobre la sierra de Pedernal, que muestra taninos de grano fino proporcionados por el material calcáreo que forma el suelo. Un vino que produce una sensación única en el paladar. Es equilibrado, con acidez integrada y un final que lo hace diferente de otros grandes malbec de Argentina: un nuevo y singular malbec con estilo "Grand Cru de la Borgoña".

☛ **Nacido en San Juan, Gustavo Matocq estudió primero en Buenos Aires y luego en Montpellier, Francia. Hoy, como gerente de Viñedos de Pyros Wines, su objetivo es explorar su provincia buscando los mejores lugares para cultivar.**

CALINGASTA
1300 A 1650 MSNM

La IG Barreal se encuentra dentro del departamento de Calingasta (reconocido, a su vez, también como IG), al oeste de la provincia de San Juan, entre la cordillera frontal y la precordillera. Se trata del departamento más grande de la provincia. Calingasta es un valle longitudinal, recorrido por los ríos Los Patos, Castaño y Calingasta. Las vides se encuentran plantadas a la vera de estos ríos. Hay alrededor de 200 hectáreas plantadas. Existen algunos parrales muy antiguos en terrazas, sobre todo al pie de la sierra del Tontal. Se plantan malbec, cabernet sauvignon, petit verdot, cabernet franc, pinot gris, sauvignon blanc, syrah, bonarda, criolla, moscatel, torrontés, cereza, etc. ☛ POR FRANCISCO BUGALLO

El valle de Calingasta se encuentra en el sudoeste de la provincia de San Juan, flanqueado por dos cordones montañosos: la cordillera frontal al oeste y la precordillera del Tontal al este. Las montañas definen su clima, lo mantienen aislado y protegido de plagas y enfermedades, e imprimen el carácter a quienes lo habitamos.

Al valle lo riegan tres ríos: Los Patos (desde el sur), El Castaño (desde el norte) y el Calingasta (desde el oeste). Este trío de aguas de deshielo que provienen del corazón de la cordillera frontal, de nieves eternas, de tormentas invernales y de glaciares de altura permite que nuestro valle sea un oasis productivo y que cada primavera renueve brotes y florezca. La viticultura forma parte de este oasis en medio del desierto andino, donde solo llueven 50 milímetros anuales y el aire seco agrieta la piel. Este clima árido, sumado a los fríos inviernos, permiten que el manejo orgánico de la viticultura sea una práctica común entre los productores locales.

La historia vitivinícola de este lugar se remonta a más de doscientos años, y hoy se mantiene viva a través de parrales de más de un siglo de vida, ubicados en su mayoría en el paraje de Hilario. Criolla chica, moscatel blanco, moscatel tinto, torrontés sanjuanino, junto un gran grupo de variedades criollas argentinas, forman parte del patrimonio vitícola de Calingasta, que durante varias generaciones los habitantes del valle han cuidado, podando cada invierno, regando cada primavera y vendimiando cada verano. Las variedades antiguas y las variedades criollas del valle de Calingasta son una reserva genética viviente, y los productores de este lugar somos los responsables de salvaguardarlas.

Los suelos aluviales de la cordillera reciben material fino de los ríos y coluvios de la precordillera, lo que otorga diversidad en los terrenos cultivados y en sus cosechas. Aportes de granitos rodados de cordillera, filitas y cuarzos de precordillera, arenas y limos de los ríos; todo esto origina parcelas únicas, con identidad, que durante años han sido cultivadas de manera responsable, cuidando el suelo y la diversidad, recurso que se hereda y que por eso debe trabajarse de manera responsable.

En Cara Sur trabajamos y cuidamos viejos parrales de variedades antiguas y criollas, cosechando sus uvas y haciéndolas vino. Somos gente de montaña y hacemos vinos de montaña, interpretando nuestro lugar y conociendo a su gente. Buscamos pureza y precisión en esa interpretación; por eso vinificamos en hormigón, con levaduras locales, estabilizando con el frío de nuestros inviernos. Cara Sur somos cuatro amigos, somos familia, movilizados por el cuidado y el desarrollo del patrimonio vitícola de Calingasta. Y por sus vinos.

☛ El agrónomo y *winemaker* Francisco "Pancho" Bugallo, si bien nació en Buenos Aires, vive desde los 3 años en Barreal, su lugar en el mundo. Allí es donde desarrolla la Bodega Cara Sur, recorriendo viñedos históricos de la región con una mirada revitalizadora.

REGIONES PRINCIPALES
MENDOZA

Mendoza es la provincia productora más importante de Argentina, responsable de casi el 80 % del vino de todo el país (dato de 2020). Presenta un clima continental cálido semiárido y alta insolación. La baja humedad en el ambiente evita la proliferación de enfermedades en los viñedos. Dado que las precipitaciones generalmente no alcanzan los 300 milímetros por año, se hace necesario regar. En algunas regiones, las heladas y el granizo son frecuentes y pueden afectar la producción anual. El viento zonda también se hace presente en esta provincia, y puede afectar la floración y polinización de las plantas. Los suelos son de origen aluvional, de textura heterogénea. Hay zonas pedregosas, con grandes rocas que fueron arrastradas luego del derretimiento de glaciares, como así también piedras más pequeñas que fueron depositadas en antiguos lechos de ríos. En diversas zonas puede encontrarse también limo, arena y arcilla. La altura es un factor de importancia, ya que modera el clima en las distintas regiones de la provincia. Los viñedos más bajos se ubican a 500 msnm y los más altos, a 1700 msnm. ¶ Existe la IG Mendoza, que se puede usar en las etiquetas de todos los vinos elaborados a partir de viñedos ubicados en dicha provincia. Mendoza abarca varias áreas vitivinícolas: región norte y este, zona alta del río Mendoza, valle de Uco y región sur. ¶ Las regiones norte y este se encuentran a una altura que varía entre los 600 y los 750 msnm, con poca pendiente, suelos profundos y clima cálido. Las cepas más plantadas son chenin blanc, pedro giménez, ugni blanc, torrontés riojano, chardonnay, syrah, bonarda, cabernet sauvignon y malbec. Son áreas que pueden producir vinos en gran volumen sin que pierdan su expresión varietal. Se trata de ejemplares con aromas frutados, de cuerpo medio, alcohol medio a elevado, acidez media y, en el caso de los tintos, taninos medios. También se cultivan cepas que se adaptan bien al clima cálido pensando en una producción de vinos de calidad, como ocurre con la bonarda. En estos casos, se reducen los rendimientos y, a veces, se realizan cosechas escalonadas para lograr equilibrio y madurez en los vinos, con cierto potencial de guarda. Se destacan las localidades IG Junín, IG Rivadavia, IG Santa Rosa, IG San Martín e IG Distrito Medrano. ¶ En el caso de la región sur, los viñedos se ubican entre los 450 y los 800 msnm, al pie de la cordillera, y son irrigados con aguas de los ríos Diamante y Atuel. Los suelos son aluvionales, con mezcla de piedras, arena, limo y arcilla. Existen áreas con presencia de calcáreo. Los veranos en esta región son largos, con temperaturas más moderadas que en el norte y el este. Gracias a la amplitud térmica, la maduración es lenta y se preserva la acidez en las uvas. Muchos de los vinos de esta región tienen excelente relación precio-calidad. La cepa más tradicional de la zona es la chenin blanc, que produce vinos frutados, con muy buen equilibrio entre acidez y alcohol y es utilizada tanto para la elaboración de vinos tranquilos como para producir vinos base de espumante. Los vinos elaborados con chardonnay presentan fruta blanca y acidez refrescante. Por su lado, los tintos suelen exhibir aromas de fruta roja o negra, con volumen de medio a estructurado, buena acidez y taninos firmes. Las cepas tintas más plantadas son malbec, bonarda, cabernet sauvignon y pinot noir. IG San Rafael es el departamento más importante en cantidad de hectáreas plantadas, con una gran tradición y la presencia de bodegas históricas (y otras más nuevas) que son parte de la cultura del vino nacional. ¶

ZONA ALTA DEL RÍO MENDOZA

Esta región se encuentra al sur de la ciudad de Mendoza, en los departamentos de Maipú y Luján de Cuyo. Los viñedos se ubican en alturas que van de los 650 msnm a los 1100 msnm. Toda la zona se irriga con aguas del río Mendoza. Los suelos son aluvionales, y presentan zonas con gravas cubiertas material fino como arena, limo y arcilla. En algunas áreas se pueden hallar rocas cubiertas de material calcáreo (llamado localmente "caliche"). Si bien el clima cálido es el que predomina, existen diversos microclimas gracias a las distintas alturas de los viñedos, lo que posibilita el buen desarrollo de numerosas variedades y que sea la región con el mayor parque ampelográfico de nuestro país. IG Vistalba, IG Las Compuertas e IG Perdriel, ubicadas en el departamento de Luján de Cuyo, son las zonas más altas y las que registran temperaturas promedio algo más frescas. Tanto en estas zonas como en las localidades IG Luján de Cuyo, IG Agrelo y Ugarteche (ubicadas en áreas ligeramente más bajas), se producen excelentes vinos, en los que se destacan las frutas frescas, con buen equilibrio entre alcohol y acidez y, en el caso de los tintos, con taninos firmes y maduros y gran capacidad de guarda. ¶

Luján de Cuyo cuenta con su propia DOC creada especialmente para proteger, promover y difundir la cepa malbec. Se trata de vinos de calidad que, por las reglas de la propia DOC, son elaborados con al menos un 85 % de dicha cepa y que deben tener 18 meses entre la cosecha y su salida al mercado, con una crianza en madera de, al menos, 6 meses. ¶

Esta zona posee, además, la mayor concentración de bodegas de nuestro país. Existen bodegas de todos los estilos y tamaños, tanto familiares como pertenecientes a grupos económicos nacionales o extranjeros, al igual que pequeñas bodegas tipo *boutique*. Es, además, una región con un gran caudal de actividad turística, al aprovechar la cercanía con la capital provincial, y, en general, las bodegas cuentan con áreas de hospitalidad, que incluyen degustaciones guiadas, visitas a viñedos y restaurantes (algunas suman hotelería propia). ¶

La producción en esta zona de Mendoza es variada: se elaboran desde vinos de consumo joven hasta vinos de muy alta calidad y pensados para la guarda. Los vinos blancos de calidad son equilibrados, elegantes y poseen potencial de guarda, entre los cuales la chardonnay es la cepa más utilizada para elaborarlos. En el caso de los tintos, se elaboran tanto varietales como cortes, de color profundo, con aromas a fruta negra y roja, flores y especias. Se trata de ejemplares estructurados, pero elegantes, de buen cuerpo, taninos altos, acidez de media a media alta y buen potencial de guarda. Las tintas más plantadas son malbec, cabernet sauvignon y merlot.

El departamento de Maipú constituye otra zona tradicional que posee un clima algo más cálido que Luján de Cuyo, por lo que su varietales suelen presentar un carácter de fruta más madura. En general, son vinos de acidez media, alcohol de medio a alto, muy frutados y con taninos medios a firmes. Las cepas más plantadas son malbec, cabernet sauvignon, merlot, syrah, chardonnay, sauvignon blanc y semillón. Las localidades de IG Lunlunta, IG Russel, IG Maipú, IG Barrancas y Cruz de Piedra se encuentran a alturas algo menores que aquellas ubicadas en el departamento de Luján de Cuyo. IG Lunlunta se halla entre las localidades de Maipú y Luján de Cuyo, y los vinos provenientes de esta área presentan notas de fruta madura y taninos redondos. IG Barrancas es una localidad en la que el clima es ligeramente más cálido, donde la cepa syrah madura muy bien, expresando aromas a fruta negra madura y especias.

VALLE DE UCO

El valle de Uco es la región vitivinícola de desarrollo más reciente en Mendoza. Más allá de algunas zonas históricas, comenzó a crecer de manera importante a fines de la década de 1980, y diez años más tarde ese crecimiento se profundizó de manera exponencial, hasta constituirse en una región concentrada en la elaboración de vinos de alta calidad. La gran cantidad de inversiones, tanto nacionales como de capitales extranjeros (coincidentes, en la mayoría de los casos, con el boom del malbec de la década de 1990), colaboró para que en la actualidad sea no solo sinónimo de calidad de vinos, sino también un gran epicentro de enoturismo, que cuenta con bodegas preparadas para recibir a visitantes de todo el mundo, con gastronomía y hotelería de excelencia. El valle se extiende en los departamentos de Tunuyán, Tupungato y San Carlos, cada uno de los cuales constituye una IG.

Existe, asimismo, la IG valle de Uco, que se puede utilizar en las etiquetas de los vinos elaborados con uvas provenientes de cualquier área o áreas dentro del valle. La región se nutre, para su irrigación, de las aguas de los ríos Tupungato, Tunuyán y Las Tunas, como así también de aguas de ríos subterráneos, a las que se accede gracias a profundas perforaciones. El método más utilizado es el riego por goteo.

Los viñedos, ubicados a los pies del Cordón del Plata, se encuentran en alturas que van de los 900 a los 1700 msnm. Los suelos son heterogéneos, existen áreas pedregosas, con grandes rocas y canto rodado, arena gruesa y limo. Se trata de suelos con capas de estructura diversa y algunas áreas con contenido de material calcáreo. El clima es templado gracias a la influencia de la altura, la que también genera una gran amplitud térmica entre el día y la noche. Estos factores, sumados a la intensa insolación, contribuyen para que se produzcan vinos tintos de excelente acidez y potencial de guarda, con colores profundos y taninos firmes. Las principales variedades plantadas son malbec, cabernet sauvignon, pinot noir, merlot, cabernet franc, sauvignon blanc, chardonnay y semillón. En el caso de los blancos, presentan acidez refrescante, características varietales bien marcadas y potencial de guarda. ¶

En Gualtallary (departamento de Tupungato), una de las áreas con más renombre del valle de Uco, los viñedos se encuentran a alturas que varían entre los 1100 y los 1600 msnm. Esta diversidad puede marcar alguna variación en cuanto a los tiempos de maduración de la fruta. Los suelos presentan gran contenido de roca calcárea y de basalto. Los vinos provenientes de esta zona (cuyo reconocimiento como IG, a la fecha de publicación de este libro, se encuentra en trámite) son de color profundo y buen potencial de guarda, y se caracterizan por presentar taninos con una textura que, en ocasiones, recuerda a la tiza, con aromas frescos frutados y herbales. ¶

IG Paraje Altamira, ubicada dentro de la IG La Consulta (en el departamento de San Carlos) es otra zona que se destaca por sus características y producción de calidad. Los viñedos se ubican a 1100 msnm, sobre suelos aluvionales, de textura heterogénea, que va desde grandes rocas hasta material aluvional más pequeño, como arenas y limo. Las rocas y piedras de la zona se encuentran cubiertas por una capa de material calcáreo y existen áreas con presencia de roca granítica. Los vinos tintos de esta región se destacan por su cuerpo y elegancia, y presentan una refrescante acidez y taninos firmes y texturados. Se trata también de exponentes con potencial de guarda. ¶

SANTA ROSA

700 MSNM

Se encuentra en el departamento de Santa Rosa, provincia de Mendoza, a 80 kilómetros al sudeste de la ciudad capital. Limita al norte con los departamentos de Lavalle y de San Martín, al sur con el de San Rafael, al este con La Paz y al oeste con Junín, Rivadavia y San Carlos. Forma parte de la región este de Mendoza, irrigada por las aguas del río Tunuyán, y cuenta con unas 9000 hectáreas plantadas. Al igual que en el resto de la zona este, predominan variedades utilizadas para la elaboración de vinos de consumo local, como las rosadas cereza y criolla grande y la blanca pedro giménez. Entre las tintas, destaca la bonarda, cepa que con muy buena adaptación al clima cálido de la región y de donde provienen algunos de sus mejores exponentes. Se cultivan también otras cepas tintas que se llevan bien con este clima, entre ellas syrah, tempranillo, ancellotta y aspirant bouschet (muy utilizada para aportar color a los *blends*). ☛ POR EDGARDO CONSOLI

El llamado "oasis este mendocino" está integrado por los departamentos San Martín, Junín, Rivadavia, Santa Rosa y La Paz, sumando además Las Heras y Lavalle más al norte. Es una región histórica para el vino argentino, con un índice Winckler V o VI, según el año, con unas 2600 horas con temperaturas mayores a 10 °C. Si a eso se suma la fuerte luminosidad que hay en la zona, se entiende que el sistema de conducción en parral sea desde siempre el más elegido en esta región para el armado de las viñas, ya que favorece la protección de la uva de la exposición directa de los rayos del sol, lo que brinda condiciones favorables para obtener vinos más frescos y frutados.

Respecto a los suelos, es importante entender dónde estamos. En el Holoceno, los ríos Tunuyán y Mendoza se unían formando el gran río del Zonda, por lo que estos dos ríos fueron los que aportaron los sedimentos para la formación de este gran abanico aluvial. Es un abanico que por su baja pendiente de 0,8 % muchas veces pasa desapercibido a simple vista, pero que ha dejado sus marcas, con el gradiente de curvas de nivel y con antiguos paleocauces que sí pueden verse en la actualidad. Este abanico fue desarrollado sobre un gran campo de dunas, sobre el cual fue erosionando y retransportando sedimentos, lo que originó una gran variabilidad en los suelos, con cambios que se ven entre departamentos, pero incluso entre dos fincas cercanas. Por ejemplo, es común encontrar texturas muy arenosas en Montecaseros (San Martín) y suelos medios o pesados en Medrano y Junín.

Si bien esta región suele ser destinada a la producción de uvas de volumen, priorizando altos rendimientos, hay variedades que realmente se expresan muy bien en el este y que, con el trabajo adecuado –por ejemplo, con podas restrictivas en invierno y luego raleo de racimos–, pueden generar gran calidad. Esto sucede en especial en aquellas variedades que tienen identidad con la región, como bonarda, syrah, chenin y tempranillo. De Santa Rosa proviene el emblemático Zuccardi Q Tempranillo que elaboramos en la bodega en 1997, y que al día de hoy sigue siendo considerado uno de los más reconocidos de la Argentina. Lo mismo sucede con la bonarda, que dio vida a los primeros Emma que lanzamos al mercado.

Más allá de ser una zona cálida, al ser un desierto, se generan temperaturas altas durante el día, pero muy bajas de noche: esa amplitud nos permite lograr una muy buena madurez con calidad. Por su lado, las bajas lluvias y la falta de humedad marcan condiciones ideales para tener plantas muy sanas, libres de enfermedades.

Como región pensada desde el volumen, el este da sustento a más del 70 % del consumo del país, a través de vinos de entrada de gama, simples y, en la mayoría de los casos, sin distinción varietal. También es una gran zona para elaborar vinos rosados, en particular a partir de syrah, en este caso sí uniendo volumen y calidad. Pero, como mencioné antes, y en eso trabajamos desde Santa Julia, también aquí se puede apostar a otros estilos de vinos, con mayor concentración y tipicidad. Un buen bonarda del este, manejado con rendimientos que ronden los 12 000 kilos por hectárea (en lugar de los 30 000 o 35 000 que puede llegar a dar con otro tipo de manejo), consigue una muy buena madurez y completa su nivel de estructura alcohólica y tánica.

☛ **Agrónomo a cargo de los viñedos de Santa Julia, Edgardo Consoli asegura estar fascinado por cómo los distintos vinos expresan a sus cepajes, mostrando claramente las diferencias de cada zona, desde el este mendocino hasta los terruños históricos de Maipú o las máximas alturas del valle de Uco.**

LUNLUNTA
850 A 970 MSNM

Se encuentra en el departamento de Maipú, provincia de Mendoza, 22 kilómetros al sur de la ciudad capital de la provincia. Pertenece a la llamada zona alta del río Mendoza o primera zona. Limita al norte y al noreste con Cruz de Piedra, al este con Barrancas y al sur con el departamento de Luján de Cuyo. Los viñedos se encuentran sobre la margen izquierda del río Mendoza. Principalmente se planta malbec, también cabernet sauvignon, cabernet franc, garnacha, syrah. ☛ POR EDUARDO LÓPEZ

Los antiguos habitantes de la zona nombraron al distrito de Lunlunta como "el lugar donde caen las piedras al río" o "el rodeo de guanacos". Actualmente pertenece al departamento de Maipú, tiene una superficie de 2 kilómetros cuadrados, con el río Mendoza como límite al sur, la calle Terrada al oeste, la calle Cruz Videla al norte y la Nueva al este. Se encuentra a 9 kilómetros del centro de Maipú y del centro de Luján de Cuyo.

Es un paraje de singular belleza paisajística y con un clima agradable. A fines del siglo XIX y principios del XX se afincó aquí gente de la ciudad de Mendoza que construyó casas veraniegas y de fin de semana, además de inmigrantes recién llegados que, junto con la inauguración del ferrocarril, comenzaron con la plantación de las llamadas uvas francesas (en sustitución de las vides criollas) y de olivares. Es este uno de los primeros lugares donde la variedad malbec encontró su lugar en el mundo para convertirse en grandes vinos, insignia de la provincia de Mendoza. Aún quedan algunos de los viñedos característicos de esos años, que se plantaban consociados con olivos, en el sistema de conducción conocido como viña baja, plantados en las terrazas formadas por las cuchillas, labrados con mulas o caballos de tiro e irrigados mediante un sistema de acequias con aguas provenientes del río Mendoza, las cuales en el verano fertilizaban los suelos con los sedimentos arrastrados desde las montañas andinas. Hoy en sus grandes arboledas y la sombra de sus calles, la presencia de un bello convento junto con bodegas y casas antiguas con hermosos jardines invitan a vivir un paseo que abraza desde su historia.

Los suelos corresponden al Pleistoceno –conocido como la elevación de las cuchillas de Lunlunta de unos 1000 msnm– y están formados por material aluvial de areniscas y calcáreo poco resistentes a la erosión, de una alta heterogeneidad producida por la deposición de materiales a través del tiempo por las crecidas del río Mendoza.

A esta región podemos separarla en dos zonas: el Alto Lunlunta y el Bajo Lunlunta, que se diferencian por las terrazas propias de la orografía de la zona de los 700 msnm a los 900 msnm. En el Bajo Lunlunta podemos encontrar freáticas en superficie, suelos lacustres en algunos lugares con mayor presencia de materia orgánica. En el Alto Lunlunta, el suelo es entre limo arenoso y limo arcilloso con un lecho de canto rodado, ripio y arena gruesa de muy buena permeabilidad.

El clima es templado cálido con temperaturas en verano que van de los 32 °C en el día a los 12 °C durante las noches. Las precipitaciones promedian los 200 milímetros anuales, con 210 días libres de heladas y una ocasional ocurrencia de heladas tardías en el mes de septiembre u octubre. Estas condiciones de suelo permeable calcáreo, clima fresco con diferencias entre el día y la noche de 15 °C a 20 °C, aguas cálcicas provenientes de la cordillera y el manejo del cultivo hacen que las uvas maduren muy bien, y les otorguen acidez, azúcar y compuestos fenólicos adecuados para producir muy buenos vinos tintos de guarda, así como uvas blancas con carácter que también son muy adecuadas para la conservación en el tiempo.

Este lugar privilegiado para la gestación de grandes vinos mendocinos hoy compite con las urbanizaciones por su lindo paisaje, clima fresco y la cercanía con dos centros poblados tan importantes como Luján de Cuyo y Maipú. Esperemos que nunca pierda su encanto y que sepamos poner en valor la historia y la cultura que, con orgullo y privilegio, nos define como la capital mundial del malbec.

☛ **Con historia y presente en la zona de Maipú, Bodega López recupera y defiende la tradición del malbec a través del trabajo de Eduardo López, cuarta generación de esta gran familia del vino, trabajando en conjunto con el agrónomo Diego Cantú, gerente de Viñedos de esta centenaria casa mendocina.**

BARRANCAS
700 A 810 MSNM

Se encuentra en el extremo sudoeste del departamento de Maipú, provincia de Mendoza, 35 kilómetros al sudeste de la ciudad capital de la provincia. Esta IG pertenece a la llamada zona alta del río Mendoza o primera zona. Limita al sur con el departamento de Luján de Cuyo, al oeste con Lunlunta y al este con el departamento de Junín. Las vides se encuentran plantadas sobre la margen derecha del río Mendoza. Destacan tintos de malbec, cabernet sauvignon y cabernet franc, también syrah, petit verdot, merlot, chardonnay, etc. ☛
POR ROGELIO RABINO

Es un distrito que políticamente pertenece a Maipú, el único que se ubica al sur de río Mendoza. Forma parte de lo que denominamos "primera zona". Su historia es muy rica: hace ya más de cinco siglos estaban allí los primeros asentamientos huarpes, que se ubicaron en los márgenes del río, y también fue tierra elegida por los primeros evangelizadores luego de la fundación de Mendoza. En esta zona se emplaza una de las iglesias en pie más antiguas de la provincia, la capilla de Nuestra Señora del Rosario, que data del año 1807. También, por ser parte del Camino Real hacia Buenos Aires, Barrancas tuvo un gran impulso vitivinícola desde los inicios. Por eso podemos encontrar allí viñedos muy antiguos, algunos con más de cien años de edad. Se encuentra a una altura que ronda entre los 700 y los 800 msnm, cuenta con unas 2800 hectáreas de viñas y, desde 2005, es una IG reconocida por el Instituto Nacional de Vitivinicultura.

En la parte geológica se ubica en el lóbulo deposicional actual del río Mendoza; podemos encontrar allí suelos muy pedregosos con escaso horizonte arable, y a medida que nos acercamos a las serranías del sur (las cuchillas de Lunlunta), empiezan a aparecer sedimentos finos (sobre todo limo y arcilla) y el perfil pedregoso pasa a la profundidad. En cuanto a lo climático, es una zona cálida: los grados días acumulados son entre 2200 y 2600, con amplitudes térmicas en los meses de maduración de 14 °C a 17 °C. Las precipitaciones promedio de los últimos cinco años fueron de 215 milímetros anuales. Todo esto hace que destaquen allí, sobre todo, las variedades de ciclo largo, como cabernet sauvignon, cabernet franc, petit verdot y syrah, también los malbec cosechados de manera temprana, con vinos de gran expresión aromática. No es una zona para lograr concentración y esos colores tan intensos que provienen de otros lugares, sino más bien elegancia, con buena nariz y taninos dulces. El cabernet franc de Barrancas, por ejemplo, es superespeciado, con mucho pimiento rojo; el syrah da aromas mentolados y a eucalipto, todo en un vino bien fluido sin tanta estructura. También en blancos, los chardonnay y viognier logran un diferencial. El chardonnay cosechado temprano es muy fresco y con peso de boca, con aromas más tropicales que cítricos.

Es una zona de enorme tradición e importancia para la vitivinicultura argentina, donde se encuentran bodegas históricas como Toso y Finca Flichman, pero también nuevos emprendimientos como Gauchezco, Finca Agostino, Abito Wines, Domiciano y otras.

☛ **Prestigioso agrónomo devenido *winemaker*, Rogelio demuestra cada día su pasión por la tierra, los viñedos y los vinos. Tras una gran carrera que lo hizo pasar por bodegas como Finca Sophenia y Kaiken, hoy dirige la enología de Finca Flichman, centenaria casa mendocina que es parte del grupo vinícola portugués Sogrape.**

PERDRIEL
950 A 1050 MSNM

Está en el departamento de Luján de Cuyo, provincia de Mendoza, 25 kilómetros al sudoeste de la ciudad capital de la provincia. Se encuentra dentro la llamada zona alta del río Mendoza o primera zona. El río Mendoza, al norte, marca el límite con la ciudad de Luján, y al sur se encuentra Agrelo. Existen muchas viñas viejas de malbec sobre pie franco, también sobresale el cabernet sauvignon y el cabernet franc. Muchas bodegas elaboran allí vinos de corte de estas tres cepas. En blancas, chardonnay y semillón, que se utilizan para espumantes y vinos tranquilos. ☛ POR FERNANDO PULITI

La historia comienza a fines del siglo XIX, cuando parte de las tierras al sur del río Mendoza –que hasta ese entonces eran utilizadas para la cría del ganado que luego se arreaba a la zona de montaña para cruzar a Chile– dieron vida a uno de los grandes terruños vitícolas de Luján de Cuyo. Desarrollada por grandes emprendedores y familias tradicionales del lugar, nacía así Perdriel, un nombre legado del coronel Gregorio Ignacio Perdriel, exgobernador de la provincia de Cuyo en 1815.

Con alrededor de 50 kilómetros cuadrados de extensión, este pequeño distrito está delimitado al sur por la ruta nacional 7 que va a Chile, al oeste con la calle que nace en el conocido dique Cipolletti, al norte con la margen sur del río Mendoza y al este con las sierras de Lunlunta Carrizal. La zona vitivinícola comprende una franja de tierras de unos 10 kilómetros de largo de este a oeste y de 6 kilómetros de norte a sur, yendo de los 1050 a los 950 msnm. La posición relativa de cada viñedo a lo largo de este suave relieve permite ver las expresiones particulares de las uvas según el suelo donde se desarrollan. En los viñedos ubicados en las zonas más altas de Perdriel, las más próximas al río Mendoza (la primera, segunda y tercera terraza de la margen sur), las vides se desarrollan sobre suelos pobres superficiales, de materiales finos franco limosos apoyados sobre un fondo de materiales pedregosos con carbonatos de calcio. En los viñedos ubicados en las zonas más bajas a los pies de las sierras de Lunlunta Carrizal y más alejadas del río Mendoza, las pendientes suaves permitieron la acumulación de materiales más finos que generaron perfiles de suelo en general más profundos (más de 2 metros sin encontrar piedras ni canto rodado) y de fracción franco a franco arcillo limosas.

El clima de Perdriel es el de un desierto con días soleados durante gran parte del año, frío y seco en invierno, algo lluvioso y cálido en verano. Su particularidad es que, por encontrarse en una zona baja donde la influencia de las sierras de Lunlunta Carrizal hacen de "dique contenedor" del aire frío que baja del pedemonte cordillerano, en primavera y otoño se registran las temperaturas más bajas de la zona, comparables inclusive con las zonas más frías del valle de Uco. Esto hace de la amplitud térmica una variable climática muy valorada, que permite uvas de intensos colores y acidez elevada.

Después de transitar más de ciento veinticinco años de tradición vitivinícola, Perdriel se ha convertido en una importante referencia de los grandes vinos argentinos. Su patrimonio son sus antiguas viñas, el clima fresco de gran amplitud térmica y sus suelos superficiales, donde se da una gran variedad de cepas de gran calidad, entre ellas malbec, cabernet sauvignon, cabernet franc y tannat (en tintas); semillón, chardonnay y sauvignon blanc (en blancas).

Los malbec de Perdriel sorprenden por la complejidad de sus aromas, que van de notas florales y frutas rojas maduras al lápiz de mina o grafito. Las viñas de cabernet sauvignon y cabernet franc maduran a la perfección, con notas de frutos negros maduros o especies y vinos de gran estructura y capacidad de guarda, mientras que el semillón entrega vinos aromáticos, frescos y con gran potencial de guarda. Frente a esta diversidad varietal y de ambientes, queda en evidencia que los mejores vinos surgirán del cuidadoso ensamblado de los componentes que son los que dan la expresión más cabal de este gran terruño, teniendo en cuenta la diversidad de microzonas y el comportamiento diferenciado de cada variedad.

El avance de la ciudad, los proyectos inmobiliarios y la competencia entre el valor de la tierra como bien rural e inmobiliario amenazan el patrimonio vitivinícola de Mendoza. Lugares históricos de Luján de Cuyo como Chacras de Coria, Vistalba, Las Compuertas y Lunlunta son ejemplos de este avance. Cuidado por el río Mendoza, Perdriel aún resiste, pero el futuro de sus viñedos centenarios dependerá del cuidado que como sociedad podamos hacer de estos tesoros vitivinícolas. Es necesaria una mirada de largo plazo que pueda sostener el trabajo presente de viticultores, enólogos, empresarios y miembros de su comunidad, con un fuerte compromiso en el cuidado del medioambiente, el uso cuidadoso y racional de la tierra y del recurso hídrico, el resguardo de la flora y fauna, la sustentabilidad ecológica y la cuidadosa selección y sanidad del patrimonio genético de las variedades emblemáticas de la zona. Solo así se podrá mantener la tradición y el prestigio de los grandes vinos de Perdriel.

☛ **Como jefe de Viñedos de Bodega Norton, Fernando Puliti tiene una relación directa y cotidiana con lo que significa Perdriel en el mundo de los vinos. No solo a nivel de su clima, de sus suelos y de las variedades que allí crecen, sino de la importancia histórica de esta región, defendida por grandes bodegas centenarias.**

AGRELO
950 A 1050 MSNM

Está en el departamento de Luján de Cuyo, provincia de Mendoza, 25 kilómetros al sudoeste de la capital provincial. Se encuentra en la llamada zona alta del río Mendoza o primera zona (al sur del río Mendoza) limitando al norte con Perdriel y al sur con Ugarteche. Desde el punto de vista de los suelos, los expertos dividen la zona en Agrelo Bajo (sin pendiente, con suelos franco limosos, profundos y mayor riesgo de heladas); Agrelo Medio (con suelos francos y algo de pedregoso); y Agrelo Alto, con mucha pendiente, temperaturas medias inferiores a las de las otras dos subzonas, vientos secos del oeste y suelos pedregosos y heterogéneos. En la zona hay fincas muy tradicionales y famosas. Destaca la elaboración de malbec de alta calidad, así como también grandes ejemplares de cabernet sauvignon y syrah, entre otros. ☛ POR JIMENA CASTAÑEDA

Más allá de ser un distrito definido del departamento de Luján de Cuyo, los agrónomos solemos pensar a Agrelo como dos zonas, con una mirada informal y no cartográfica: el Alto y el Bajo Agrelo, ambas con grandes diferencias en relación con el suelo y el clima. Se trata de una distinción necesaria, en especial en la vitivinicultura actual, que impulsa respetar cada vez más el terruño y la expresión de cada parcela.

Agrelo es un abanico aluvional que se formó por el arrastre de años y años de la corriente fluvial de la cordillera. Posee suelos muy heterogéneos que tienen una gran posibilidad de producción. El Alto Agrelo posee material más grueso y pedregoso que se fue estancando en la zona, mientras que la parte más baja se caracteriza por material más fino arrastrado por la fuerza de los ríos.

Comencemos con algunas características diferenciales: Alto Agrelo se ubica a unos 1050 msnm, dentro de la picada de Tupungato en camino hacia el valle de Uco. Es la zona más alta antes de entrar a los cerrillos, que marcan el ingreso a Tupungato. Esa picada tiene suelos más pedregosos, con arena y con grava, muy pobres y con poquísima materia orgánica. Esto hace que la planta esté mucho más exigida, por lo que produce frutos y uvas de muy alta calidad y potencial. De ahí, por ejemplo, es de donde sale nuestro Cadus de Finca Las Torcazas Single Vineyard. Esta zona, al estar en la ladera de la precordillera, muestra pendientes pronunciadas que generan un microclima particular, con un clima cálido más allá de estar más próximos a la montaña. Esa pendiente produce también buen drenaje del aire, protege a los viñedos de las heladas tardías de octubre y noviembre, una de las mayores complicaciones de la región.

La zona más baja de Agrelo está a unos 950 msnm, en un terreno más llano que permite el estancamiento de las heladas sobre la superficie. Nuestro modo de tratar los viñedos aquí es muy diferente al de la zona alta, en particular porque cambian rotundamente los suelos. Hay mucha más presencia de arcilla, también de limo (más fino que la arcilla). Son suelos con más retención de agua que exigen tener cuidado con el manejo de los riegos. Este suelo más pesado y la zona más llana hacen que Bajo Agrelo sea más frío que Alto Agrelo. Una prueba de esto es que esta parte suele tener una semana de atraso en la brotación con respecto a la zona alta.

Agrelo es una gran zona para producir vinos de calidad. Comparándola con el valle de Uco (que está muy cerca), aquí se encuentra una acidez natural muy elegante como consecuencia del frío, con mayor presencia de frutos negros y algo de eucalipto (a diferencia de Gualtallary o de Los Chacayes, donde la fruta es más roja). Son vinos de un perfil especial, distintivo, con esa fruta negra, con ciruela en el caso del malbec. Y siempre con gran frescura. El malbec encabeza la lista de lo más cultivado, pero es una zona donde vale la pena poner la mirada en los cabernet (sauvignon y franc), que por el clima más frío, en especial en la parta más baja, permite conservar muy bien sus características típicas. Realmente siento que los cabernet destacan en Agrelo, con uvas cada vez más buscadas por distintas bodegas.

Es importante entender la heterogeneidad de este lugar: como agrónomos, estamos enfocados en elaborar una agricultura de precisión, escaneando los suelos, determinando dónde y por qué hacer calicatas, para estudiar y entender la composición de cada parte del viñedo, conocer la humedad, ver hasta dónde llega el riego que uno propone. Y cada año nos sorprendemos de cómo en apenas centímetros de distancia se perciben diferencias que nos hacen pensar en las particularidades del manejo de la planta en combinación con cada terruño. La búsqueda final es siempre la misma: que cada fruto pueda expresar todo su potencial en relación con el lugar de donde proviene.

☛ Egresada como ingeniera agrónoma en 2006, Jimena Castañeda lleva más de quince años siendo parte de la histórica Bodega Nieto Senetiner. Allí no solo creció, sino que ganó responsabilidades. Hoy se desempeña como gerenta agrícola del grupo, a cargo de los viñedos y provisión de uvas de Nieto Senetiner, Cadus Wines y Ruca Malen.

LAS COMPUERTAS
1010 A 1090 MSNM

Está en el departamento de Luján de Cuyo, provincia de Mendoza, 23 kilómetros al sudoeste de la ciudad capital de la provincia. Esta IG se encuentra dentro la llamada zona alta del río Mendoza o primera zona. Limita al este con Vistalba, al oeste con Cacheuta y al sur con el río Mendoza y cuenta con algunos viñedos que se encuentran en terrazas y otros en fincas en el pedemonte. Destaca malbec, con varios productores que elaboran vinos combinando uvas provenientes de diversos microterruños de esta IG. También, cabernet sauvignon, cabernet franc, merlot, petit verdot, bonarda. ☛ POR PAMELA ALFONSO

Las Compuertas es la región vitivinícola más exclusiva y con más historia de Mendoza. Su nombre proviene de la primera obra hidráulica realizada en 1875 durante el virreinato del Río de la Plata, conocida como "la toma de los españoles". Se trató de una obra de derivación de un brazo del río Mendoza, y es por eso que a esta región se la llama la "primera zona", por ser en aquellos tiempos la primera en recibir el agua de riego para los cultivos.

Las Compuertas está localizada sobre la ruta provincial 82 y constituye un distrito de Luján de Cuyo y una IG reconocida por el INV desde 2007. Cuenta con 330 hectáreas, y ya no podrá seguir creciendo debido al avance de la urbanización, de allí su exclusividad. Predominan las variedades tintas, en especial la malbec, que representa el 80 % de la superficie cultivada. Son viñedos cultivados entre 1010 y 1090 msnm, y la pendiente es muy pronunciada, lo que provoca microclimas muy diferentes.

Los suelos están formados por grandes aluviones que, a lo largo de los siglos, arrastraron diferentes materiales, tanto desde la precordillera como de la cordillera frontal, formando el cono de deyección sobre el cual se implantaron las viñas. Debido a la variación del cauce del río Mendoza, se encuentran también zonas donde el suelo ha sido formado por el mismo lecho del río. Esta combinación provoca una gran diversidad de suelos, incluso con importantes diferencias que se dan en dos lugares separados por pocos metros de distancia. Se encuentran así suelos profundos de materiales finos con gran capacidad de retención de agua, y otros con presencia de cantos rodados compuestos por partículas de una granulometría mayor. La región tiene entonces un valor único, logrado por una combinación de suelos fluvial-aluviales de gran variabilidad, altitud y viñas antiguas a pie franco, lo que la convierte en única en el mundo. El material presente en la región posee una adaptación de más de cien años al lugar, y así se logra una riqueza genética de las plantas también única.

En términos climáticos, gracias a su altura y pendiente, las temperaturas son templadas con marcada amplitud térmica. En las zonas de cota más baja las temperaturas son tan extremas que las plantas allí son susceptibles de sufrir los efectos de las heladas tardías.

Las características descriptas resultan en una IG con gran riqueza, dada por su amplia diversidad, con perfiles de madurez muy diferentes dependiendo de la conjunción de suelo, clima y pendiente. En el malbec esto se manifiesta en la elegancia, en taninos presentes pero amables, vinos con estructura, pero que no son agresivos. La madurez se lleva a cabo de manera equilibrada, con adecuados niveles de acidez natural esencial para lograr la guarda. En nariz, los malbec de Las Compuertas expresan frutas, principalmente negras. Las Compuertas representa el origen de la vitivinicultura en la provincia, con viñedos implantados entre 1880 y 1913, con material original traído de Francia por el ingeniero Michel Aimé Pouget allá por el año 1885. Sus viñedos históricos constituyen un patrimonio vegetal perdido en su país de origen. Este material conjugado con las características de suelo hace de este sitio un Grand Cru argentino.

☛ Elegida en 2021 como viticultora del año por el crítico británico Tim Atkin, Pamela Alfonso creció profesional y personalmente en Alta Vista, una de las bodegas pioneras en concebir vinos de terruño. Hoy Pamela tiene a su cargo la dirección de los viñedos de esta bodega en el valle de Uco y en Luján de Cuyo, incluyendo una histórica finca en Las Compuertas con malbec plantado en 1923.

VISTALBA

980 A 1050 MSNM

Está en el departamento de Luján de Cuyo, provincia de Mendoza, 19 kilómetros al sur de la ciudad capital de la provincia. Se encuentra dentro la llamada zona alta del río Mendoza o primera zona. Limita al norte con Chacras de Coria, al oeste con Las Compuertas, al este con Mayor Drummond y la ciudad de Luján, al sur con el río Mendoza. Recientemente la Bodega Vistalba (que lleva el mismo nombre que el departamento) cedió su nombre para la constitución de la nueva IG Vistalba. Se destacan tintos de malbec, también cabernet sauvignon, bonarda, cabernet franc. ☞ POR FACUNDO YAZZLI

El gran secreto del Viejo Mundo vitivinícola es que los viticultores llevan allí centenares de años conociendo sus suelos, climas y equilibrios de producción. Eso les permite elaborar grandes vinos con cualidades diferentes según las zonas donde se ubican. En ese sentido, en Vistalba sucede algo similar: en esta zona tenemos viñedos de más de ciento veinte años desde que fueron implantados, lo que nos permite conocer los suelos, el clima y su gente con detalle, en una sabiduría que se transmite de generación en generación. Conocer el equilibrio entre calidad y cantidad, y comprender ese equilibrio desde la producción y el destino, diferencia a estas zonas con otras más nuevas en lo que respecta a sus cultivos. Hoy, el principal enemigo de este terruño es el avance urbano a través de barrios privados, lo que genera un valor de la tierra por metro cuadrado que hace muy difícil mantener esos viñedos viejos cercanos a las ciudades.

Como generalidad, la altura de esta zona va entre 980 y 1050 msnm, y así se logran grandes amplitudes térmicas con noches muy frías. Eso lleva a concentraciones de polifenoles elevadas, que se traducen en colores muy intensos, con taninos maduros que permiten vinos muy concentrados, pero a la vez sucrosos y redondos. Aquí, apenas probamos las cosechas nuevas, encontramos vinos más "amables", mientras que a los del valle de Uco hay que seguir esperándolos.

Vistalba pertenece al mismo cono aluvional que Las Compuertas, con suelos que presentan distintas capas de sedimentos y de variados espesores. Son suelos de origen cuaternario, aluviales, profundos, con cantos rodados mezclados entre las distintas capas, con gran heterogeneidad dada por el origen de la formación. Esta zona se caracteriza también por tener un depósito superficial de tierra más arcillosa, de alrededor de 80 centímetros de profundidad, que se ha ido acumulando a través de la intervención del ser humano cultivándola por muchos años. El agua de riego utilizada aquí desde el principio de la agricultura es del río Mendoza que, al no haber estado regulada con diques, traía sedimentos finos que se depositaban sobre la formación de los suelos originales. Hoy, después de la construcción del dique Potrerillos, las aguas de riego que utilizamos son "claras" porque los sedimentos quedan depositados en el inicio del dique acumulador de reservas de Potrerillos. Esa arcilla le da al suelo la importancia que realmente tiene. Antes se la trataba solo como un simple sostén de la planta, pero hoy la pensamos como un ser vivo con microflora y microfauna en crecimiento, que ayuda a crear microporos de retención de agua, con suelos más orgánicos, sueltos, esponjosos. Esto se logra cuidando la poca materia orgánica natural y agregando guanos, sembrando verdeos, desmalezando y trabajando con labranzas verticales que no rotan y mineralizan el suelo.

Una postal de la zona muestra una gran presencia de viñedos, pero también de olivos, y esto tiene también su explicación histórica relacionada a los inmigrantes europeos que cultivaban la tierra: cuando Europa sufrió la crisis de la filoxera, el gobierno de ese entonces temió que aquí en Argentina podía suceder lo mismo. Por eso promovió la entrega de árboles de olivos para implantar entre las viñas, con la idea de que, si los viñedos se secaban por la filoxera, tendríamos entonces olivos crecidos para desarrollar una industria de olivicultura. Por suerte, la filoxera no tuvo gran impacto (en especial gracias al uso del riego por inundación), pero de todas maneras esto marcó una característica de toda la zona, que al día de hoy mantiene una producción de viñedos asociados o rodeados de viejos olivos.

☞ Tras caminar por viñedos y olivares en Mendoza y en San Juan por más de veinticinco años, Facundo Yazzli es un agrónomo comprometido tanto con la calidad de las uvas como con la sustentabilidad de las fincas. Un compromiso que demuestra día a día estando a cargo de la producción agrícola de la reconocida Bodega Vistalba.

GUALTALLARY
1100 A 1600 MSNM

Se ubica en el sector norte del valle de Uco, en el departamento de Tupungato, provincia de Mendoza, unos 100 kilómetros al sudoeste de la capital provincial. Limita al norte con el distrito El Peral, al sur con el departamento de Tunuyán, y el río Las Tunas sirve como límite natural ente ambos departamentos. Los viñedos se encuentran en terrazas al pie del volcán Tupungato. Son unas 2500 hectáreas plantadas irrigadas por aguas subterráneas o derechos de aguas superficiales del dique Las Tunas. Se destacan malbec, cabernet sauvignon, cabernet franc, pinot noir, chardonnay y sauvignon blanc. ☞ POR LUIS REGINATO

El nombre "Gualtallary" proviene del huarpe y significa "cumbre del monte", seguramente vinculado a que se encuentra a mayor altura que el resto del valle. Si bien había algunas fincas en la parte más baja, Nicolás Catena fue pionero en los 1500 msnm, cuando en 1992 plantó el Viñedo Adrianna en una zona todavía virgen donde se temía que las viñas fueran afectadas por heladas. Primero se eligieron variedades de ciclo corto, chardonnay, pinot noir y merlot. Como maduraban muy bien, seguimos con malbec, cabernet sauvignon, cabernet franc. Es que, si bien es una zona de temperaturas bajas, las lomas y pendientes del terreno logran que el frío fluya y no se estanque en los viñedos. A grandes rasgos, los vinos de Gualtallary se distinguen por niveles de alcohol relativamente bajos, gran intensidad de color, alta acidez y concentración en polifenoles. En sectores con mayor contenido de calcáreo, los tintos tienen una textura especial de taninos que reaccionan en boca con la acidez, lo que genera la sensación de tiza o mineralidad. A partir del año 2000 empezamos a estudiar en profundidad el terruño. En el Catena Institute of Wine se investigó el efecto de intensidad lumínica, un trabajo que culminó como tesis doctoral junto con un investigador del INTA: a más altura, es mayor la radiación solar, y esto genera un efecto directo en las uvas. Puede, por ejemplo, quemar las delicadas pieles del chardonnay y el pinot noir, por lo que es necesario trabajar la canopia para protegerlas; y a su vez, como defensa, genera una piel más gruesa en variedades como el malbec, que gana en color, concentración y precursores aromáticos. Luego nos pusimos a estudiar los suelos: durante cinco años observamos dónde la viña maduraba antes, dónde después, dónde crecían más los brotes, dónde menos. Vinificamos cada lugar por separado y elaboramos un *ranking* de parcelas: así encontramos los lugares que cieron vida a vinos como White Stones, White Bones y los tintos de parcela. Trabajamos junto con un consorcio de productores de Gualtallary para crear la IG (aún no se logró porque el nombre está registrado como marca comercial). A principios de 2014 comenzamos junto a trece productores un estudio para conocer el origen de los suelos de este distrito, sumando a la cátedra de Edafología de la Facultad de Ciencias Agrarias y al doctor en Geología Leandro Cara, investigador del Conicet. Dividimos Gualtallary en zonas homogéneas en cuanto a origen y formación de suelos. Está el abanico aluvial hacia el oeste, sobre los 1500 msnm de altura; la zona transición entre los 1500 msnm y los 1350 msnm de altura, con una subdivisión en la parte con cerros correspondiente a la lomada del Jaboncillo (aquí es donde se conserva mayor cantidad de carbonato de calcio); la llanura aluvial entre los 1350 msnm y los 1100 msnm, que es la parte más ancha y heterogénea en cuanto a la composición de sus suelos; y hacia el sur se encuentra un pequeño abanico aluvional más joven que es la descarga del río Las Tunas. A esto se sumó el clima, aprovechando registros de al menos diez años obtenidos de estaciones meteorológicas nuestras y de la Bodega Doña Paula. Encontramos tres zonas climáticas: de 1500 metros para arriba es Winkler I (un promedio similar al de zonas como Champagne o Borgoña); entre los 1350 y los 1500 metros es Winkler II (como Burdeos, Barolo, Rodano-Mediterráneo); y de los 1350 a los 1100 metros es Winkler III, como Napa Valley, Altamira o El Cepillo. Gualtallary es todo esto: suelo, clima, pero también la historia del lugar y de sus poblaciones. Una IG debe representar el total; luego, es posible pensar sub-IG, como pueden ser Gualtallary Monasterio y Gualtallary Las Tunas, entre otras. En Gualtallary hay grandes malbec, cabernet sauvignon y cabernet franc que compiten con otros grandes malbec y cabernet de otras zonas del valle de Uco. Pero, en mi opinión personal, encuentro dos variedades que sobresalen por encima de otros lugares: aquí nacen los mejores chardonnay y pinot noir, con acidez y fineza aromática: lo veo en los White Bones y Stones, en los vinos de Luca (donde hicimos el primer *single vineyard* de Gualtallary) y en los pinot noir de Domaine Nico: de las cinco etiquetas de esta bodega, tres son de Gualtallary. Entender un lugar, la luz, la temperatura, las variedades toma años de aprendizaje: Gualtallary está comenzando a mostrar el potencial que tiene como uno de los grandes terruños de la Argentina.

☞ **Como director de Viñedos de Catena Zapata y participante activo del Catena Institute of Wine, el agrónomo Luis Reginato conoce como pocos las alturas, suelos, climas e historia del valle de Uco.**

LOS CHACAYES
1000 A 1700 MSNM (VIDES HASTA LOS 1400 MSNM)

Parte del valle de Uco, en la zona central del departamento de Tunuyán, provincia de Mendoza, a unos 120 kilómetros al sudoeste de la ciudad capital. Esta IG se encuentra al pie de la cordillera frontal (que marca el límite con Chile) y limita al norte con el distrito de Los Árboles, al este con Vista Flores y Los Sauces y al sur con Campo los Andes. Es uno de los distritos más grandes del departamento. Al ser una zona muy extensa, presenta gran heterogeneidad. Existen unas 1600 hectáreas cultivadas. Destacan tintos de malbec, también petit verdot, cabernet sauvignon, cabernet franc, syrah, garnacha, monastrell, nebbiolo, chardonnay, marsanne, roussanne, riesling y gewürztraminer, entre otras. ☛ POR DANIELA MEZZATESTA

La zona vitícola de Los Chacayes en Tunuyán se desarrolla sobre abanicos aluviales que abarcan desde los 1000 hasta los 1700 msnm. Este sitio es un buen representante de lo que llamamos el "ecosistema vitícola": el concepto clásico de terruño (suelo, clima, planta y personas) integrado con el ecosistema natural. Es un lugar de clima templado, con índices de Winkler que varían entre III y entre II y III según el año, con precipitaciones que rondan los 350 milímetros en promedio. Es una zona ideal para variedades de ciclo medio a largo, como malbec y cabernet, pero también se expresan muy bien las de ciclo corto, como chardonnay.

Según el origen de los abanicos aluviales, es posible dividir a Los Chacayes en tres partes: norte, sur y un sector donde el arroyo Grande ha tenido una influencia más reciente. Los arroyos Grande y Pirca son los que afectaron la formación de esta zona junto a movimientos tectónicos que generaron elevaciones del terreno y desviaron el curso del arroyo Grande, lo que modificó los sitios de descarga del mismo, su energía y el tipo de materiales transportados. El suelo presenta entonces una gran diversidad de depósitos provenientes de la cordillera en orientación oeste-este, con variabilidad del suelo también en sentido norte-sur, dado en este caso por el cruce de arroyos efímeros. El sector norte del abanico aluvial del arroyo Grande presenta exposición norte y menor pendiente (3,3 %), mientras que la porción sur tiene pendientes más pronunciadas, cercanas al 4,5 % en promedio. El aire fluye principalmente en corrientes ascendentes de día y descendentes de noche, con un flujo constante debido a la influencia de la pendiente: si bien esto disminuye las heladas al permitir el desplazamiento del aire frío hacia las zonas bajas, el riesgo sigue estando presente en particular por la cercanía a la montaña y también por lo ondulado del terreno, lo que genera sectores a pequeña escala que encauzan el aire frío.

Al origen aluvional de los suelos se suman además el aporte de material fino por vientos y la erosión eólica. Todo esto lleva a una gran variación de perfiles de suelo, incluso en cortas distancias, y se encuentran suelos profundos de unos 2 metros junto con otros de menor profundidad, entre 50 y 80 centímetros promedio. En general, son permeables, con baja fertilidad, de texturas arenosas o franco arenosas. Las capas de piedra tienen cierta homogeneidad de tamaños, y pueden ser más angulosas (principalmente en Los Chacayes sur, por la poca distancia que ha recorrido el material desde el frente montañoso) a subredondeadas, de unos 5 centímetros de diámetro, si bien también aparecen algunas de más de 1 metro. Los niveles de carbonato de calcio son variables, desde su ausencia en la zona de deposición más reciente del arroyo Grande hasta altos desarrollos que llegan a formar toscas en la zona sur.

Existe una alta proporción de monte natural que rodea los viñedos, con plantas nativas y exóticas que aportan a diversificar los ambientes, proveyendo de flores a polinizadores, mejorando los suelos y teniendo además usos benéficos para la salud. Por ejemplo, la lupulina, que se desarrolla en suelos calcáreos y bien drenados, resistente a la sequía, que mejora suelos aportando nitrógeno; la té pampa, de suelos arenosos y usada para té medicinal; y el tomillo silvestre o la jarilla hembra, dos hierbas arbustivas y aromáticas que ofrecen refugio a aves y animales. Sabemos que las uvas están recubiertas de una capa cerosa llamada pruina, que capta compuestos químicos de aroma, los cuales también pueden ser incorporados a través del suelo y absorbidos por las raíces. Saber cuánto de esta flora afecta los vinos es un tema de investigación actual.

Todo lo dicho anteriormente da vida a vinos que destacan por una alta concentración, frescura y colores intensos en vinos tintos. Lo que más resalta es el componente "salvaje", con aromas y sabores de té, hierbas, especias. Un buen ejemplo en la bodega donde me desempeño (Terrazas de los Andes) es nuestra etiqueta Parcel Licán, de la parcela 12 Sur ubicada a 1250 msnm en Los Chacayes, que entrega un malbec vibrante, potente en boca, de aromas de fruta negra, notas florales y herbales.

☛ **Daniela es líder de viñedos en Investigación y Desarrollo y Sustentabilidad en Bodega Terrazas de los Andes. Esta ingeniera agrónoma (que finalizó su doctorado en Ciencias Biológicas) cuenta con diez años de experiencia en tareas de investigación y extensión rural, tanto en organismos públicos como en su largo paso por la Bodega Catena Zapata (entre 2013 y 2021).**

SAN PABLO

1175 A 1700 MSNM

Se encuentra en la provincia de Mendoza, valle de Uco, en el extremo norte del departamento de Tunuyán, al pie del Cordón Portillo. Limita al norte con el distrito de Gualtallary (departamento de Tupungato). Cubre alrededor de 550 hectáreas de vides, plantadas principalmente entre el arroyo Villegas (al sur) y el río Las Tunas (al norte). Esta IG es una de las regiones más frías del valle de Uco con una pluviometría de 500 milímetros anuales en zonas de alturas superiores a los 1400 msnm; y 250 milímetros en las zonas más bajas. Se plantan principalmente chardonnay y pinot noir, tanto para espumantes como para vinos tranquilos. También, malbec, cabernet sauvignon, cabernet franc, merlot, sauvignon blanc, grüner veltliner. ☛ POR DIEGO MORALES

San Pablo es un lugar único en el valle de Uco. Tan único que hace apenas veinte años ni siquiera sabíamos si era posible elaborar allí vinos. La IG San Pablo fue establecida en 2019. Se ubica al noroeste de Tunuyán, con el río Las Tunas al norte funcionando como límite con Gualtallary y separando a Tunuyán de Tupungato. Al oeste su límite es la cota de los 1700 metros, mientras que al sur está el arroyo Villegas. Al este la ruta 89 marca la parte más baja de San Pablo, a los 1175 msnm.

Su principal característica, lo que la diferencia claramente del resto del valle de Uco, es el clima. En especial, a partir de los 1500 msnm, se encuentra allí un microclima más fresco, con temperaturas medias menores a las de regiones como Altamira o Gualtallary. Al ser una zona encajonada contra la montaña, es común que las tardes sean nubladas, con una humedad superior a otras IG cercanas. También es menor la amplitud térmica de esta zona, con una diferencia menor a los 15 °C que suele promediarse en el valle. Esto es así en particular porque las temperaturas máximas son inferiores, mientras que las mínimas se mantienen a tono con el resto. Todo esto es fácil de percibir en la fenología de las plantas. Si comparamos una finca en la parte baja de San Pablo con una ubicada a partir de los 1300 a 1400 msnm, los distintos procesos (como brotación, floración) en la altura se dan hasta 15 a 20 días después, todo en apenas una corta distancia geográfica.

Respecto a los suelos, San Pablo presenta perfiles variados, ya que cambia de profundidad y composición según la altura y la cercanía a los cauces de agua. Algo interesante es que aquí encontramos una gran presencia de calcio, pero no como el típico carbonato de otros lugares, sino como sulfato de calcio (yeso o talco), que se ve en los contenidos de arena y arcilla; de ahí que su color sea de amarillento a ocre. Junto al río Villegas el suelo es muy poco profundo, con presencia de piedras muy grandes; son suelos jóvenes, que tienen todavía una dinámica que les da el propio río, cuando hay lluvias fuertes o grandes deshielos. A medida que uno se aleja del cauce, el suelo se va haciendo más profundo, de 60 centímetros a 1 metro, con esa presencia importante del sulfato de calcio.

Entonces, este clima, sumando además el tipo de suelo y la presencia de sulfato de calcio, da vida a vinos filosos, frescos y largos, que convierten a San Pablo en una zona ideal para la elaboración de vinos blancos de altísima gama, de los mejores del país. En la parte más alta estamos plantando chardonnay, gewürztraminer, riesling, albariño; en algunos casos, incluso a alturas superiores a los 1700 msnm, en condiciones extremas. En materia de tintos, el pinot noir parece una cepa nacida a medida para esta IG, es fantástico cómo se desarrolla. También hay grandes lugares para el malbec, una variedad única que se adapta y muestra la personalidad del terruño. Y la cota más baja, de los 1175 a los 1250 msnm, se adapta a excelentes tintos incluso de ciclo más largo, como cabernet sauvignon y cabernet franc.

Siendo una zona tan nueva y con mucha variabilidad, todavía nos queda mucho por aprender y estudiar. Tranquilamente, en un futuro imagino a San Pablo dividida en dos o más IG.

☛ **Como gerente de Fincas en Bodega Salentein, Diego Morales está a cargo de numerosos estudios e investigaciones sobre la IG San Pablo. Esta bodega supo ser pionera en la zona cuando, poco antes del año 2000, su fundador Mijndert Pon compró tierras en San Pablo y plantó allí el viñedo que, por varios años, fue el más alto de Mendoza.**

PARAJE ALTAMIRA
1050 A 1150 MSNM

Está dentro del distrito La Consulta, en el departamento de San Carlos, al sur del valle de Uco y a unos 130 kilómetros de la ciudad capital de Mendoza. Esta IG se emplaza sobre el cono aluvional del río Tunuyán, que a su vez marca el límite al noroeste con el departamento del mismo nombre. Al sur limita con IG Pampa El Cepillo. Cuenta con alrededor de 1900 hectáreas cultivadas. Mayoría de malbec, aunque también se dan bien sauvignon blanc, chardonnay, merlot, syrah, cabernet sauvignon, pinot noir, tempranillo, garnacha, verdicchio y verdelho, entre otras. ☛ POR MARTÍN DI STÉFANO

Para los viticultores de La Consulta siempre existió un lugar de límites difusos que constituía por sí mismo casi una frontera para seguir expandiendo el cultivo de la vid en el sur del valle de Uco. Era la zona más alta, más cercana al mismo tiempo al río Tunuyán y a la montaña. Una especie de atalaya, desde donde mirar alrededor. Ese lugar es Altamira.

Ubicado en la zona sur de este histórico distrito vitivinícola, este lugar siempre tuvo dos hitos indiscutibles: el canal Uco –primer canal de riego en tomar aguas desde el río Tunuyán–, y la piedra. Hacia el norte del canal, las pendientes suaves logradas tras años de trabajo en el suelo permitieron una rica historia de agricultura, donde la vid creció acompañada de manzanos, hortalizas y aromáticas. Hacia el sur del canal, los terrenos más irregulares y sin desmontar solo dejaban adivinar cada tanto el lomo de alguna de sus gigantescas rocas de hasta 20 toneladas. Recién bien entrada la década del 2000 comenzó a explorarse esta zona hacia el sur del canal, para confirmar lo que había sido tan solo una sospecha durante cien años: los suelos eran terriblemente pedregosos, heterogéneos, con grandes bloques de piedra recubiertos de costras blancas. Apenas una década más tarde, la zona ya había ganado su prestigio entre los viticultores. A pesar de las dificultades de hacer crecer las vides en esos suelos, los vinos obtenidos mostraban texturas totalmente diferentes a lo que se lograba a tan solo unos kilómetros hacia el norte. Pero no fue hasta el año 2013 cuando el lugar se terminó de corporizar: tras un largo estudio que analizó el clima, la topografía y el suelo de la zona y sus alrededores, este sitio se transformó en la primera IG del país delimitada gracias a sus características y condiciones naturales, y no por su plano de catastro. Acababa de nacer la IG Paraje Altamira.

Emplazada en un rango de altitudes de entre los 1050 y 1150 msnm, en una planicie al pie de la cordillera frontal y sobre la margen derecha del río que más hectáreas de viñedos riega en el país, Paraje Altamira goza de un clima templado cálido con noches frescas. El paisaje típico de la zona muestra el plano de los paños de viñedos atravesados por alamedas y con la imponente muralla de la cordillera por detrás. Hoy sabemos que todo Paraje Altamira está asentado sobre el corazón del abanico aluvial que hace cientos de miles de años formó el río Tunuyán. Sabemos que la heterogeneidad de sus suelos responde al caprichoso movimiento del agua, que deja cauces fluviales con un esqueleto de gravas y zonas de relleno aluvial más fino, lo que causa la superposición de capas en el suelo con diferente espesor. Y sabemos que las costras blancas son depósitos de carbonato de calcio, desarrollados durante esos miles de años sobre los bloques de granito que descendieron de la cordillera. Pocos lugares del valle de Uco tienen un origen y una identidad tan definidos.

Cultivar la vid en este lugar constituye un desafío porque es preciso conocer las vetas o líneas en las que varían los suelos. Con ellos cambiarán también el vigor de las plantas, su producción y la velocidad de madurez. Un viñedo puede transformarse así en un rompecabezas; y la cosecha, en un enorme desafío. Hoy nuestra misión como viticultores es conocer y entender en profundidad cada metro cuadrado para acompañar a la planta de vid a alcanzar el equilibrio, y luego descubrir el día exacto en que se cosechará cada una. El resultado será la fruta roja fresca, la textura de los taninos y esa sofisticada elegancia que encontramos en los grandes vinos de este lugar.

☛ Con más de diez años de experiencia y trabajo en Bodega Zuccardi, Martín Di Stéfano conoce como pocos la amplitud y diversidad del valle de Uco. Autodefinido como un apasionado por los suelos, su objetivo a la hora de conducir un viñedo es lograr respetar la identidad de cada lugar, entre ellos la IG Altamira, de donde salen algunos de los más premiados vinos de la bodega.

PAMPA EL CEPILLO

970 A 1100 MSNM

Se encuentra en el departamento de San Carlos, provincia de Mendoza, al sur de IG Paraje Altamira; es así la IG más austral del valle de Uco. Se trata de una planicie con ligera pendiente y orientación sur, lo que la convierte en una de las zonas más frías del valle de Uco vitivinícola. Cuenta con algo más de 1000 hectáreas plantadas. Dentro de las tintas, destacan malbec, cabernet franc, bonarda; en las blancas, la chardonnay. ☛ POR JUAN ARGERICH

Esta IG, Pampa El Cepillo, debe su nombre a la antigua Estancia El Cepillo, ya prácticamente desaparecida. Aproximadamente en el centro de la IG hay un pequeño pueblo, Paraje El Cepillo. El agregado de la palabra "pampa" a la denominación nos habla de que es una zona con pendientes muy moderadas, especialmente de norte a sur; esto da una sensación de "planicie". La IG forma una especie de rectángulo con ciertas irregularidades en sus límites sur y este. Al norte limita con la IG Paraje Altamira; al oeste, con una IG que está en proceso de formación con un pequeño cono aluvial pedemontano; al sur el límite es una poligonal bastante recta, que corre casi de oeste a este y termina en el límite este, que es la ruta nacional 40. El límite oeste corre paralelo a la cota de los 1080 msnm y el límite este a la cota de los 980 msnm.

Al sector más sureño dentro de la IG, los antiguos pobladores lo denominaban "el cementerio de los gringos" porque cultivaban tomate y los vientos de primavera provenientes del sur lastimaban y hasta tapaban los plantines con arena, arruinándoles el cultivo. Esta anécdota nos da indicios de que este sector sur tiene suelos arenosos y por allí entran los frentes fríos que producen alguna voladura de suelo y heladas tardías en primavera.

Su superficie es de 7000 hectáreas, con 1000 hectáreas de viñedos, aproximadamente 350 hectáreas de campo virgen, 120 hectáreas de nogales; quedan muy pocas hectáreas con frutales de pepita (manzanos) y en el resto de la superficie se cultivan hortalizas. Los suelos son del tipo aluvionales, y se podrían dividir en dos formaciones similares, pero no iguales. Formando una medialuna que abarca aproximadamente la mitad de la IG, y cuyo lado recto es la calle de Los Indios, los suelos pertenecen al extremo sur del cono aluvional del río Tunuyán; los suelos del resto de la IG, al sur, son parte de un cono aluvial mucho más pequeño originado en el pedemonte cercano y con arenas volcánicas que llegaron desde el sur.

La granulometría de los suelos es más pedregosa en el sector norte, especialmente en el sector noroeste; y netamente más areno limosa en el sector noreste y todo el sector sur. Todos los suelos que pertenecen al cono aluvional del río Tunuyán tienen mucho calcáreo, expresado tanto en sus piedras forradas de blanco (carbonato de calcio) como en algunas capas de caliche discontinuo que aparecen entre 20 y 80 centímetros de profundidad, según las zonas. Su microclima es uno de los más fríos de todo el valle de Uco (y de toda la provincia). Hay riesgo de heladas que aumenta hacia el sector sur de la IG; por ello los viñedos están en su gran mayoría recostados sobre la calle de Los Indios, en el límite norte. Tiene amplitudes térmicas entre octubre y abril de 18 °C a 20 °C; es interesante tener en cuenta que, debido a ser una planicie sin accidentes orográficos, los vinos de esta IG son muy reactivos a la añada climática, especialmente a las temperaturas (esto es extrapolable a casi todo el departamento de San Carlos).

Antiguamente se plantaban parrales de tempranillo en las zonas más alejadas de la calle de Los Indios, mientras que más cerca de esta calle hay espalderos de malbec de cerca de ochenta años. De estos viñedos antiguos aún quedan unas cuantas hectáreas. La elección de parrales en las zonas más frías era tomada porque en este sistema de conducción los racimos están más altos que en los espalderos, entonces escapan mejor a las heladas. Elegían la variedad tempranillo dado su ciclo corto y su segura y correcta maduración con los rendimientos relativamente altos que se esperaban en aquella época. Actualmente se cultiva un poco de todo, pero encontramos mucho malbec, por supuesto también cabernet sauvignon y últimamente cabernet franc. Ante la pregunta de cómo madurar estas variedades de ciclo largo, la respuesta es acotar los rendimientos con raleos para que los racimos maduren.

Hemos así descripto un terruño con temperaturas muy frescas, suelos muy bien drenados y calcáreos y con una cultura vitivinícola de larga data, donde se están produciendo grandes vinos, de muy buena concentración, acidez y guarda. Pienso, y esta es mi opinión, que la IG Pampa El Cepillo tiene también un gran potencial para grandes vinos blancos de muy alta gama, que, debido al auge de los tintos, aún no ha sido del todo explotado. El problema para las variedades blancas es, que, en general, son de brotación temprana, y habría que asegurarse un buen sistema de lucha contra las heladas de primavera.

☛ **Agrónomo muy reconocido, también enólogo e incluso piloto de aviones, Juan Antonio Argerich está hoy a cargo de los vinos de la reconocida parrilla porteña Lo de Jesús y de su contiguo local La Malbequería. Un estudioso de la tierra, de los vinos y de su consumo en Argentina.**

REGIONES PRINCIPALES

PATAGONIA

La zona más austral de nuestro país presenta regiones vitivinícolas en las provincias de La Pampa, Río Negro, Neuquén y Chubut. La mayor cantidad de plantaciones se encuentra en los valles de los ríos Negro y Colorado, a alturas que no superan los 400 msnm. El paisaje patagónico es el de una estepa árida atravesada por valles fluviales y mesetas conocidas por la población local como "bardas". Los suelos patagónicos son aluvionales; en las cercanías de las bardas hay mayor presencia de arenas, mientras que en zonas próximas a los ríos es común encontrar suelos pedregosos. El clima es templado continental semiárido, con veranos que presentan días largos, cálidos y soleados y noches frescas. Esta amplitud térmica permite un período de maduración prolongado. Las heladas tempranas y tardías son un factor climático limitante de los cultivos. Asimismo, vientos fuertes y constantes del oeste son un factor de importancia en la región, ya que generan condiciones secas en el ambiente, que evitan la aparición de enfermedades criptogámicas. Sin embargo, estos vientos pueden también afectar los rendimientos. Las precipitaciones alcanzan un máximo de 300 milímetros al año, por lo que se hace necesario regar. Las variedades tintas más plantadas son merlot, malbec, syrah, cabernet sauvignon y pinot noir. Con respecto a las blancas, se destacan chardonnay, sauvignon blanc, semillón y torrontés. Existe la IG Patagonia, que se puede utilizar en las etiquetas de todos los vinos provenientes de la región. ¶
En la provincia de Neuquén, la industria comenzó a desarrollarse a fines de los años noventa, con plantaciones principalmente en San Patricio del Chañar e IG Añelo, en las inmediaciones del río Neuquén, a alturas que varían entre los 300 y los 400 msnm. Las vides se desarrollan cerca de la barda y el riego se realiza por goteo, bombeando agua proveniente del río. Los suelos contienen principalmente gravas, arcilla y arena con algo de tierra colorada gracias a la presencia de hierro. En esta zona los vientos son muy fuertes y pueden causar importantes reducciones en los rendimientos, sobre todo durante la floración y polinización. Es por ello que se utilizan barreras de árboles para proteger a las plantas más jóvenes que pueden, incluso, ser arrancadas por las fuertes ráfagas de viento patagónico. ¶
En Río Negro, los viñedos se encuentran a orillas del río del mismo nombre, a una altura promedio de 370 msnm, y se pueden distinguir tres áreas claramente delimitadas: Alto Valle, Valle Medio y Valle Inferior. La IG Alto Valle del río Negro es la zona vitivinícola más tradicional, que cuenta incluso con bodegas centenarias. Los viñedos se extienden desde Cipolletti hasta Villa Regina, y la localidad de IG General Roca es el epicentro de la región. Tanto de allí como de Villa Regina y Valle Azul, salen algunos de los mejores vinos de la provincia. Los suelos son profundos, aluvionales, con texturas que varían entren arena, arcilla y piedras. El clima es templado continental semidesértico, con precipitaciones que no superan los 200 milímetros anuales. Existen viñedos antiguos que son irrigados por inundación. Los inviernos son fríos, y los veranos, cálidos. Los vientos son secos, lo que

TERRUÑO

evita la aparición de enfermedades en los viñedos y, en ocasiones, pueden ser muy fuertes. Al igual que en Neuquén, las barreras de álamos se utilizan para prevenir daños a los viñedos. La amplitud térmica permite que el período de maduración se alargue. Algunas de las cepas que dan grandes resultados son semillón, merlot, malbec y pinot noir. Los vinos presentan aromas a fruta fresca, con acidez media a alta y taninos firmes. Se trata de exponentes complejos y elegantes, con gran potencial de guarda. ¶

En la provincia de La Pampa la actividad vitivinícola comenzó a principios de este siglo, gracias a desarrollos en el Alto Valle del río Colorado, en las cercanías de la localidad de 25 de Mayo. En la actualidad, esa es la zona con mayor importancia productiva, aunque también existen emprendimientos en las localidades de Casa de Piedra y Gobernador Duval. Los viñedos se encuentran a alturas que no superan los 300 msnm. Los vientos son una constante también en esta provincia, y el riego utilizado es por goteo. Las principales variedades que se producen son merlot, malbec, cabernet sauvignon, cabernet franc, syrah y chardonnay. ¶

La provincia de Chubut presenta varias áreas vitícolas diferentes, que se ubican entre los 42° y 46° de latitud sur. Los viñedos ubicados en el departamento de Sarmiento, a orillas del lago Musters, están entre los más australes del mundo. La producción comenzó en esta provincia hace alrededor de una década y se vio posibilitada, en parte, por los efectos del calentamiento global, ya que se trata de zonas de clima extremo donde, hasta hace algunos años, la uva muchas veces no llegaba a madurar. En la zona de IG Trevelin las plantaciones se ubican al pie de la cordillera y muy cerca del límite con Chile, donde la temperatura promedio es de 9,6 °C y las lluvias pueden alcanzar los 1000 milímetros anuales. En esta última área, en general, no es necesario regar, y las frecuentes heladas son combatidas con riego por aspersión. También existen viñedos recientemente implantados en la zona de Bahía Bustamante, cercanos al océano Atlántico, que se desarrollan en un ambiente de clima marítimo. Las variedades más plantadas en esta provincia son merlot, pinot noir, chardonnay, sauvignon blanc, pinot gris y gewürztraminer. Los vinos de esta provincia suelen ser frescos y frutados y tener la acidez propia de un clima extremo. ¶

GENERAL ROCA
250 A 350 MSNM

Departamento ubicado en el noroeste de la provincia de Río Negro, en la Patagonia argentina (IG), a unos 350 kilómetros al este de la cordillera de los Andes. Limita al este con la provincia de Neuquén y al oeste con la provincia de La Pampa. Existen alrededor de 1200 hectáreas plantadas, con cultivos que se extienden a lo largo del Alto Valle del río Negro de oeste a este, con una mayoría ubicados sobre la margen norte del río, a lo largo de unos 82 kilómetros de longitud. Destacan tintos de malbec, merlot, pinot noir, cabernet franc, y blancos de chardonnay, sauvignon blanc, semillón y riesling, entre otras. ☛ POR JUAN MARTÍN VIDIRI

En la provincia de Río Negro, a 39° de latitud sur y a una distancia equidistante de 500 kilómetros entre los océanos Pacífico al oeste y el Atlántico al este, el Alto Valle del río Negro conforma el área vitivinícola más importante de la Patagonia, un verdadero oasis al norte del río que le da nombre, contenido por las bardas norte y sur. En esta región se encuentran hoy 1108 hectáreas de viñedos distribuidos a lo largo de 160 kilómetros, superficie que representa el 32 % del total de viñas patagónicas.

Por su ubicación, el Alto Valle goza de un clima continental desértico, de carácter fresco a templado. Es su latitud la que define una temperatura promedio anual de 15 °C, con mínimas reales entre 10 °C y 12 °C y máximas de 26 °C a 32 °C durante el ciclo de madurez. Medido de acuerdo a la escala de Winkler, el Alto Valle del río se encuentra en el grupo III, con algunas zonas que pueden ser del grupo IV. Durante el período de madurez de la fruta, la amplitud térmica diaria es de 18 a 20 °C promedio, también consecuencia de la latitud, y esta característica se convierte en un factor clave para el balance natural de los ácidos y los componentes fenólicos de las uvas. La luminosidad es otro rasgo diferencial del Alto Valle a la hora de compararlo con otros terruños próximos a cursos de agua. Con un promedio anual de 157 días soleados, pueden llegar a 292 las jornadas de cielos despejados si se suman las semisoleadas. Esta excelente heliofanía se refleja en el color concentrado y brillante de los vinos tintos. La sanidad natural que hay aquí no se debe pasar por alto: con bajas precipitaciones, de 180 a 200 milímetros anuales concentradas en los meses más fríos del año, ya finalizada la vendimia, las lluvias no representan riesgos importantes. Además, los viñedos se benefician de los vientos patagónicos que soplan constantes desde el oeste, con corrientes intensas, secas, frescas y agradables. Este aire seco ayuda a mantener una humedad relativa entre 40 % y 55 % y permite un desarrollo de hollejos más gruesos en los frutos, lo que luego se traduce en vinos de mayor estructura tánica.

La calidad excepcional del agua se origina en los glaciares de altura, desde donde desciende por los ríos de montaña Limay y Neuquén, que al unirse dan vida al río Negro. Un agua de notable pureza, que solo se nutre de los minerales ganados por la erosión a lo largo del recorrido.

Emplazados a lo largo de 160 kilómetros, sobre la margen norte y paralelos al curso del río, los viñedos del Alto Valle del río Negro se encuentran cultivados sobre suelos heterogéneos y pobres en materia orgánica. De origen aluvial, estos suelos se formaron hace 5 000 000 de años a partir del efecto de los glaciares que dominaban gran parte de la región patagónica. Como consecuencia, el cauce del río Negro llegó a alcanzar los 12 kilómetros de ancho, marca que hoy se puede observar en las bardas norte y sur. En estos faldeos se destaca un heterógeneo mosaico de suelos de acuerdo a la disposición natural de los materiales principales como rocas, arenas, arcillas, limo y calcáreo laminar. Los perfiles de mayor consideración son franco limosos, franco arenosos y franco arcillosos. Al pie de la barda norte, los suelos son los más elevados, arenosos y pedregosos, con baja retención de agua. En combinación con las condiciones desérticas, se tornan complicados para el manejo del cultivo. Hacia el cauce del río se encuentran los suelos de media costa, donde se dispone la mayor superficie de viñedos. Su composición es franco areno limosa, con 45 % de arenas, 40 % de limo y 15 % de arcillas. Este perfil, unido a las condiciones naturales, da como resultado vendimias tempranas, ideales para el cultivo de cepas blancas, así como pinot noir y merlot, que se suman a otras variedades que dan excelente calidad, como malbec, cabernet franc, cabernet sauvignon, semillón y riesling. Son vinos de río, algo muy singular para la vitivinicultura argentina.

Hablar del Alto Valle del río Negro es hablar también de la historia del vino en Argentina. Con grandes obras de riego que permitieron aprovechar las aguas de los ríos Limay, Neuquén y Negro, nació el polo vitivinícola más austral del país en aquellos años. Pionero en esos años, es necesario mencionar al joven ingeniero Humberto Canale, que en 1909 inauguró aquí la bodega que lleva su nombre, donde plantó casi 200 hectáreas de viñedos con plantines que él mismo había importado desde Burdeos.

☛ **Director de producción de Humberto Canale, Vidiri recorre desde hace más de treinta años los viñedos patagónicos con el objetivo de lograr cultivos sanos y productivos bajo prácticas de manejo sustentables y respetuosas con el medioambiente.**

SAN PATRICIO DEL CHAÑAR

320 A 400 MSNM

Localidad ubicada en el departamento de Añelo, en el este de la provincia de Neuquén, 45 kilómetros al noroeste de la capital provincial, casi en el límite con Río Negro. Existen 1500 hectáreas plantadas. Las aguas del río Neuquén irrigan la región. Se elaboran vinos con concentración de color (gracias al sol y a los vientos constantes), frutosidad y estructura. Se cultivan, entre otras variedades, malbec, cabernet sauvignon, merlot, pinot noir y chardonnay. ☛ POR RICARDO GALANTE

Ubicado al sudeste de Neuquén, San Patricio del Chañar es una zona que crece a pasos firmes. Es una región vitivinícola nueva, creada hace poco más de veinticinco años: en 1997 se plantaron las primeras vides y, en paralelo, sin saber todavía sus reacciones, se comenzaron a investigar y desarrollar avances en relación con las mejores expresiones de cada varietal, las composiciones de los suelos, las pendientes y más variables. Al ver que todo se encaminaba hacia un futuro prometedor, con capitales privados y ayuda de la provincia, se instalaron seis estaciones de bombeo que ayudan a la toma de agua de deshielo que desemboca en el río Neuquén. Esto permitió irrigar toda la zona a través de los sistemas de riego por goteo instalados en la totalidad de superficie plantada. Desde ese momento, una zona desértica comenzó a tener una mirada totalmente productiva.

Hace once años que estoy en la Patagonia; hoy veo cómo se acercan muchos colegas y empresas atraídos por la posibilidad productiva que tiene esta zona de Neuquén. El clima es óptimo, hay disponibilidad de agua, tenemos sanidad en las viñas por los vientos... Estas son características que no se reúnen en todos lados.

El clima de San Patricio del Chañar es cálido, pero con noches muy frescas que la convierten en unas de las zonas con mayor amplitud térmica del país. Esto permite que la planta descanse de noche, y pierda menos acidez mientras logra una madurez completa. Creo que hay tres características de nuestro clima que hacen la diferencia con otras regiones: la marcada amplitud térmica, el viento y la cantidad de horas luz. Hay otros lugares de Argentina donde se dan una o dos de estas características, pero la combinación de las tres es mucho más difícil de encontrar.

El viento, aunque se piense lo contrario, es un gran aliado. Al principio, se trabajó muchísimo haciendo cortinas de álamos para frenarlo, pero, una vez que las plantas se desarrollaron –hoy los viñedos ya tienen sus años de crecimiento–, el viento juega a nuestro favor, manteniendo los racimos secos y proporcionando mucha sanidad a la uva. Además, en su búsqueda por la supervivencia, la fruta engrosa su piel para protegerse. Como sabemos, en la piel están el color y los aromas, por lo que esto asegura muy buena concentración de ambos en todos los varietales.

La región está en el paralelo 39, a más de 400 kilómetros de la cordillera; en verano amanece muy temprano y anochece muy tarde, lo que provoca una gran heliofanía –cantidad de horas luz–, y esto ayuda a la maduración fenólica de la planta. Los suelos, por su parte, están formados por arrastres de agua: en general son franco arenosos con muy buen drenaje; en algunas zonas abundan las piedras con material calcáreo, en otras donde predomina el limo. La formación del valle es muy heterogénea por estar bajo las bardas con cañadones.

Las heladas son el mayor desafío de la zona, tanto las tempranas a finales de la vendimia como las tardías de octubre y de noviembre que hacen bajar la producción, ya que queman las yemas y hojas. De todas maneras, si bien afectan a las bodegas desde el lado económico, del lado positivo se puede decir que regulan un poco a la planta en relación con el crecimiento, ya que concentran más la calidad.

Es cierto que la pinot noir y la merlot se dan muy bien en esta región: son dos variedades de ciclo corto que se adaptan a regiones no tan cálidas. Pero, por ejemplo, malbec, syrah y cabernet franc también se dan de manera muy particular, con personalidad y calidad. Nuestro malbec es muy floral, con una violeta muy marcada: a mi entender, esa es una de las particularidades que ofrece la cepa más representativa de la Argentina en la Patagonia. A esto se suma la frescura que San Patricio del Chañar asegura en todas sus uvas. Los vinos de esta región son siempre amables, bebibles, no cansan en la boca. Hoy todos los productores de la región, que estamos muy unidos entre nosotros, nos estamos enfocando, justamente, en mostrar un estilo enológico que resalte esa frescura.

☛ **Desde 2011, este agrónomo mendocino es gerente de Enología y Viñedos de la Bodega Del Fin del Mundo, no solo la bodega más grande de San Patricio del Chañar, sino también una de las pioneras en la región. Un especialista enamorado de esta zona de la Patagonia.**

SARMIENTO
250 MSNM

Se encuentra en el centro sur de Chubut, a 150 kilómetros de Comodoro Rivadavia, 120 kilómetros al oeste del océano Atlántico y 200 kilómetros al este de la cordillera de los Andes. Se trata de un oasis en la estepa patagónica, a orillas del lago Musters (que permite la irrigación en la zona) y con lluvias de unos 200 milímetros al año. Es una de las zonas más frías del país, con temperaturas invernales que rondan los -20 °C. Sin embargo, cuenta con alta radiación solar durante la época de maduración de las uvas. Los fuertes vientos y el peligro de heladas se sufren durante prácticamente todo el año. Posee suelos con mezcla de arcilla, arena y piedra, con buen equilibrio entre retención y drenaje de agua. Las principales cepas plantadas son pinot noir, chardonnay, merlot, pinot gris, gewürztraminer, riesling, torrontés y malbec. Se producen tanto espumantes como vinos tranquilos. ☛ CECILIA ACOSTA

Ubicado en Chubut, cerca de la frontera con Santa Cruz, uno de los factores más distintivos de la región de Sarmiento es la baja temperatura, junto con una gran amplitud térmica, que convierten a estos viñedos en los más fríos de la Argentina. Este clima imprime un carácter único a los vinos, desde la profundidad de la acidez (que se traduce en fineza y elegancia con un final salino) hasta el desarrollo de una complejidad e intensidad aromática únicas.

El mayor desafío que presenta la zona es el viento, con ráfagas de más de 100 kilómetros por hora. Pero más allá de las dificultades que genera, este viento logra también un ambiente óptimo para una viticultura orgánica y natural, además de dejar su huella debido a las respuestas fisiológicas que realiza la planta para defenderse, como la regulación de los rendimientos de manera natural e induciendo al engrosamiento de las pieles.

La intensidad luminosa es otro factor primordial, que compensa el fenómeno de ciclo más corto gracias a una recuperación de horas de sol durante los largos días del verano. Gracias a esto, aun con clima frío, es posible lograr vinos con niveles de alcohol ideales manteniendo niveles altos de acidez. Una condición difícil de lograr en zonas más septentrionales.

Por último, quiero mencionar los suelos aluviales, fluviales, arenosos (eólicos) y arcillosos (lagunares), que son componentes fundamentales para completar aquí el concepto de gran terruño. La zona es parte de la estepa patagónica chubutense, con perfiles de suelo variados debido a las distintas etapas geológicas que los formaron: [1] perfil limo arcilloso de origen lagunar, formado como fondo del gran paleolago que alguna vez ocupó esta región; [2] perfil arenoso de origen eólico, como consecuencia de los fuertes vientos; [3] perfil aluvial de textura de rocosa, originada en la roca madre de la sierra Silva; [4] perfil fluvial de textura pedregosa, originada del material de arrastre del río Senguer.

Es posible dividir la zona en sur y norte. La zona sur es muy cercana a lo que hoy se denomina Falso Senguer y muestra tres capas de suelo diferentes, con una composición que varía según la cercanía o lejanía del borde del río, y siempre con muy buen drenaje. Tanto en la parte cercana al río como en la lejana, la primera capa muestra distintos espesores de textura arenosa fina. Esta capa se formó por arrastre de material traído por el viento desde zonas muy lejanas, estando en formación constante. Esta capa tiene muy poco contenido de materia orgánica y se ve influenciada por el viento constante y la radiación –sobre todo en primavera y verano– que a lo largo del día hace que los restos de hojas o material de poda se degraden en forma constante.

En la segunda capa, los suelos más cercanos al río presentan cantos rodados de distintos colores y tamaños (entre 10 y 20 centímetros), proveniente de los arrastres del río en sus diversas crecidas. Su espesor varía dependiendo justamente de la fuerza con la que el agua arrastró el material. El sector más alejando presenta, en cambio, una capa de textura limo arcillosa, donde afloran en formas heterogéneas canto rodado de distintos colores. Aquí el espesor varía de acuerdo con su ubicación, entre los 40 y los 70 centímetros.

La tercera capa es de canto rodado proveniente de un depósito más antiguo del río Senguer.

La zona norte se encuentra al este de la sierra Silva, a más de 5 kilómetros del actual Falso Senguer, por lo que predomina el material que surge del arrastre de los minerales de su descomposición. Los perfiles de estos suelos presentan en general cinco capas bien diferenciadas con distintos depósitos. La primera son depósitos eólicos de textura arenosa con 30 a 80 centímetros de espesor. La segunda es de depósitos aluviales provenientes de arrastre de material de la sierra Silva. El espesor de esta capa depende de la cercanía de la sierra. La tercera capa se formó por depósitos fluviales del río Senguer: son cantos rodados de menor tamaño que los encontrados en los perfiles de la zona sur (de 2 a 5 centímetros). La cuarta capa es de depósitos aluviales de textura franco limosos, mezcla de origen lacustre y sedimentos de la sierra. Y la quinta capa muestra depósitos lacustres de textura limo arcillosa con nódulos de carbonatos.

☛ **Esta ingeniera agrónoma, con vendimias en Napa Valley y en Sonoma, es gerente de Viñedos de Otronia, la bodega ubicada en Sarmiento, considerada una de las más australes del planeta. Allí enfrenta los fuertes vientos y el clima frío para dar vida a viñedos únicos en el país.**

CÓRDOBA

La provincia de Córdoba le ha dado un importante impulso a la industria vitivinícola en años recientes. Si bien la elaboración de vinos regionales tiene una gran tradición en Colonia Caroya, la realidad es que en la actualidad también existen desarrollos de interés en otras zonas, fundamentalmente en Traslasierra. Existe la IG Córdoba, que se puede utilizar para todos los vinos elaborados con uvas provenientes de los viñedos de la provincia; y también se crearon las IG Colonia Caroya e IG San Javier, lo que les otorga identidad propia a los nacidos en estos lugares.

Colonia Caroya es la zona más antigua de viñedos en la provincia y la que contiene más de la mitad de las hectáreas plantadas. Se ubica al pie de las sierras chicas del departamento de Colón, a 530 msnm y a 50 kilómetros al norte de la capital provincial. El nivel de lluvias alcanza los 830 milímetros anuales, que se concentran fundamentalmente durante el verano. Con tanta historia a sus espaldas, allí siguen en pie nombres históricos del vino argentino, como La Caroyense, una bodega que a mediados de siglo pasado llegó a ser la sexta más grande en volumen de la Argentina. Y junto a ella, aparecen otras como Terra Camiare, que se fundó en 2015 ocupando una antigua bodega de la zona.

El valle de Traslasierra se encuentra a 150 kilómetros al sudoeste de la ciudad de Córdoba, al pie de las Altas Cumbres. Ubicado en el departamento de San Javier, a unos 900 msnm, es otro polo vitivinícola de importancia en la provincia, donde se desarrollan bodegas como Noble de San Javier o Aráoz de Lamadrid. Es una zona cálida, con marcada amplitud térmica y gran insolación (300 días de sol al año). Dados los beneficios climáticos mencionados, hay algunos productores que están elaborando vinos con prácticas de viticultura orgánica y biodinámica, como es el caso de Posada Rural La Matilde.

Finalmente, se pueden mencionar emprendimientos en la región del valle de Calamuchita, a 80 kilómetros al sur de la ciudad de Córdoba, a alturas que van de los 900 a los 1200 msnm, con plantaciones nacidas en el año 2002: dos bodegas pioneras en la zona son Estancia Las Cañitas, en Villa Berna, y Finca Atos, en Atos Pampa. Las variedades más plantadas son malbec, merlot, cabernet sauvignon, pinot noir, syrah y torrontés riojano.

BUENOS AIRES

Con 149 hectáreas totales cultivadas (datos del INV de 2020), en la provincia de Buenos Aires las principales áreas de producción se ubican en las zonas de Chapadmalal (IG Chapadmalal), sierra de la Ventana (IG Villa Ventana) y a estas dos se sumó en 2022 la nueva IG Balcarce, impulsada por la Bodega Puerta del Abra. ¶

De estas, la más importante al día de hoy es Chapadmalal, ubicada a corta distancia de las reconocidas playas atlánticas. Allí el clima es marítimo, fresco y húmedo, con un régimen de lluvias de 1000 milímetros anuales, lo que resulta en uno de los pocos viñedos secanos (es decir, que no necesita riego artificial) del país. Las temperaturas son moderadas durante el día y frescas por la noche, lo que genera una menor acumulación térmica a lo largo del ciclo vegetativo. Dadas las condiciones climáticas y de suelo, se suelen utilizar cultivos de cobertura (generalmente gramíneas plantadas entre hileras) para que compitan por el recurso hídrico y los abundantes nutrientes del suelo. Con la Bodega Costa y Pampa (parte de Bodega Trapiche) liderando el proyecto, los vinos de esta región son de un perfil fresco y delicado, con predominio de cepas de ciclo corto a medio que alcanzan una buena madurez. Algunas variedades plantadas son pinot noir, pinot grigio, sauvignon blanc, chardonnay, albariño, riesling y gewürztraminer. ¶

En Balcarce, en 2013, nació la bodega Puerta del Abra, que en los últimos años, comenzó a presentar sus vinos incluso logrando establecer la IG Balcarce. ¶

En sierra de la Ventana, a unos 100 kilómetros del mar, fueron pioneras bodegas como Cerro Colorado (que comenzó en la zona en 2002) y Saldungaray (en 2003). También se suman bodegas en zonas disímiles como Médanos (Aleste Bodega y Viñedos), Tandil (Viñedo Horizonte) y otras, que aprovechan las distintas alturas de las sierras y los climas influenciados por el océano Atlántico. ¶

CHAPADMALAL

10 A 30 MSNM

Se ubica en el partido de General Pueyrredón, provincia de Buenos Aires, a 23 kilómetros de la ciudad de Mar del Plata y a 3 kilómetros de la costa del mar Argentino. 26 hectáreas plantadas. Esta IG es pionera en la plantación de viñedos en clima marítimo y fresco, donde la pluviometría anual asciende a 1100 milímetros y los vientos tienen una velocidad promedio de 14 kilómetros por hora. Principalmente se plantan variedades de ciclo corto, como pinot noir, chardonnay, sauvignon blanc, albariño, gewürztraminer, riesling, merlot, ancellota, pinot gris, pinot blanc, pinot meunier, chenin blanc. Se elaboran vinos tranquilos y espumantes. ☛ POR MARCELO BELMONTE

Esta nueva zona nació en el año 2009, en la búsqueda de una viticultura con fuerte influencia marítima. Se implantaron viñedos a secano a 3 kilómetros de la costa atlántica y a una altitud de apenas 30 msnm. En una primera etapa, se plantaron variedades tales como chardonnay, sauvignon blanc, gewürztraminer, riesling, pinot noir; y en una segunda etapa, pinot blanc, pinot gris, albariño y mencía. La selección varietal es muy importante en toda nueva región, ya que su madurez debe adaptarse a la marcha climática del lugar. Esto significa que no se deben elegir variedades que maduren muy temprano, donde las temperaturas suelen ser más cálidas, ni muy tarde, donde el peligro de heladas tempranas puedan comprometer la madurez completa de las uvas.

El clima en Chapadmalal es oceánico según los índices de Currey y Köppen-Geiger, con una acumulación de grados días equivalente a una región II en la clasificación de Winkler. Es decir, es una región fría y de influencia atlántica. La evaluación de homoclima que se realizó durante los estudios técnicos preliminares indicaba una similitud con ciertas zonas de Nueva Zelanda. Sin embargo, el aspecto climático que marca de manera definitiva a este terruño son los fuertes vientos que tiene, principalmente del cuadrante sur, con velocidades que pueden alcanzar los 40 kilómetros por hora. Estos vientos disminuyen la tasa fotosintética de la planta y hacen que las uvas acumulen azúcar lentamente durante su madurez, lo que explica una ventana de cosecha amplia y un balance de azúcar y acidez único. Por otro lado, este viento acentúa las condiciones de zona fría, ya que ocasiona un enfriamiento constante de los racimos. Estas condiciones definen vinos de menor graduación alcohólica, con marcada acidez natural y de gran fineza aromática.

Respecto al paisaje, es una zona de colinas suaves, rodeada de cultivos de trigo, ganado vacuno y kiwis, acompañados de grandes arboledas añosas y cascos de estancias históricos. La geomorfología presenta acantilados típicos muy pronunciados de hasta 36 metros de altura formados por la erosión marina.

Los suelos son loéssicos que datan de 3,5 millones de años, cuando todas las partículas que lo componen fueron transportadas y depositadas por la acción del viento. Hay una fuerte conexión con la cordillera de los Andes, ya que estos materiales son provenientes de la roca madre andina, que durante las grandes glaciaciones produjeron estos materiales más finos como las arcillas. También se pueden observar cenizas volcánicas del mismo origen. Los suelos son técnicamente Argiudoles típicos con buena estructura, un horizonte superior orgánico y un segundo horizonte de textura arcillosa con estructura columnar que descansan en un horizonte petrocálcico, conocido por los lugareños como "tosca", que limita la exploración radicular. Los viñedos fueron implantados en la parte alta de estas lomas, donde los suelos son más restrictivos.

Como una nueva zona vitivinícola en el país, son los años con sus consiguientes añadas los que irán conformando el estilo y ampliando el conocimiento que podamos tener sobre este terruño. Pero al día de hoy, a tan solo una década de las primeras plantaciones, ya se muestra como un lugar repleto de personalidad, con vinos complejos, frescos y especiales, que representan a su lugar de origen.

☛ Como director de Viticultura y Enología del grupo Peñaflor, Marcelo Belmonte conoce y recorre la viticultura de todo el país, desde Salta y Catamarca hasta Mendoza, pasando por los valles de San Juan y de la Patagonia. Con Bodegas Trapiche en Chapadmalal (a través de la Bodega Costa y Pampa), hoy se aventura en este viñedo de influencia oceánica que promete seguir creciendo en el futuro.

LA RIOJA

Con viñedos ubicados a alturas que oscilan entre los 900 y los 1400 msnm, La Rioja es la tercera provincia productora del país. La vitivinicultura riojana está principalmente concentrada en pequeños valles irrigados, ubicados al oeste de la provincia, entre la sierra de Velazco por el este y la sierra de Famatina por el oeste, en los valles del Famatina. Cuenta con suelos aluvionales, de textura más fina en los valles y más gruesa en la meseta. Se trata de suelos profundos, de francos a franco arenosos o franco limosos. El clima en estas zonas es cálido, moderado por las alturas y con abundante sol. Se trata de regiones áridas, con áreas con precipitaciones que pueden alcanzar los 300 milímetros al este de la sierra de Velazco y que no llegan a los 200 milímetros anuales en los valles del Famatina, al oeste de las sierras mencionadas.

En esta provincia son de destacar las variedades blancas plantadas, especialmente la torrontés riojano, el cepaje más característico de la región. También se encuentran plantadas variedades tintas tales como malbec, cabernet sauvignon, syrah y bonarda. Asimismo, se encuentran plantaciones de variedades utilizadas para el consumo en fresco. Es este el caso de las variedades red globe, cardina y emperador. Para la producción de uvas pasas, se utilizan principalmente sultanina blanca y arizul.

La principal IG de la región, IG Famatina, fue constituida en 2004, y gran parte de los ejemplares de esta reconocida zona son blancos de torrontés riojano de calidad de exportación. Asimismo, existe la IG La Rioja Argentina para todos los viñedos de la provincia y para diferenciarse de La Rioja de España.

El sistema de conducción predominante es el parral, ideal para el clima cálido de la región y la gran cantidad de cepas blancas plantadas, usadas en su mayoría para la producción de vinos regionales. Durante los últimos años, se han incorporado técnicas de riego por goteo y nuevas técnicas para trabajar estos viñedos que reciben una gran exposición solar.

JUJUY

Los viñedos en Jujuy se ubican en la quebrada de Humahuaca, una zona de clima extremo, a alturas que superan los 2200 msnm y alcanzan los 3300 msnm. Dado el rigor de este clima de altura, algunos de los emprendimientos se encuentran aún en estado de experimentación, y cuentan con reconocidos enólogos que suman experiencia. Las lluvias son muy escasas (150 milímetros anuales) y los vientos son un factor determinante: el viento cálido del norte favorece la maduración en las zonas más altas y el viento frío proveniente del sur modera la temperatura en la temporada más calurosa. Un gran peligro son las heladas tardías, que pueden llegar a producirse incluso entrado el mes de diciembre.

Existen la IG Jujuy y la IG quebrada de Humahuaca, con las localidades destacadas de Tumbaya (2200 msnm), Tilcara (2630 msnm), Maimará, Huacalera (2670 msnm), Uquía (2800 msnm), Moya (3300 msnm) y Purmamarca.

Las condiciones climáticas influyen en que se hayan plantado mayormente variedades de ciclo medio y corto, como malbec y sauvignon blanc. Sin embargo, también hay plantaciones de syrah, cabernet sauvignon, cabernet franc, merlot y bonarda.

VARIEDADES

Malbec ¶ Cabernet sauvignon ¶ Cabernet franc ¶ Chardonnay ¶ Syrah
Semillón ¶ Pinot noir ¶ Sauvignon blanc ¶ Criollas ¶ Chenin blanc
Riesling ¶ Gewürztraminer ¶ Bonarda ¶ Merlot ¶ Torrontés

MALBEC

SUPERFICIE PLANTADA EN ARGENTINA

45 600

hectáreas, que representan más del 21 % del total del país. De ese número, 38 000 hectáreas están en Mendoza (9000 en Luján de Cuyo y 12 000 en el valle de Uco). Es la variedad más presente en nuestro país y sigue creciendo año tras año (43,7 % en el período 2011-2020). En 1966 llegó a haber 57 000 hectáreas de malbec en Argentina, pero –como consecuencia de beneficios impositivos otorgados en esos años– los antiguos cultivos se comenzaron a reemplazar por variedades criollas de mayor rendimiento y baja calidad enológica. Para principios de la década de 1990, la superficie de malbec se había derrumbado a tan solo 10 000 hectáreas.

ORIGEN

☛ Se cree que es una variedad antigua oriunda de la región de Cahors, en el sudoeste de Francia, donde se la llama cot. Allí es responsable históricamente de "los vinos negros de Cahors", llamados así por su color oscuro y potencia. Ya en el siglo XVIII este cepaje era utilizado para aportar color y estructura a vinos de Burdeos, y hacia fines de 1700 en algunos lugares de esta región se la comenzó a llamar malbeck, tomando en teoría el apellido de quien la había plantado en Sainte-Eulalie (actual región de Entre-deux-Mers, Burdeos). Desde allí se extendió a toda la zona del Médoc. Durante el siglo XIX se produjo una decadencia de los vinos de Cahors, en parte por ser opacados por los de Burdeos, pero más aún por el letal ataque de la filoxera (un pulgón oriundo de Norteamérica que afecta las raíces de las *Vitis vinifera*, y devastó los viñedos europeos a fines de siglo XIX). Según registros históricos, a partir de 1877 esta plaga aniquiló casi la totalidad de las 40 000 hectáreas de malbec que había en Francia. A partir de 1940, cuando se encontró que el uso de portainjertos evitaba la filoxera, comenzó una replantación de vides, pero luego las terribles heladas de 1956 en Francia volvieron a afectar esta cepa. Actualmente hay apenas 1000 hectáreas de malbec en Francia.

Estudios genéticos determinaron que la malbec es producto del cruzamiento natural entre las prácticamente extintas cepas prunelard y madeleine noire des charentes. Su antigüedad explica la gran diversidad de nombres con la que se la conoce en Francia y en el resto del mundo (auxerrois, cahors, pressac, malbeck, malbech, etcétera). A esta cepa también se la cruzó con la garnacha para producir el cepaje caladoc, resistente al corrimiento y que en la actualidad se encuentra principalmente en el sur de Francia.

CÓMO LLEGÓ A ARGENTINA

☛ La variedad desembarcó en Sudamérica junto a otras cepas francesas, como tannat y petit verdot, en la década de 1840, gracias al agrónomo francés Michel Aimé Pouget. Por esos años Pouget estaba a cargo de la Quinta Normal de Santiago de Chile, una escuela de agronomía inspirada en la Escuela Normal de París, fundada por el exiliado Domingo Faustino Sarmiento. Tras la caída del gobierno de Rosas, Sarmiento vuelve a la Argentina y decide fundar también aquí la Quinta Normal de Mendoza; para eso convoca al mismo Pouget, quien trae desde Chile semillas y plantas de distintas cepas francesas. El proyecto que dio origen a esta Quinta Normal fue presentado ante la Cámara de Representantes de Mendoza el 17 de abril de 1853. A partir de 2011, esa fecha fue utilizada como símbolo para instituir el Día Mundial del Malbec.

CARACTERÍSTICAS VITÍCOLAS ☛ es una cepa vigorosa, de brotación temprana y maduración media, que corre riesgos de sufrir daños durante las heladas de primavera (sobre todo en plantas jóvenes).

Como sus yemas secundarias son poco productivas, un fenómeno climático como el mencionado afecta no solamente la calidad, sino también la cantidad de producción. Es sensible al corrimiento (caída de flores que resulta en racimos más ralos), aunque este riesgo es hoy menor gracias al trabajo de selección clonal realizado. También es sensible al ataque de la polilla de la vid (*Lobesia botrana*); en Argentina se utiliza un sistema de confusión sexual de la polilla para evitar la expansión de esta plaga. Es una planta de hojas medianas de color verde oscuro, con racimos de medianos a pequeños, de sueltos a llenos, con bayas medianas de color negro azulado.

PERFIL AROMÁTICO ☛ es una cepa exigente, que requiere ser cultivada en regiones adecuadas con un buen trabajo sobre el viñedo. En zonas de clima demasiado fresco, donde no cuente con la suficiente insolación y la uva no madura así de manera adecuada, puede dar vinos de carácter herbáceo con taninos astringentes, que necesitan mucho tiempo de maduración en madera para suavizarlos. Este era el caso de los históricos "vinos negros de Cahors". Sin embargo, la malbec encontró en nuestro país condiciones ambientales ideales para su desarrollo, adaptándose de manera perfecta a los terruños mendocinos, primero en el departamento de Luján de Cuyo (la llamada "cuna del malbec argentino") y luego en el valle de Uco. Esta cepa también se extiende a todas las regiones vitivinícolas del país, y en cada lugar logra una personalidad propia, desde los valles Calchaquíes hasta la Patagonia. Gracias a las excelentes condiciones climáticas de las distintas regiones vitícolas de Argentina, que comparten una elevada heliofanía (la cantidad de horas de sol, que resulta clave en la madurez de azúcar y fenólica de esta cepa), y los suelos pobres de las zonas cordilleranas, la malbec produce vinos de gran expresión frutal, buen cuerpo, color intenso y taninos redondos. En las zonas altas de Luján de Cuyo (como Las Compuertas, Perdriel, Agrelo, Ugarteche o Vistalba) y en el valle de Uco da vinos frutados y especiados, con presencia de un característico aroma a violetas y excelente acidez natural, con estructura y color. Los taninos, redondos pero presentes, logran vinos ideales para la crianza en barricas y con amplia capacidad de guarda. En viñedos ubicados en zonas más bajas de Mendoza descienden la acidez y los taninos, por lo cual los vinos mantienen la frutosidad y la nota floral, pero con cuerpo más ligero, y tienden a madurar más rápidamente en botella. En estas zonas se elaboran tintos fragantes de colores brillantes para beber jóvenes. En los valles Calchaquíes la malbec tiene una identidad bien definida, con mucha estructura y taninos firmes, fruta muy madura, especia dulce y, al mismo tiempo, cierta frescura otorgada por una nota herbal que es común en esta región. En la Patagonia, gracias a la latitud, los vinos de malbec ganan elegancia con taninos dulces y sedosos, acidez refrescante y medio de boca frutado y floral. También de allí provienen vinos malbec con crianza en madera y destacada longevidad.

Ningún otro país cuenta con los años de investigación y la infinidad de estilos que posee Argentina respecto a esta cepa. A principios del año 2021, la revista *Scientific Reports* publicó un estudio dirigido por el Catena Institute of Wine, bajo el título de "Perfil sensorial y fenólico de vinos malbec de distintos terroirs de Mendoza, Argentina", que da cuenta de cómo la malbec se expresa de manera distinta no solo según la región donde se la cultiva, sino incluso también según la parcela específica de donde provienen las uvas, reeditando así el concepto de *cru* francés, pero aplicado a lugares muy específicos de Mendoza. Tomando cuatro niveles de estudio sobre el terruño (tres grandes regiones, seis departamentos, doce indicaciones geográficas, veintitrés parcelas individuales de menos de una hectárea de superficie cada una), en tres añadas diferentes (2016, 2017, 2018), el estudio dirigido por Roy Urvieta (director de Enología del Catena Institute of Wine desde 2009) permitió, a través de análisis quimiométricos y degustaciones sensoriales, agrupar y entender las diferencias o similitudes de los vinos de determinadas regiones y parcelas que persisten más allá de las añadas. Esto, sumado a múltiples investigaciones y trabajos sobre sus propias fincas hechos por decenas de otras bodegas del país, permite afirmar que la malbec de Argentina es la mejor y más personal del mundo, una gran embajadora de los vinos nacionales en los cinco continentes.

AFINIDAD ENOLÓGICA ☞ es una cepa que tiene gran afinidad con la madera. En su zona de origen en Francia, dadas las características del terruño, ese paso prolongado por madera es incluso necesario para lograr suavizar sus taninos. En nuestro país, por las condiciones climáticas y de suelo mencionadas, los taninos naturales de la cepa son sedosos, lo que permite elaborar vinos agradables que no precisan de esas crianzas.

Sin embargo, a partir del llamado "boom del malbec" en la década de 1990 y, siguiendo tendencias del mercado mundial de ese momento, las bodegas utilizaron las barricas de roble francés y americano para sumar notas tostadas y especiadas en el vino. Esto está cambiando: en los últimos años muchos productores reducen la presencia protagónica del roble en el vino, reemplazando, por ejemplo, madera nueva por usada, o barricas bordelesas (de 225 litros) por recipientes más grandes (barricas de 500 litros o fudres), que posibilitan la microoxigenación y estabilización del vino, pero sin aportar notas tostadas manifiestas. También se utilizan cada día más recipientes inertes para realizar la fermentación y guarda del vino, desde tanques de acero hasta huevos y ánforas de cemento.

AFINIDAD CON OTRAS VARIEDADES ☞ antes de que se perdiera la mayoría de las vides de malbec en Francia, esta cepa era parte de los vinos de Burdeos. En corte con variedades bordelesas (cabernet sauvignon, merlot, cabernet franc, petit verdot), suma color intenso, aromas florales y frutados y redondez de taninos. En Argentina se la elabora en su mayoría de manera varietal, pero también juega un rol muy importante en vinos de estilo bordelés. En la historia se destacan etiquetas como Felipe Rutini (cuya producción se inició en 1985 para conmemorar el centenario de la bodega), Arnaldo B Etchart (concebido en 1989 por Arnaldo Etchart y Michel Rolland como uno de los primeros vinos prémium de exportación de Argentina), Enzo Bianchi Gran Corte (que se elabora desde 1994) y Nicolas Catena Zapata, con su cosecha inaugural en 1997, entre otros. Es la variedad más plantada del país y se elabora en todos los estilos, en vinos tintos y rosados, tranquilos y espumantes, y forma parte también de *blends* con muchas otras cepas, tales como bonarda (gran compañera de la malbec en Mendoza), syrah (muy común sobre todo en San Juan), tannat (que, junto con la cabernet sauvignon, conforman el corte típico de los valles Calchaquíes), entre otras.

VINOS QUE MARCARON CAMINO ☞ el Weinert Estrella 1977, elaborado por Raúl de la Mota, supo ser una etiqueta pionera que abrió el camino a muchos otros varietales que vendrían después. El Yacochuya Malbec 1999 marcó la dupla de Michel Rolland con Arnaldo Etchart en la entonces nueva bodega de esta familia. El Achaval Ferrer Finca Altamira hizo historia al convertirse –con su cosecha 1999– en el primer vino argentino galardonado con cinco estrellas por la prestigiosa revista *Decanter*; y la cosecha 2009 fue el primer vino sudamericano en lograr los 99 puntos por parte del crítico Robert Parker para su revista *Wine Advocate*.

ZONAS ICÓNICAS DEL MUNDO DONDE SE LO CULTIVA ☞ el 77 % de los varietales de malbec que se comercializan en el mundo proceden de la Argentina, y muestran un abanico único de estilos gracias a la diversidad de terruños y bodegas que los interpretan. En 1989 se aprobó la denominación de origen controlada (DOC) Luján de Cuyo, gracias al trabajo mancomunado de la Municipalidad de Luján de Cuyo, el Instituto Nacional de Tecnología Agropecuaria (INTA) y productores de esa zona, impulsado por el ingeniero Alberto Arizu, con el fin de proteger, promover y difundir la malbec como cepa característica de la región. El primer vino argentino con DOC fue justamente el Luigi Bosca malbec DOC 1991; al día de hoy hay seis bodegas más que elaboran esta cepa con DOC Luján de Cuyo: Lagarde, Nieto Senetiner, Norton, Bressia, Mendel y Trivento, con la reciente incorporación de la bodega Vistalba al consejo regulador.

VARIEDADES

CABERNET SAUVIGNON

SUPERFICIE PLANTADA EN ARGENTINA

14 129 hectáreas, que equivalen al 7 % del total plantado en el país. Es la tercera variedad tinta más cultivada, luego de la malbec y bonarda argentina. El 77 % de los viñedos se encuentran en Mendoza y el 10 % en San Juan. Su importancia relativa es grande en el noroeste: La Rioja comprende el 5 % del cabernet sauvignon del país y Salta, el 3,2 %.

ORIGEN

☛ Proviene de Gironda, en el sudoeste de Francia. Según estudios genéticos, es el producto del cruzamiento natural entre la tinta cabernet franc y la blanca sauvignon blanc. A la Argentina llegó a mediados del siglo XIX junto con el resto de las cepas francesas traídas por el agrónomo Michel Pouget a pedido de Domingo Faustino Sarmiento para crear la primera Quinta Normal (escuela de agronomía) de nuestro país. Durante buena parte del siglo XX, y en particular hasta el auge del malbec, que comenzó a finales de la década de 1990, la gran mayoría de los vinos tintos más prestigiosos de nuestro país eran cortes donde la cabernet sauvignon ocupaba el lugar protagonista.

CARACTERÍSTICAS VITÍCOLAS ☛ es una variedad con gran plasticidad, que tiene la capacidad de producir vinos de alta calidad adaptándose a distintos climas y suelos sin perder sus cualidades. Por eso es una de las variedades más plantadas del mundo, y protagoniza muchos de los vinos más reconocidos. Es una cepa vigorosa de brotación tardía, por lo que elude las heladas tempranas. Su maduración es de media a tardía y prefiere suelos con buen drenaje. Su tronco de madera dura y fuerte facilita la cosecha mecánica y soporta las heladas de invierno. La planta tiene hojas extendidas, algo contorsionadas, medianas, de color verde intenso, lustrosas y pentalobadas. Los racimos son pequeños a medianos, sueltos, con granos pequeños esféricos y jugosos, con piel gruesa de intenso color negro azulado y rica en taninos. Es alta la relación de contacto del hollejo con la pulpa. Esa misma piel gruesa la hace resistente a la podredumbre.

En Argentina ha logrado adaptarse bien al clima continental de altura, donde la insolación juega un rol fundamental en la buena maduración de esta cepa. Considerada una cepa de alta calidad, fue y sigue siendo muy cultivada en la denominada Primera Zona de Mendoza, tanto en Luján de Cuyo (con grandes ejemplos de cabernet sauvignon provenientes de lugares como Vistalba y Agrelo), así como en Maipú. En las últimas décadas, gracias a la constante experimentación del vino en el país, se han logrado también excelentes exponentes provenientes de zonas más altas y frescas de Mendoza, como Gualtallary, Vista Flores y Altamira en el valle de Uco. También se adaptó particularmente bien a zonas cálidas de gran altura, como los valles Calchaquíes, donde logra una gran concentración de polifenoles.

PERFIL AROMÁTICO Y DE BOCA ☞ la cabernet sauvignon representa el paradigma del vino tinto con fuerza y presencia. Puede dar vinos de gran complejidad de aromas, color profundo, taninos firmes y buena acidez, con notas características de casis (grosella negra), así como también, en climas frescos, notas mentoladas. En regiones más cálidas aparecen notas a pimiento y olivas. A veces en su juventud puede dar vinos austeros, de paladar duro, con marcada acidez, que precisa de tiempo para suavizarse. Una vez que madura, especialmente en roble, este carácter salvaje da paso a un vino de aroma profundo y complejo, paladar robusto, carnoso y redondo. La nota de pimiento verde que puede aparecer en algunos casos se debe a la presencia de compuestos llamados pirazinas, nota que tiende a desaparecer en climas con mucha insolación.

AFINIDAD ENOLÓGICA ☞ es una de las cepas que da vinos con mayor nivel de taninos. En años frescos, cuando a la uva se le dificulta la maduración, es importante prestar especial atención a las técnicas de extracción en bodega para evitar vinos demasiado rígidos en el paladar. Sin embargo, gracias a esa misma presencia de taninos protagónica, esta variedad da vinos longevos que pueden guardarse por décadas y lograr una marcada elegancia gracias al paso del tiempo. Esta variedad tiene una excepcional afinidad enológica con la madera, cuyos aromas tostados y especiados se amalgaman de manera extraordinaria con sus típicas notas de fruta negra. También juega un papel importante la fermentación maloláctica, indispensable para suavizar la acidez.

AFINIDAD CON OTRAS VARIEDADES ☞ si bien es una variedad muy utilizada en vinos varietales, es también parte indispensable de cortes donde aporta color, taninos y estructura. Es una de las cepas protagonistas del corte típico de Burdeos (llamado "corte bordelés"), junto con merlot y cabernet franc (en partes más pequeñas también petit verdot, malbec y, ocasionalmente, carmenere). Este mismo corte bordelés ha sido luego emulado en todos los países productores del mundo, en los cuales en general se incorpora además la cepa emblemática de cada región.

Así, por ejemplo, en Ribera del Duero (España) se mezcla tempranillo con cabernet sauvignon y merlot; y en la Toscana (Italia) es la sangiovese la que participa del corte. En Australia son muy frecuentes los cortes con syrah, y en Chile, con carmenere. Argentina no es una excepción: aquí es común el corte malbec con cabernet sauvignon, sumando muchas veces también merlot. En Salta el corte de cabernet sauvignon con malbec y tannat da vinos con una excepcional identidad calchaquí.

ZONAS DEL MUNDO ICÓNICAS POR SUS PLANTACIONES ☞ en Burdeos (Francia) es la cepa principal en los cortes con merlot y cabernet franc, lo que da vida a algunos de los vinos tintos más prestigiosos del mundo (Premier Grand Cru Classé, según la clasificación del Médoc de 1855). En Ribera del Duero protagoniza grandes cortes con tempranillo, merlot y cabernet franc, mientras que en la Toscana es la cepa principal de los llamados "supertoscanos".

La cabernet sauvignon tiene gran importancia en los Estados Unidos: en particular, de Napa Valley provienen algunos vinos varietales icónicos que ganaron competencias internacionales, incluso frente a los Premier Grand Cru Classé del Médoc, y que abrieron así camino a los vinos del Nuevo Mundo. En Coonawarra, en la Limestone Coast, al sur de Australia, se elaboran cabernet sauvignon varietales con gran personalidad. Y en Chile, en el valle del Maipo, hay vinos varietales de esta cepa famosos por su calidad y estructura, con carácter mentolado.

En los últimos años muchos de los grandes enólogos de la Argentina están poniendo nuevamente el foco en esta variedad, por considerar que en nuestro país la cabernet sauvignon logra características propias con una muy buena madurez que evita los aromas vegetales. Con una larga tradición arraigada en el consumo y paladar local, y con expectativas de una exportación creciente, son cada vez más las bodegas que apuestan a la clásica cepa francesa para dar vida a vinos varietales y cortes que la tienen como protagonista.

CABERNET FRANC

ORIGEN

☞ Se cree que es una cepa muy antigua con progenitores extinguidos hace ya varios siglos. Estudios de ADN de la Universidad de Davis (California) han hallado relaciones de parentesco con cepas plantadas actualmente en el País Vasco, por lo que se concluyó que podría tener su origen en esa región. Asimismo es progenitora de las cepas cabernet sauvignon, merlot y carmenere. A la Argentina llegó a mediados del siglo XIX, donde fue plantada en zonas de Mendoza como Maipú y Luján de Cuyo mezclada con otras cepas en fincas antiguas. Algunos de estos ejemplares fueron reproducidos a través de selecciones masales (elección y clonación de las mejores plantas de una finca). De todas maneras, su auge en el país es un suceso mucho más actual, ya que comenzó de manera tímida a principios de los noventa, cuando viticultores argentinos trajeron desde Francia clones de calidad (particularmente el 214 y el 327) y se comenzaron a producir varietales de esta cepa. Hoy, si bien siguen siendo pocas las hectáreas cultivadas de esta cepa, su importancia es creciente y sorprende con vinos de gran identidad y complejidad que destacan en el mundo.

SUPERFICIE PLANTADA EN ARGENTINA

1352 hectáreas, que representan apenas el 0,6 % de los viñedos totales de la Argentina. El 72 % está en Mendoza, el 10 % en San Juan y el resto se reparte entre el noreste y la Patagonia. Más allá de que son cantidades pequeñas en el contexto de la viticultura de nuestro país, vale la pena destacar que es una variedad que crece año a año desde el 2000 (cuando apenas había 200 hectáreas) y que no parece aún haber encontrado su techo.

CARACTERÍSTICAS VITÍCOLAS ☛ por muchos años fue comparada, e incluso confundida, con la cabernet sauvignon. Es una cepa vigorosa, de brotación y maduración más temprana que la cabernet sauvignon, lo que le permite adaptarse a climas un poco más frescos que esta última. Es susceptible de corrimiento. Siguiendo con la comparación, tiene racimos más grandes y llenos que la cabernet sauvignon, con bayas de color negro azulado que, aun siendo pequeñas, también son un poco más grandes que las de su pariente. La planta tiene hojas color verde oscuro pentalobadas, con una lobulación menos marcada. Y se desarrolla bien en suelos arcillosos y arenosos.

PERFIL AROMÁTICO Y DE BOCA ☛ esta cepa logra vinos de gran complejidad de aromas y con buena acidez, usualmente más aromáticos y expresivos que los de la cabernet sauvignon, con cuerpo menos estructurado, taninos menos firmes –pero igualmente presentes– y el color algo menos profundo. Dependiendo del clima y de los rendimientos en el viñedo, puede dar vinos sedosos, aromáticos, de cuerpo medio, equilibrados, en los cuales se aprecia mucha fruta, algunos aromas de hierbas silvestres y especias, acidez media a alta y taninos medios. Es también una cepa muy transparente, que expresa fácilmente las diferencias en los suelos y climas, logrando dar vida a vinos de terruño bien personales.

AFINIDAD ENOLÓGICA ☛ por sus características aromáticas, acidez y taninos, tiene gran afinidad con la crianza en madera, en particular en vinos pensados desde el viñedo y la bodega para ser longevos y evolucionar de manera favorable a lo largo del tiempo. El aporte medido del roble ayuda así a redondear al vino al otorgarle complejidad de aromas tostados y especiados, que se integran de manera perfecta a los frutados y herbales de esta cepa.

AFINIDAD CON OTRAS VARIEDADES ☛ es una variedad muy utilizada en cortes en el mundo, sobre todo en la región de Burdeos, donde suele ser compañera de las más plantadas cabernet sauvignon y merlot, principalmente en zonas donde se dificulta la maduración de la primera de ellas. En Argentina es muy utilizada en cortes con malbec (en algunos casos, incluso, cofermentado con este último, como sucede en la etiqueta Per Se La Craie 2018, un corte de 70 % malbec y 30 % cabernet franc, que obtuvo 100 puntos Parker).

REGIONES ICÓNICAS EN EL MUNDO ☛ en Burdeos (Francia), está presente en los cortes con merlot y cabernet sauvignon, sobre todo en la margen derecha del estuario del Gironda. Se destacan los vinos de la zona de Saint-Émilion, donde se elaboran grandes exponentes como el famoso Cheval Blanc (en cuya composición más del 50 % es cabernet franc, completado con merlot). Como varietal se lo vinifica en el valle del Loire, bajo las denominaciones Chinon, Bourgueil, Saumur, Anjou, donde se suelen buscar vinos de un perfil fresco, tanto tintos como rosados. En el Nuevo Mundo es una cepa que se encuentra en plena exploración, creciendo en países tan diversos como Estados Unidos, Chile, Australia o Sudáfrica. En ese mapa vinícola, Argentina tiene sin dudas una voz propia para aportar, con una cabernet franc que encuentra en el país una identidad nueva y bien recibida en el mundo. Gracias a la intensa insolación y suelos pobres, la cabernet franc logra aquí una maduración plena que resalta sus características frutadas sin perder el carácter silvestre y especiado, así como la acidez natural que la caracteriza. De apenas un par de etiquetas pioneras en el comienzo de la década de 2000, hoy coexisten en el mercado varias decenas, todas dentro del segmento de la gama media y alta.

ENÓLOGO A DESTACAR ☛ Roberto de la Mota fue uno de los primeros viticultores en traer clones de calidad entre los años 1989 y 1990.

VINOS QUE ABRIERON CAMINOS ☛ a partir de la añada 2001 comenzaron a surgir los primeros cabernet franc varietales en Argentina; algunos salieron pronto al mercado desde la provincia de San Juan (como el de Finca Los Angacos y el de Viña Ona). De la misma añada es el rionegrino Marcus Gran Reserva Cabernet Franc, el primer varietal de alta gama de esta variedad en Argentina elaborado por la Bodega Humberto Canale. Y también en ese año se elaboró el primer Viña de Narváez (la línea de vinos jóvenes hoy discontinuada de Rosell Boher) Cabernet Franc, una cepa a la que esta bodega decidió apostar fuerte. Ya a partir de la cosecha 2002 los cabernet franc en Argentina comenzaron a multiplicarse, en gran parte gracias a que una bodega del porte de Catena Zapata lanzó su primer varietal de esta cepa, el Angélica Zapata Cabernet Franc Alta. Y también, al Benegas Lynch Cabernet Franc 2002, un vino proveniente en parte de muy antiguas vides de la familia Benegas. Con su primera añada en 2005, el Pulenta Gran Cabernet Franc también se convirtió en un vino que marcó caminos como un cabernet franc potente y estructurado superprémium. Mucho más cerca en el tiempo, la Bodega Aleanna se convirtió en la gran embajadora de la cabernet franc en el mundo con sus vinos Enemigo: esta bodega no solo presenta una línea basada en este varietal, pero con uvas provenientes de distintos terruños, sino que además logró, con su Gran Enemigo Cabernet Franc Gualtallary 2013, convertirse en el primer vino argentino en recibir los 100 puntos Parker.

CHARDONNAY

SUPERFICIE PLANTADA EN ARGENTINA

5854

hectáreas, que representan el 3 % del total del país. Luego de la torrontés, es la principal uva blanca de calidad en el país. El 75 % de estas hectáreas corresponden a Mendoza, seguida por San Juan (12 %), Neuquén (2,3 %) y el resto del país.

ORIGEN

☛ La chardonnay, apodada como "la reina de las blancas" por su importancia a lo largo y ancho del mundo vinícola, proviene originalmente de Borgoña, Francia, donde da vida a muchos de los vinos blancos más famosos del planeta. Análisis de ADN determinaron que es el resultado del cruzamiento natural que se dio hace cientos de años entre pinot y gouais blanc; esta última una cepa extendida hasta la Edad Media, pero hoy prácticamente extinta.

CARACTERÍSTICAS VITÍCOLAS ☛ bien cuidada, es una cepa resistente y muy versátil, que se adapta a distintos tipos de climas, de suelos, de manejo de viñedo y de técnicas de vinificación. Esto permite que existan diversos estilos de vinos a base de chardonnay, que dependerán justamente de dichos factores. Es la uva blanca de calidad más plantada del mundo. Tiene gran potencial para dar vinos de calidad, pero además posee la virtud de poder producir grandes volúmenes de vino sin perder por ello calidad.

A nivel botánico es una planta de hojas prácticamente enteras, con racimos pequeños, bastante compactos y de bayas pequeñas y redondas. Brota temprano y madura rápido, por lo que puede sufrir los efectos de las heladas de primavera. Es preciso tener en cuenta que es susceptible al oídio y a la podredumbre gris (hongos) por su piel relativamente delgada. También es pasible de sufrir corrimiento y *millerandage* (dos fenómenos que afectan la aparición de fruta, que resulta en racimos más ralos, ya sea por la caída de flores o la mala polinización –flores no fecundadas–, que se dan como consecuencia de factores climáticos adversos, como viento o lluvia en la época de floración). De todas maneras, con los recaudos y cuidados necesarios en el viñedo, su cultivo es generoso.

AFINIDAD ENOLÓGICA ☛ la chardonnay se adapta muy bien a la fermentación y a la crianza en barricas; también es compatible con el uso de duelas o chips. Es común que durante la vinificación se realice una segunda fermentación maloláctica, que consiste en la transformación del ácido málico del vino en ácido láctico, más suave y amable al paladar. Esto se realiza sobre todo cuando son vinos con fermentación y/o crianza en madera. También es común hacer trabajo con las lías (las levaduras muertas que quedan depositadas en el fondo luego de estar completada la fermentación) para lograr mayor volumen y complejidad aromática. Esta técnica, llamada bastoneo, consiste en remover las levaduras sedimentadas para que entren en contacto con todo el líquido. Por último, esta cepa es una de las principales variedades elegidas para la elaboración de espumantes, tanto en la región clásica de Champagne como en todo el resto del mundo vitivinícola.

PERFIL AROMÁTICO Y DE BOCA ☛ no es una cepa considerada aromática, con un perfil muy determinado por sus propias características; justamente por eso los aromas y sabores que pueden generarse en los vinos van de la mano del clima y el suelo donde esté plantada, sumado a la fecha de cosecha y las técnicas de vinificación, como por ejemplo el modo de fermentación y crianza. Dependiendo del terruño en el que esté plantada, puede dar desde vinos con perfiles minerales, cítricos (en climas frescos), pasando por la fruta blanca (melón, durazno blanco, manzana), miel (en climas templados) y fruta tropical (en climas cálidos). Suma notas lácticas y mantecosas en caso de fermentación maloláctica. Y muestra fácilmente notas tostadas y especiadas cuando pasó por crianza en madera.

AFINIDAD CON OTRAS VARIEDADES ☛ en el mundo la chardonnay se utiliza mucho para etiquetas varietales, ya que permite lograr desde vinos frescos hasta untuosos, de más económicos a los de alto precio, de más jóvenes y simples a complejos, estructurados y con posibilidad de añejamiento en botella. De todas maneras, siendo la cepa blanca de calidad más cultivada a lo largo del planeta, esto también le permite asociarse a muchas otras variedades según el país, la cultura y el estilo de vinos buscados. En vinos tranquilos es común encontrarla junto a semillón, chenin blanc, viognier, sauvignon blanc y más. En Argentina hay varios cortes con la torrontés riojano. En vinos espumantes, el corte clásico en la región de Champagne es con pinot noir y/o pinot meunier. En otros países elaboradores sumará distintas opciones: por ejemplo, en el cava español con cepas autóctonas de la región; para el Cap Classique sudafricano con chenin blanc –llamada steen en ese país–; en Argentina es común el corte con semillón para espumantes.

ZONAS DEL MUNDO ICÓNICAS POR SUS PLANTACIONES ☛ en el Viejo Mundo, Francia no solo es el origen de la cepa, sino también de sus vinos más prestigiosos. En Borgoña se encuentran dos regiones que hoy son mundialmente reconocidas: Chablis, donde se elaboran vinos varietales de chardonnay con acento en la acidez y mineralidad; y Côte d'Or, donde da vida a blancos untuosos y complejos con paso por barricas usadas. En Champagne es parte principal y protagonista de la denominación más famosa del mundo para la elaboración de espumantes con método tradicional, complejos y, en muchos casos, con largo tiempo sobre sus lías. Allí se la puede utilizar al modo varietal o en cortes con pinot noir y/o pinot meunier. En el Nuevo Mundo, Estados Unidos marcó un estilo de chardonnay que luego fue muy imitado en el mundo. Esto se verifica particularmente en California, en la región de Napa Valley, donde se hicieron reconocidos los vinos tranquilos de esta cepa con paso por madera (en general, de primer uso), buscando perfiles untuosos y con marcadas notas tostadas. En Argentina es una cepa cuyo manejo en el viñedo y método de vinificación y crianza fue cambiando de manera importante a lo largo de los años. A partir de finales de la década del noventa, por razones en muchos casos comerciales y con la mirada puesta en la exportación, se impuso el estilo tostado californiano. Sin embargo, en los últimos años surgieron decenas de chardonnay distintos, aprovechando los climas más frescos de las alturas mendocinas, también de la Patagonia e incluso de la costa atlántica, buscando perfiles minerales, de cuerpo más ligero, con mayor acidez y verticalidad. Hoy conviven en el país vinos chardonnay de alta gama y complejidad, donde algunos son criados por más de un año en barricas de roble nuevas y otros, en fudres o barricas con varios usos; algunos solo estuvieron en tanques de acero y cada vez se suman más elaborados en piletas, vasijas y huevos de concreto. También, a lo largo de los últimos veinte años, se convirtió en la clásica protagonista de muchos de los espumantes nacionales, en especial en etiquetas de gama media y alta, reemplazando en parte a la semillón y la chenin blanc, las más utilizadas en este tipo de vinos durante el siglo XX.

UN VINO QUE HIZO HISTORIA ☛ en 1990 Nicolás Catena importa las primeras barricas de roble y elabora el Angélica Zapata Chardonnay, el primer blanco argentino de alta gama pensado al estilo de los chardonnay voluptuosos y tostados de Napa Valley. Años después, el Catena Zapata Adrianna Vineyard White Bones, proveniente de Gualtallary, y con un estilo bien distinto al de aquel primer Angélica, obtiene puntajes sobresalientes por críticos internacionales. A su modo, estos dos vinos de una misma bodega evidencian las posibilidades y cambios que admite esta cepa en la Argentina.

SYRAH (SHIRAZ)

SUPERFICIE PLANTADA EN ARGENTINA

11 797 hectáreas, que representan el 5 % del total del país. De esa cantidad, el 70 % se encuentra en Mendoza (en las zonas norte y este principalmente), el 20 % en San Juan (valles de Tulum y de Pedernal) y el 10 % en el resto del país.

ORIGEN

☛ Luego de años de teorías diversas, los estudios genéticos realizados por las Universidades de Davis (California, EE. UU.) y Montpellier (Francia) determinaron que desciende de dos variedades prácticamente extintas (dureza y mondeuse blanc), y que su cuna está en el valle septentrional del Ródano, Francia. En Australia se la conoce como shiraz y llegó a ese país desde Francia a principios del siglo XIX. A Mendoza fue traída por inmigrantes italianos a fines del siglo XIX, quienes la llamaron balsemina o balsamina, error que se corrigió en la década de 1960.

CARACTERÍSTICAS VITÍCOLAS ☛ cepa resistente y vigorosa que se adapta a zonas de clima moderado a cálido. Es de brotación media y madura relativamente rápido. Resulta clave elegir el punto de cosecha para lograr los aromas y sabores deseados, ya que la ventana de maduración es relativamente corta. En Argentina, en regiones de fuerte insolación como el valle de Tulum, en San Juan, y los departamentos del este de Mendoza, da vinos de buen color y gran expresión de fruta. En regiones más frescas, como el valle de Uco (Mendoza) y el valle de Pedernal (San Juan), se obtienen vinos de gran estructura aptos para la crianza.

Las hojas de esa planta cuentan con tres lóbulos con los laterales doblados hacia arriba; sus racimos son medianos, bien llenos a compactos, cilíndricos y con granos de tamaño pequeño a medio, de forma elíptica, con piel gruesa y resistente. Es una cepa resistente a enfermedades criptogámicas (hongos) y al corrimiento (caída de flores). Es sensible a la polilla de la vid. Se adapta bien a todo tipo de suelos, pero no tolera excesos de humedad.

AFINIDAD ENOLÓGICA ☛ se vinifica sin paso por madera (buscando vinos frescos y ligeros, de taninos amables, pensados para beber jóvenes), pero también con fermentación y/o crianza en barricas (usadas o nuevas), y así se logran aromas tostados, especiados, de mayor estructura y complejidad que se benefician con la guarda en botella.

PERFIL AROMÁTICO Y DE BOCA ☛ da vinos en general de color intenso, con cuerpo de medio a estructurado, acidez media, taninos de medios a firmes y buen contenido de alcohol. Los aromas van desde los florales (en vinos jóvenes) y frutales (ciruela, mora, arándano) hasta los herbales y especiados, como la pimienta negra, que muchas veces se destaca en el final de boca. La crianza aporta notas de tabaco, chocolate, cuero, vainilla.

AFINIDAD CON OTRAS VARIEDADES ☛ en el mundo es muy utilizada para la elaboración de varietales, pero también en cortes con cepas de origen mediterráneo, como garnacha y mourvedre (*blend* llamado GSM por las iniciales de las cepas que lo integran), donde la syrah aporta estructura y longevidad. También es frecuente el corte con cabernet sauvignon en el Nuevo Mundo, principalmente en Australia y EE. UU. En el valle septentrional del Ródano, Francia, existen regiones donde es tradicional cofermentarla con pequeñas cantidades de la cepa blanca viognier para obtener vinos más frescos, práctica emulada por algunos productores del Nuevo Mundo, incluyendo algunos de nuestro país.

En Argentina ha sido históricamente utilizada en la elaboración de vinos de corte, sobre todo en *blends* con malbec y bonarda. También es común su versión varietal, en vinos jóvenes (en gran parte provenientes del norte y este de Mendoza y del valle de Tulum en San Juan) y en otros con gran potencial de guarda, especialmente del valle de Pedernal (San Juan) y del valle de Uco (Mendoza).

ZONAS DEL MUNDO ICÓNICAS DONDE SE LO ELABORA ☛ del valle del Ródano (Francia) septentrional provienen las denominaciones Hermitage y Côte-Rôtie, con varietales de syrah intensos, estructurados, con marcada acidez y gran potencial de guarda. En Côte-Rôtie era tradicional la cofermentación con hasta 20 % de viognier. De la parte meridional son muy reconocidas las regiones Côtes-du-Rhone y Châteauneuf-du-Pape, con cortes de syrah con garnacha, cinsault, mourvedre, carignan, entre otras. En general, vinos de buen contenido alcohólico, taninos firmes y potencial de guarda. En el Nuevo Mundo, es la cepa emblemática de Australia, que la exporta al mundo entero. Allí se elaboran vinos de todos los estilos, donde se destacan, entre otras zonas, Barossa Valley con varietales famosos por su estructura, color intenso, fruta madura y especias, paso por barrica y gran potencial de guarda.

VINOS QUE ABRIERON CAMINO EN ARGENTINA ☛ Mendoza, Finca Flichman fue precursora en la elaboración de varietales de syrah de calidad, trayendo clones de Francia. Trapiche, por su lado, hizo propia la cofermentación de syrah y viognier a través de su icónico Iscay.

SEMILLÓN

SUPERFICIE PLANTADA EN ARGENTINA

640 hectáreas, que representan el 3 % del total de vides en el país. El 85 % se encuentra en Mendoza y el 8,5 % en Patagonia Norte (35,8 hectáreas en Río Negro y 17,7 hectáreas en Neuquén).

ORIGEN

☛ La semillón es originaria de la región de Sauternes, en Burdeos, donde juega un rol fundamental en los vinos dulces botritizados. Asimismo, gracias a análisis de ADN, se detectó que genéticamente es cercana a la sauvignon blanc (su gran compañera en los cortes de la región), aunque se descartó que hubiese una relación de ascendencia entre ellas. A la Argentina fue traída por los inmigrantes europeos a fines del siglo XIX para elaborar blancos de mesa y llegó a ser una de las cepas más plantadas del país. Durante mucho tiempo se la utilizó para elaborar vinos dulces y, aun cuando su nombre no figuraba en la etiqueta, era sinónimo de vino blanco en Mendoza entre las décadas de 1930 y 1950. Años más tarde fue reemplazada por cepas de mayores rendimientos y de más fácil manejo en el viñedo para proveer a la creciente demanda de los años sesenta y setenta. En años sucesivos se siguió desplantando para reemplazarla por malbec y blancas de moda, como chardonnay y sauvignon blanc, si bien también hubo –y sigue habiendo– una revalorización de su calidad enológica para vinos contemporáneos. De hecho, Argentina es uno de los pocos países vinícolas que cuenta con una relación histórica y de pertenencia con esta variedad tan importante. Esto –según afirman algunos enólogos y bodegueros referentes– podría convertirla en un cepa distintiva que permita posicionar a los vinos blancos de nuestro país en el mundo.

CARACTERÍSTICAS VITÍCOLAS 🖝 es una cepa de brotación temprana y ciclo madurativo medio. Tiene vigor moderado, y sus rendimientos pueden variar de manera considerable según la fertilidad del viñedo. Tiene a su vez buena adaptabilidad a distintos tipos de suelos. Es muy sensible a la botrytis, por lo que es indispensable mantener el viñedo bien aireado. Resulta resistente a los fríos primaverales y al calor excesivo y la sequía. Son plantas de hojas contorsionadas y levemente pentalobadas, con racimos medianos, cónicos, con bayas de forma esférica, medianas, de color amarillo dorado y piel fina.

PERFIL AROMÁTICO 🖝 en regiones de clima fresco produce vinos algo neutros, de buen cuerpo y con aromas a hierbas. En zonas más cálidas, en cambio, los vinos son menos frescos (pueden tener acidez algo baja), con aroma a frutas como el limón y el ananá, pero a su vez algo grasos, con volumen medio. Con la guarda, puede desarrollar aromas complejos y percibirse notas de pan tostado, miel y frutos secos.
Sauternes es la base de los vinos dulces botritizados complejos y con potencial de guarda. Durante mucho tiempo fue menospreciada en nuestro país porque se daba su nombre a cepas variadas de baja calidad. Sin embargo, tanto en la zona alta del río Mendoza como en el valle de Uco en Mendoza se dan muy buenos exponentes de esta variedad, al igual que en el Alto Valle del río Negro, donde esta cepa se encuentra plantada desde los comienzos de la viticultura en esa provincia.

AFINIDAD ENOLÓGICA 🖝 es una variedad con buena afinidad con la madera, tanto para la fermentación como para la crianza. También son usadas técnicas como el *battônage* para aumentar el volumen en boca y la fermentación maloláctica, de parte o del total de las uvas, lo que produce vinos de complejidad aromática y potencial de guarda. Es una cepa que, aun sin paso por madera, puede tener capacidad de guarda, como sucede con algunos ejemplares provenientes de Hunter Valley en Australia.

AFINIDAD CON OTRAS VARIEDADES 🖝 en su zona de origen es elaborado tradicionalmente en *blends* con sauvignon blanc, tanto para vinos dulces como secos, donde la semillón es el componente principal en el corte y aporta volumen y potencial de guarda. En Argentina se la elabora de manera varietal, con muy buenos resultados, y en habituales cortes con chardonnay y con sauvignon blanc. Es también muy utilizada en combinación con chardonnay y pinot noir para la elaboración de algunos espumantes de calidad, en una tradición que comenzó hace varias décadas.

ZONAS DEL MUNDO ICÓNICAS DONDE SE LO CULTIVA 🖝 en Burdeos (Francia), se lo utiliza en cortes con sauvignon blanc, tanto para vinos dulces botritizados mundialmente célebres como el Château d'Yquem (en Sauternes) como para vinos secos (en Pessac-Léognan). En Australia, particularmente en Hunter River Valley (en la región de Nueva Gales del Sur), da vida a vinos secos sin paso por madera de gran complejidad y extraordinaria capacidad de evolución en botella.

VINOS QUE ABRIERON CAMINOS 🖝 entre los semillón más antiguos de la Argentina está el Lagarde Semillón 1942: un tonel de este vino histórico fue descubierto por la familia Pescarmona cuando compró la bodega en 1982; lo embotellaron y lo sirvieron en el Mundial de Sommeliers llevado a cabo en Mendoza en 2016 sorprendiendo a todos los presentes. Norton también posee en su histórica cava algunas botellas de semillón en gran estado que vienen de mediados de siglo pasado. Y el Canale Semillón Blanc 1976 es el primer semillón embotellado bajo este nombre en Argentina (también uno de los primeros vinos argentinos en ser exportado). Ya en la década de 1990, Finca La Anita (dirigida en ese momento por los hermanos Antonio y Manuel Mas) fue pionera en repensar a esta variedad desde una perspectiva de alta gama, con su Semillón de 1994, que marcó el rumbo de la cepa a partir de la reconversión vitivinícola argentina de esos años. Ya en el nuevo siglo dos vinos lograron mostrar nuevos matices del semillón moderno, e influyeron de manera determinante en el mercado: el Semillón 2007, de Ricardo Santos (el fallecido enólogo y bodeguero que, hasta 1989, había sido propietario de Norton); y el Mendel Semillón 2009, de Roberto de la Mota.

PINOT NOIR

ORIGEN

☛ Se cree que la pinot noir surgió como una *Vitis vinifera* subsp. *sylvestris*, que crecía en el norte de Francia y fue luego adaptada por el ser humano para el cultivo. Es una cepa antigua, con unos dos mil años de historia, cuya existencia se encuentra documentada desde el siglo XIII en Francia (cuando se la llamaba morillon), que ha ido mutando a través de los siglos, generando una gran población de clones (con misma identidad genética), con variaciones en cuanto a color de los granos, forma de las hojas, características organolépticas, rendimientos, etcétera. Los estudios de ADN determinaron que dichos clones poseen una misma identidad genética, es decir, que todos corresponden a una misma variedad. Actualmente los clones de pinot noir más apreciados (113, 114, 115, 667, 777 y 828, entre otros) son conocidos como "clones de Dijon", ejemplares individualizados y

---

SUPERFICIE PLANTADA EN ARGENTINA

2000 hectáreas, que representan el 0,9 % de la superficie cultivada en Argentina. El 75 % se encuentra en Mendoza, principalmente en zonas de clima intermedio como el valle de Uco, San Rafael y zonas altas de Luján de Cuyo. Hay también plantaciones muy prestigiosas en la Patagonia (Neuquén, Río Negro, Chubut, La Pampa) y asimismo en provincias con terruños tan diversos como Córdoba, San Juan, Salta y Buenos Aires.

registrados en la emblemática zona de Borgoña, que tienden a producir vinos complejos y elegantes. Los estudios genéticos también determinaron que existe una relación parental de la pinot noir con otra de las cepas europeas más antiguas, la savagnin (también conocida como traminer), aunque no se pudo definir cuál de las dos es progenitora de la otra. La variedad pinot noir ha sido también utilizada para la generación de nuevas variedades; el ejemplo más célebre es el cruce entre ella y la cepa mediterránea cinsault para generar la variedad emblemática de Sudáfrica, la pinotage.

En Argentina se la cultiva desde principios del siglo XX, con registros de que ya estaba plantada en la Patagonia en el lejano año de 1910. En Río Negro hay todavía hoy viñedos que datan de 1930, sobrevivientes de más de 1600 hectáreas plantadas en esa época para elaborar espumosos, la mayoría de las cuales ya no están (hoy la provincia cuenta con 120 hectáreas de pinot noir).

CARACTERÍSTICAS VITÍCOLAS ☛ es la cepa más delicada de las viníferas: brota temprano y es, por lo tanto, susceptible de sufrir las heladas de primavera. Es sensible al corrimiento y su maduración es temprana. Es también susceptible a los hongos oídio, mildiu, botrytis y a varios virus de la vid. Prefiere climas frescos, ya que en zonas cálidas tiende a madurar demasiado rápido, con daño para sus bayas de piel fina y con pérdida de muchos de los aromas que la hacen tan apreciada. Se desarrolla muy bien en suelos arcillosos y calcáreos. Se dice que es una cepa muy susceptible a mutaciones en el viñedo: existen evidencias de plantas con racimos de distinto color, bayas de diferente color en un mismo racimo e incluso distintos colores en un mismo grano. La planta tiene hojas algo plegadas y un poco contorsionadas, de medianas a chicas, con racimos pequeños y bastante compactos, de bayas redondas negro azuladas.

PERFIL AROMÁTICO Y DE BOCA ☛ es una cepa muy versátil, que puede dar vinos muy complejos, considerados entre los mejores del mundo (como sucede en Borgoña), así como vinos simples y frutados, fáciles de beber. Se la considera una variedad que expresa muy bien el terruño, aunque en pocos lados logra el prestigio que tiene en su tierra natal. En condiciones ideales produce vinos perfumados, complejos, frutados y, a la vez, maduros, delicados pero con cuerpo, con largo recuerdo. Son vinos con buen contenido de alcohol, incluso en climas fríos, y acidez refrescante. En Borgoña se producen algunos de los vinos más famosos y caros del mundo, muy longevos, pero también hay ejemplares muy vivaces para beber jóvenes. Estos últimos suelen tener notas de frutilla, cereza, frambuesa y violetas, mientras que los más maduros pueden presentar desde notas frutadas hasta notas de cuero, regaliz, terrosas y hongos, entre otras.

En las zonas más altas y frescas del valle de Uco se producen vinos frutados y aroma floral, con matices tostados cuando pasan por madera y notas de hongos con la evolución en botella. Gracias a la altura, esta región ofrece una combinación de temperatura e insolación ideales para el desarrollo de esta cepa, logrando evidente identidad. También se da muy bien en la Patagonia argentina, donde desarrolla pieles más gruesas gracias a los fuertes y constantes vientos del oeste, y así brinda en consecuencia vinos menos pálidos y con taninos más presentes que en los exponentes franceses. En la Patagonia norte se encuentra plantada en Río Negro, donde hay algunos viñedos muy antiguos que dan vinos longevos y de gran complejidad; y en San Patricio del Chañar (Neuquén), donde con plantaciones más nuevas (a partir de 1999), los productores también se han concentrado en la calidad. Más al sur, en Chubut, hay viticultores que se aventuraron a implantar los viñedos más australes del mundo y están logrando ejemplares muy delicados y elegantes de esta variedad.

Como muestra de la plasticidad de esta cepa, también hay grandes ejemplos de pinot noir en alturas extremas del norte del país (con viñedos en Salta a más de 3000 metros de altura), así como junto a la costa atlántica, en Chapadmalal, provincia de Buenos Aires.

AFINIDAD ENOLÓGICA ☛ en la bodega es usual que se le practiquen maceraciones prefermentativas para extraer color y taninos. Durante la fermentación suelen utilizarse tanques de poco tamaño y son fundamentales los trabajos de pisoneo para contribuir en forma delicada a la extracción de color y taninos. Estos trabajos se hacen muchas veces en forma manual. La cepa tiene gran afinidad con la madera, que le puede sumar mayor longevidad. Sin embargo, debe utilizarse en su justa medida para no atentar contra la delicadeza que se espera de estos vinos. En el mundo es también una variedad que se utiliza mucho como base varietal o corte de vinos espumosos blancos o rosados; esto se verifica desde la emblemática denominación de origen Champagne hasta espumosos del Nuevo Mundo, incluyendo la Argentina.

AFINIDAD CON OTRAS VARIEDADES ☛ se la vinifica generalmente como varietal para vinos tranquilos, pero es usual el corte con chardonnay (y con pinot meunier en Champagne) para la elaboración de espumosos.

REGIONES ICÓNICAS DONDE SE LA CULTIVA ☛ Borgoña (Francia) es el lugar emblemático en el mundo. La Côte d'Or y, más específicamente, la Côte de Nuits contiene denominaciones de origen de fama mundial (con vinos como Domaine de la Romanée-Conti, Richebourg, La Tache, entre otros), de viñedos clasificados como Grand Crus. También en Francia, en la región de Champagne, constituye una de las tres cepas elegidas para la elaboración del reconocido espumoso que define la categoría, tanto en varietales blancos o rosados exclusivos de pinot noir como en cortes con chardonnay y/o pinot meunier.

En Alemania es llamada spätburgunder y es la segunda cepa más plantada (después de la riesling), siendo considerada la tinta de mayor calidad de ese país. En los últimos años se han incrementado tanto las plantaciones como la calidad de los vinos gracias al uso de mejores barricas y veranos cada vez más cálidos. En Estados Unidos la cepa cobró fama sobre todo gracias a la película *Entre copas,* de 2004, a partir de la cual creció la superficie cultivada. En California destacan regiones frescas gracias a las nieblas del Pacífico, tales como Sonoma, Carneros, Santa Rita Hills, Santa María y Monterey; y en el estado de Oregón, lugares como Willamette Valley con un clima marítimo también fresco.

Al ser una cepa muy bien recibida en los mercados de exportación, buena parte del Nuevo Mundo la cultiva con éxito. En Australia los mejores provienen de la región de Victoria (Yarra Valley y Mornington Peninsula), también de la isla de Tasmania. Nueva Zelanda es responsable para muchos críticos de los mejores pinot noir fuera de Borgoña, gracias al clima marítimo insular, donde se destacan las regiones de Martinborough, Marlborough, Waipara y Central Otago. Y en Chile los mejores exponentes provienen de la costa central de Casablanca y de San Antonio, así como de Bío Bío, más al sur del país.

VINOS QUE ABRIERON CAMINO ☛ Chacra Cincuenta y Cinco 2018, elegido mejor vino del mundo (2020) por el crítico James Suckling, elaborado por el italiano Piero Incisa della Rocchetta en Mainqué (Río Negro), donde está su Bodega Chacra. También de Río Negro surgen diversos pinot noir de viñedos muy antiguos, como el Old Vineyard de Humberto Canale o el Old Vines de Matías Riccitelli, mientras que en Neuquén, con plantaciones de 1999, los productores también se han concentrado en la calidad (Fin del Mundo, Schroeder, Malma). Más al sur, en Chubut, la Bodega Otronia trabaja sobre las fincas de pinot noir más más australes del mundo, logrando ejemplares delicados y elegantes de esta variedad. En el otro extremo del país, en el noroeste, Colomé sorprende en Salta con viñedos de pinot noir cultivados a más de 3000 metros de altura sobre el nivel del mar, de donde provienen vinos con personalidad calchaquí. Y en Chapadmalal, sobre la costa atlántica de la provincia de Buenos Aires, Costa y Pampa (Trapiche) elabora un pinot noir que se inspira en los ejemplares neozelandeses, de cuerpo ligero, acidez alta y algunas notas terrosas. La mayor cantidad de hectáreas de pinot noir argentino están en Mendoza, donde esta cepa expresa los diversos terruños de la provincia, entre los que se destacan particularmente los del valle de Uco. De allí provienen por ejemplo los de Bodega Salentein, que logra muy buenas expresiones desde vinos para todos los días (como El Portillo) hasta la alta gama de Primus; también el Mariflor Pinot Noir, de la bodega dirigida por Michel Rolland. También de este valle es el flamante proyecto de Domaine Nico, dirigido por Laura Catena y especializado en exclusivos pinot noir de microparcelas. En materia de espumantes, la Bodega Chandon –del grupo francés LVMH– fue la que más trabajó por aumentar la superficie de cultivo de pinot noir en el valle de Uco mendocino, logrando por ejemplo etiquetas como el Chandon Cuvée Réserve Pinot Noir, elegido mejor espumante argentino de 2019 en el Champagne & Sparkling Wine World Championships. En otra escala, Rosell Boher marcó caminos en el lejano 2004 al presentar 2800 botellas de un rosado de alta gama elaborado 100 % con esta variedad.

157

VARIEDADES

SAUVIGNON BLANC

SUPERFICIE PLANTADA EN ARGENTINA

2000 hectáreas, de las cuales el 77 % está en Mendoza y el 11,5 % en San Juan. El resto se distribuye especialmente entre Neuquén, Río Negro y Salta.

ORIGEN

☞ Proviene del valle del Loire, Francia (Sancerre y Pouilly-Fumé). Es la cepa progenitora, junto a la cabernet franc, de la mundialmente conocida cabernet sauvignon. Parte de la familia de las carmeneres. La palabra "sauvignon" proviene de la conjunción del francés *sauvage* (salvaje) y *vignon* (viñedo), por lo que su nombre traducido sería "blanca salvaje", en referencia a que hace varios siglos crecía de manera silvestre en el suroeste y centro de Francia. Es una variedad antigua, con al menos quinientos años de historia, y según se cree, desciende de la savagnin, otra cepa francesa aún presente en la zona del Jura. Francia sigue siendo actualmente la principal productora de sauvignon blanc en el mundo (donde es la tercera cepa blanca con más hectáreas), si bien a esta cepa se la identifica hoy mundialmente con Nueva Zelanda, donde con un estilo e identidad propios se convirtió en su variedad insignia. A su vez, gracias al enorme éxito que la sauvignon blanc tiene a lo largo de las últimas décadas, su cultivo se extendió a la mayor parte de los países productores.

AFINIDAD CON OTRAS CEPAS ☛ tiene gran afinidad con la semillón, ya que la sauvignon blanc aporta aromas y acidez, mientras que la semillón suma cuerpo y potencial de guarda. Los cortes más famosos en el mundo son los sauvignon blanc-semillón de Burdeos en Sauternes y Barsac (los dulces botritizados más famosos del mundo) y de la zona de Pessac-Leognan para vinos secos. En Argentina se lo elabora en gran medida como varietal, y forma parte también de cortes con chardonnay, chenin o semillón. Tradicionalmente existían fincas en Mendoza donde se plantaban cuarteles continuos de sauvignon blanc, chenin y tocai friulano para elaborar vinos de corte.

CARACTERÍSTICAS VITÍCOLAS ☛ cepa vigorosa, de maduración temprana y sensible a las enfermedades (hongos), especialmente al *Botrytis cinerea*. Esto se aprovecha en algunas regiones para elaborar vinos dulces, dada la alta concentración de azúcares en el mosto que puede producir esta enfermedad en determinadas condiciones ambientales. La planta posee hojas contorsionadas medianas, orbiculares, con intensa telaraña y dientes convexos. El racimo es compacto, cónico, de mediano a corto. Es importante una buena poda y buen manejo de canopia para evitar vigor en exceso. En zonas demasiado cálidas pierde aromas y acidez; por eso se la cultiva en climas frescos (en Argentina, por ejemplo, en el valle de Uco, también en alturas extremas en el noroeste y en las costas del mar Atlántico, en la provincia de Buenos Aires). Es muy sensible al sol.

ZONAS ICÓNICAS DEL MUNDO DONDE SE LO ELABORA COMO VINO VARIETAL ☛ Sancerre y Pouilly-Fumé en el valle del Loire (Francia); también en Chile (sobre todo en el valle de Casablanca) y en Nueva Zelanda, donde son famosos los sauvignon blanc de Marlborough, en la Isla Sur.

PERFIL AROMÁTICO ☛ es una variedad aromática, refrescante, generalmente elaborada para beber joven. Posee notas típicas de pimiento verde, esparrago, arveja (producto de la presencia de pirazinas; cuanto mayor sea el vigor en la planta y menor la insolación, estos compuestos suelen estar más presentes), ruda, hoja de tomate, pomelo, durazno blanco, pera, maracuyá. Son comunes las cosechas escalonadas en una misma finca para combinar aromas y sabores de acuerdo al punto de maduración fenólica.

AFINIDAD ENOLÓGICA ☛ no suele tener paso por madera, salvo excepciones donde se lo suele etiquetar como "fume blanc", ya que le hace cambiar su carácter típico por frutas maduras, tostados y vainilla, producto de la crianza.

VINOS QUE ABRIERON CAMINOS ☛ en 2001 el enólogo Matías Michelini comenzó a elaborar el Doña Paula sauvignon blanc, que pronto se convirtió en una referencia ineludible de la expresividad que podía lograr esta cepa en Mendoza. Luego, el propio Matías continuó investigando y experimentando con la sauvignon blanc en su proyecto Passionate Wine, y así dio vida al Agua de Roca, una etiqueta revolucionaria a base de un sauvignon blanc de Gualtallary, cultivado a los 1550 msmm.

CRIOLLAS

ORIGEN

☞ Las cepas denominadas genéricamente "criollas" en nuestro país constituyen un grupo de variedades descendientes de progenitoras europeas, que surgieron a partir de cruzamientos naturales ocurridos en los viñedos una vez llegadas a Sudamérica; o bien que fueron mutando en esos mismos viñedos para adaptarse a las condiciones de cada región en este continente. Se cree que las primeras vides llegaron al valle de la Concepción, en el actual Perú, en el año 1551, traídas por Francisco de Caravantes y Hernando Montenegro desde España. Dentro de esas variedades criollas se incluyen la criolla chica, criolla grande, cereza, pedro giménez, moscatel rosado, moscatel amarillo, torrontés, mendocino, torrontés riojano y torrontés sanjuanino, entre otras. El INTA está realizando estudios pormenorizados de la familia de las cepas criollas y sus relaciones. Hasta el momento encontraron unos cincuenta cepajes que formarían parte de este grupo. Son variedades que se cultivan en nuestro país hace más de cuatrocientos años, con una formidable adaptación al terruño local. Según estos análisis se concluyó que la criolla chica es una antigua cepa llamada listán prieto, que en el siglo XVI estaba muy presente en España, pero de la que quedan actualmente tan solo unas pocas plantaciones en las Islas Canarias. La supervivencia mundial de esta cepa se debió a su presencia en América, donde se extendió de norte a sur bajo diferentes nombres: criolla chica en nuestro país, uva país en Chile, negra corriente en Perú, misión en México y mission en California.

El resto de las cepas mencionadas dentro de las variantes criollas son autóctonas de Sudamérica. De hecho, tanto la cereza como la moscatel amarillo, la torrontés riojano y la torrontés sanjuanina son el resultado de diversos cruzamientos naturales entre la listán prieto y la moscatel de Alejandría (traída por las órdenes religiosas en su cruzada evangelizadora), por lo cual, todas ellas serían "hermanas".

VARIEDADES

SUPERFICIE PLANTADA EN ARGENTINA

60 000

hectáreas. Poco más de la cuarta parte de las cepas plantadas en Argentina son de variedades criollas. Las más plantadas son la cereza (26 000 hectáreas) y la criolla grande (13 300 hectáreas). La criolla chica presenta menos hectáreas (340), pero por sus características es cada vez más utilizada en la elaboración de vinos varietales de calidad.

CARACTERÍSTICAS VITÍCOLAS 👉 son cepas vigorosas, productivas y tolerantes a la sequía, capaces de dar altos rendimientos, por lo cual han sido –y siguen siendo– muy utilizadas para la elaboración de grandes volúmenes de vinos, principalmente blancos. Demuestran gran adaptación a las condiciones ambientales de las zonas cordilleranas, por lo que casi nunca se enferman ni se dañan sus bayas. Los viejos parrales, sumamente extendidos en toda la zona de Cuyo y en provincias como Salta, hablan de la historia e identidad de la viticultura de nuestro país.

La cereza es resistente a la salinidad del suelo, lo que la convirtió en una de las preferidas para las plantaciones en algunas zonas de Mendoza y San Juan que tienen esta característica. También está muy difundida en los departamentos de San Martín, Lavalle, Rivadavia y Junín (Mendoza) y en Caucete, Sarmiento y 25 de Mayo (San Juan). Es una variedad de brotación media y que madura tarde. Sus hojas son contorsionadas, algo lustrosas y ligeramente alargadas. Los racimos son grandes y sueltos, con bayas también grandes, de piel fina y color irregular. Es sensible a la peronóspera y a la botrytis. Es una cepa utilizada también para uva de mesa y para elaboración de mostos, sobre todo en San Juan. La criolla chica, que tuvo una hegemonía casi absoluta en las viñas de Argentina y Chile hasta la llegada de las variedades francesas, es de brotación media, maduración tardía y es muy resistente a la sequía y a la humedad. La planta tiene hojas plegadas asimétricas, alargadas y lustrosas. Sus racimos son grandes y alargados, de forma cónica, con gran proporción de raquis y bayas pequeñas de color negro-rojizas y rosadas.

La criolla grande, también conocida como criolla sanjuanina, es una cepa de brotación y maduración tardía altamente productiva. Es sensible a la peronóspera y presenta hojas contorsionadas, medianas, muchas veces plegadas asimétricamente, opacas. Sus racimos son grandes, bastante sueltos, con bayas redondas, de tamaño medio entre las bayas de la cereza y las de la criolla chica.

PERFIL AROMÁTICO 👉 en los últimos años, gracias a la identificación y recuperación de parrales viejos en zonas altas de nuestro país, con buen manejo de canopia y control de rendimientos, se están obteniendo ejemplares interesantes, frescos, frutados, con alcohol medio a bajo a partir de variedades criollas. La criolla chica puede dar vinos tintos de color pálido, frescos en boca, con buen cuerpo, expresivos, con buena acidez y sabores que recuerdan a la fruta roja fresca. Algunos adquieren una textura sedosa con la guarda. La criolla grande da vinos con aromas delicados, que combinan suavidad, frescura, pureza y sencillez que, con los cuidados en el viñedo y control de rendimientos, resultan atractivos sobre todo por su gran versatilidad a la hora de combinarlos con la gastronomía.

AFINIDAD ENOLÓGICA 👉 son cepas con aromas en general delicados que no suelen tener crianza en madera. En caso de tener paso por roble, el aporte debe ser sutil, a través de madera usada. Hay productores que eligen elaborar el vino con el racimo entero para lograr mayor presencia de taninos. También es común la maceración prefermentativa a bajas temperaturas para lograr extracción de aromas y sabores varietales.

AFINIDAD CON OTRAS CEPAS 👉 tradicionalmente las criollas se vinificaban mezcladas entre ellas, tal como lo estaban en el viñedo. Esta costumbre perdura en la actualidad, ya que los vinos de calidad elaborados a base de criollas (una tendencia creciente en el mercado) provienen de vides antiguas que han sido rescatadas, buscando elaborar ejemplares que respeten esa tradición. Existen, sin embargo, algunos varietales, sobre todo a base de criolla chica, que pertenecen en general también a viejas viñas.

VINOS QUE ABRIERON CAMINOS 👉 en los últimos años varios enólogos y bodegas han recuperado a las variedades criollas (más allá de la torrontés riojano, ya una categoría en sí misma, con gran presencia e importancia dentro del mapa vitivinícola nacional). Así, en menos de una década surgieron vinos como El Esteco Old Vines Criolla (a base de antiguos viñedos salteños de mediados del siglo pasado), Vía Revolucionaria Criolla Grande (elaborado con uvas de parrales de Tupungato recuperados por Matías Michelini) y Vallisto Extremo Criolla, elaborado con uvas de Hualfín, Catamarca (a 2600 metros sobre el nivel del mar) por Pancho Lavaque y Marcelo Pelleriti. Los hermanos Durigutti presentaron también un varietal de cereza de la zona de Rivadavia, en Mendoza (el Cara Sucia Vino de Rivadavia), mientras que Santiago Mayorga eligió una criolla chica para su Cadus Signature Series de un viejo parral de Vista Flores.

ENÓLOGOS A DESTACAR 👉 Sebastián Zuccardi y Pancho Bugallo son pioneros en el rescate de cepajes antiguos de criollas y, junto a sus parejas y socias Nuria Año Gargiulo y Marcela Manini, comenzaron a trabajar en 2013 utilizando técnicas de elaboración ancestrales para su proyecto Cara Sur, nacido en el valle de Calingasta, San Juan, a más de 1500 metros sobre el nivel del mar. Allí tienen 18 hectáreas de viñedos de alrededor de ochenta años de vida, con variedades como torrontés sanjuanino, cereza, criolla chica, moscatel tinto y moscatel blanco. También es necesario mencionar a Ángel Mendoza, que en 2015 presentó el espumoso Paradigma Extra Brut en base a la cepa criolla patricia, a través de su bodega familiar Domaine St. Diego, ubicada en Maipú, Mendoza. Otra zona del mundo a destacar en la elaboración de cepajes criollos es Chile, donde se producen vinos de calidad a base de la uva país, que también recuperan siglos de tradición vitivinícola. Son en su mayoría vinos redondos, expresivos, de buen cuerpo y taninos suaves, con distintivas notas de pimientos y herbales.

CHENIN BLANC

SUPERFICIE PLANTADA EN ARGENTINA

1744

hectáreas, de las cuales el 85 % está en Mendoza, principalmente en la zona sur (San Rafael). San Juan cuenta con 200 hectáreas.

ORIGEN

☛ Es un cepaje oriundo de la región de Anjou en el valle del Loire (Francia), donde se la llamaba plant, d'Anjou en los siglos XV y XVI (y donde todavía se la conoce como pineau de la Loire). Más allá de los setenta y cinco sinónimos que registra el Vitis International Variety Catalogue, se cree que su nombre actual proviene del monasterio de Montchenin, en Touraine (valle del Loire), donde fue plantada con muy buenos resultados en el siglo XVI. Por esos años supo ser mencionada en sus textos por el escritor François Rabelais, nacido en esa misma zona, en la localidad de Chinon, quien dejó en claro que se trataba ya de una variedad bien establecida para esa época. Es una cepa antigua, cultivada desde el año 845. Estudios genéticos determinaron que desciende de la cepa savagnin y que sería hermana de la sauvignon blanc. A la Argentina llegó posiblemente durante el siglo XIX, cuando una colonia francesa la cultivó en la región de San Rafael, departamento que al día de hoy sigue siendo la principal zona productora de esta variedad en el país. En Cuyo se la confundió durante mucho tiempo con la pinot blanc, por similitudes morfológicas y de color en las uvas.

VARIEDADES

CARACTERÍSTICAS VITÍCOLAS ☛ es una cepa vigorosa y con excelente potencial enológico. Brota temprano, por lo que corre el riesgo de sufrir heladas de primavera y tiene un ciclo de maduración medio. Puede presentar maduración despareja en el viñedo; cobra importancia la selección de uvas en la cosecha para evadir el riesgo de mezclar uvas maduras con otras que no lo estén y que podrían aportar aromas vegetales. Es una variedad muy sensible al hongo de la botrytis, al oídio y a enfermedades de la madera. Respecto a la botrytis, en algunos casos se puede aprovechar esta característica para la elaboración de grandes vinos dulces. Es una planta de hojas plegadas y contorsionadas de medianas a pequeñas, con racimos medianos, compactos, de bayas medianas y algo alargadas de color amarillo-dorado.

PERFIL AROMÁTICO Y DE BOCA ☛ da vinos pálidos, aromáticos, delicados y ligeros, con buena acidez. Los vinos jóvenes y frutados de chenin tienen acidez alta y desarrollan notas a manzana verde o cítricas. Los vinos dulces elaborados a partir de viñedos afectados por la botrytis pueden presentar aromas muy intensos a frutas exóticas como el ananá, con una acidez elevada que compensa los altos índices de azúcar residual. Los vinos más delicados de chenin son longevos y desarrollan en el tiempo notas tostadas y a miel.

AFINIDAD ENOLÓGICA ☛ en la elaboración de vinos jóvenes se suelen usar recipientes inertes para la fermentación. En Francia se utilizan recipientes de madera usada que no impriman notas aromáticas. Algunos productores realizan la fermentación maloláctica y trabajan las lías con sucesivos *battônages* para aumentar el volumen en los vinos. En Francia, incluso en vinos secos, es frecuente encontrar unos gramos de azúcar residual.

AFINIDAD CON OTRAS VARIEDADES ☛ se la utiliza en varietales y cortes. En Argentina se la suele acompañar con chardonnay y torrontés riojano, también con semillón y, en menor medida, con ugni blanc.

ZONAS DEL MUNDO ICÓNICAS POR SUS PLANTACIONES ☛ los chenin blanc más famosos provienen del valle del Loire (Francia), con vinos que van desde secos, tranquilos o espumantes hasta dulces de cosecha tardías y botritizados, en apelaciones como Bonnezeaux, Quarts de Chaume, Vouvray, Savennières y Côteaux du Layon. Allí los vinos jóvenes recuerdan a manzanas verdes y angélica, pudiendo ser terrosos y minerales, mientras que los botritizados recuerdan principalmente a duraznos, ananá, almíbar e higos. En el Nuevo Mundo suelen presentar aromas más tropicales (banana, guayaba y ananá) con menos mineralidad. En Sudáfrica, donde se la conoce como steen, es la cepa emblemática y a la vez la más cultivada del país. Se la usa en varietales, como en cortes de vinos tranquilos y dentro del *blend* de los espumantes de calidad Cap Classique.

En Argentina esta cepa puede lograr muy alta calidad, dando vida a vinos pálidos, elegantes y de singular fineza. Es además utilizada como base de algunos espumantes.

VINOS QUE ABRIERON CAMINOS ☛ el Montechenot blanco de Bodega López (la cepa comenzó a mencionarse en la etiqueta desde el año 2020, pero este vino siempre fue 100 % chenin blanc); el Alfredo Roca Fincas Chenin Blanc y el Santa Julia Chenin Dulce Natural, que recientemente comenzó también a comercializarse en lata para lograr nuevas situaciones de consumo.

RIESLING

SUPERFICIE PLANTADA EN ARGENTINA

74
hectáreas, de las cuales 48 están en Mendoza, principalmente en la zona alta y el valle de Uco, 9 en San Juan, 6 en Salta, 3 en la costa bonaerense y 1,6 en Chubut.

ORIGEN

☛ Es una cepa muy antigua, probablemente originaria de la región de Rheingau, en Alemania, sobre la margen norte del río Rin, donde se elaboran algunos de los mejores exponentes de esta variedad. Se han encontrado lazos genéticos entre esta cepa y la gouais blanc, progenitora a su vez de las cepas chardonnay, gamay noir y furmint, entre otras. La cepa riesling ha sido luego utilizada en numerosos cruces, y así dio vida a variedades como müller-thurgau y scheurebe, entre las más conocidas.

Si bien se desconoce el momento exacto de cuándo la riesling llegó a la Argentina, se sabe que la Bodega Suter trajo sus primeras vides de riesling alrededor de 1910; también, que la Bodega Bianchi elaboraba blancos de esta cepa ya en 1928.

CARACTERÍSTICAS VITÍCOLAS ☛ es una cepa plástica, con vigor de medio a alto, muy resistente al frío y, en consecuencia, bien adaptada a ese tipo de clima. Brota en forma tardía (lo que le permite eludir las heladas de primavera) y tiene un ciclo de maduración medio. Es capaz de dar vinos de calidad aun con rendimientos relativamente altos. Es sensible al *millerandage* (flores que no fecundan por problemas de polinización que generalmente responden a factores climáticos y resultan en racimos más ralos), ligeramente sensible al oídio y al hongo de la botrytis, pero resistente al mildiu. La planta posee hojas orbiculares medianas, con racimos pequeños muy compactos y granos también pequeños, distribuidos uniformemente y de difícil desprendimiento. Presenta pieles de color verde pálido a verde intenso cuando hay sobremaduración.

PERFIL AROMÁTICO ☛ es considerada una de las cepas blancas de mayor valor enológico, aromática, capaz de dar tanto vinos ligeros para consumo joven como vinos excepcionalmente elegantes, expresivos, complejos y muy longevos. Dado que tiene la cualidad de adaptarse a distintos suelos y que expresa muy bien el terruño, puede dar vinos de carácter frutal, floral, mineral o especiado, de acuerdo a la región de donde provenga. Se caracteriza por una marcada acidez que, a veces, se suaviza al dejar azúcar residual. En climas frescos destacan las notas de manzana verde y cítricas, especialmente lima, mientras que en climas moderados se aprecian notas que recuerdan a las frutas de carozo, como damasco.

En Alsacia (Francia) y Alemania es una de las cepas utilizadas para elaborar grandes vinos dulces de cosecha tardía, que en ocasiones son afectados por botrytis, y presentan aromas a frutas tropicales, frutas secas y miel. Tanto en su versión seca como en los ejemplares dulces es una cepa que, con el tiempo en botella, puede desarrollar notas descriptas como petróleo y querosén que son muy apreciadas.

Es una variedad compleja y de difícil manejo en el viñedo, que durante años se confundió en Argentina con otras de menor calidad. Esta confusión hizo que se perdiera en nuestro país la percepción de su gran valor. Hoy eso está cambiando, con zonas de plantación que se concentran en las regiones más altas de Mendoza, también en las provincias patagónicas de Río Negro y Chubut, así como en la costa bonaerense, lugares donde climas más frescos resultan ideales para que esta cepa desarrolle sus mejores características.

AFINIDAD ENOLÓGICA ☛ se la utiliza tanto para hacer vinos secos como semidulces, dulces y muy dulces, incluso vinos botritizados, vinos de hielo (donde se deja que la uva se congele y así se deshidrate) y vinos de uvas pasificadas. No se la suele fermentar en roble nuevo y, en los casos en que se decida que esté por largo tiempo en contacto con la madera, esto se hace generalmente en grandes recipientes para beneficiarse de la microoxigenación, suavizándose y añadiendo complejidad, pero sin sumar los aromas típicos del roble.

AFINIDAD CON OTRAS VARIEDADES ☛ muy apreciada como varietal y con mucho carácter propio, en el mundo no suele participar en cortes con otras variedades; de todas formas, en algunas zonas del Nuevo Mundo se pueden encontrar *blends* con otras cepas aromáticas como la gewürztraminer. En nuestro país, Bodega Amalaya elabora en los valles Calchaquíes cortes de riesling con torrontés riojano en versiones seca, dulce y espumante.

ZONAS ICÓNICAS DEL MUNDO DONDE SE LO CULTIVA ☛ es la cepa más plantada en Alemania, donde produce vinos de alcohol más bien bajo y alta acidez. Destacan las zonas de Rheingau, Rheinhessen, Mosel y Pfalz. Allí elaboran riesling en todos los estilos: secos (identificados como trocken), semidulces, dulces y muy dulces (*auslese*, *beerenauslese* y *trockenbeerenauslese*). Hay grandes vinos dulces de cosecha tardía, incluso botritizados, de calidad comparable con los franceses de Sauternes, y vinos de hielo (*Eiswein*) elaborados con uvas que se cosechan congeladas, logrando mostos de gran concentración sin perder la frescura. Asimismo, es la cepa favorita para la elaboración de espumantes (llamados *Sekt*). En Austria la riesling es la segunda cepa más plantada, luego de la grüner veltliner. Se la utiliza para elaborar varietales que van de secos a muy dulces, entre los que se destacan los dulces de la zona de Neusiedlersee en la región de Burgenland. En Francia solo la región de Alsacia la incluye en su DO para vinos de calidad. Allí es una de las cuatro "cepas nobles" admitidas para producir los mejores vinos de esta zona (fincas identificadas como Grand Cru). Se destacan vinos secos de mayor cuerpo que los riesling alemanes y también excelentes vinos dulces de cosecha tardía (*vendange tardive*) y botritizados (etiquetados como "Selection de Grains Nobles", elaborados con los mejores granos de la cosecha). En Canadá es, junto con la cepa vidal, una de las más elegidas para la elaboración de vinos de hielo (*icewines*) de gran calidad. Se destacan las regiones de Ontario y British Columbia. En Australia se la cultiva en el sur de este país desde el siglo XIX, dando vida a excelentes exponentes secos en Eden Valley y Clare Valley, regiones con clima moderado por la altura. También elaboran excelentes vinos de cosecha tardía y botritizados.

VINOS QUE ABRIERON CAMINOS ☛ Humberto Canale Old Vineyard Riesling, un vino que se presentó a comienzos de la década de 2010, elaborado a partir de viñedos viejos de 1937 plantados en el Alto Valle del río Negro. También el Luigi Bosca Riesling Las Compuertas, de la Bodega Luigi Bosca, que elabora riesling varietal desde la década de 1970. Otros riesling que lograron que muchas bodegas y consumidores argentinos vuelvan a mirar a esta cepa como una de muy alta calidad son el Doña Paula Estate (esta misma bodega lanzó en 2020 el Altaluvia Riesling de viñedos de Gualtallary), el Viña Las Perdices (con una botella llamativa y uvas de Agrelo) y el Costa y Pampa, que explora esta variedad sobre la costa atlántica.

GEWÜRZ-TRAMINER

SUPERFICIE PLANTADA EN ARGENTINA

28
hectáreas, de las cuales 15 se encuentran en Mendoza y 7, en Chubut.

ORIGEN

☛ Se cree que es originaria de la región de Alsacia (Francia), donde se desarrolla en su máxima expresión, aunque su influencia se extiende a lo largo de los siglos por buena parte de la región alpina, incluyendo Italia (en particular Tirol del Sur, donde está la ciudad de Termeno, de donde proviene el término "traminer"), Hungría, Alemania y más. Se habría originado como consecuencia de una mutación de la cepa savagnin rose, teniendo la gewürztraminer el mismo color rosado en la piel, pero logrando vinos con una aromática mucho mayor que la anterior. La savagnin rose es, a su vez, una mutación de la savagnin blanc, cepa también llamada traminer en la zona del Tirol. *Gewürz* significa "especia" en alemán y el nombre de la cepa provendría justamente de esa cualidad aromática tan intensa y distinguible que posee, que la hace única y codiciada dentro del mundo del vino. El primer registro de su nombre completo es del año 1827, cuando Johann Christian Metzger la describe como una variedad particularmente rara de la zona de Rheingau. Se desconoce el momento exacto en que esta variedad llegó a la Argentina, si bien se sabe que hubo vinos que la utilizaban ya desde mediados de siglo XX.

VARIEDADES

CARACTERÍSTICAS VITÍCOLAS ☛ es una cepa vigorosa, pero de bajos rendimientos, de brotación temprana y maduración de corta a media. Es resistente al frío del invierno, pero sensible a las heladas de primavera. Es también sensible a la sequía, a la clorosis (deficiencia en la fotosíntesis por falta de hierro en el suelo) y al corrimiento (caída de flores por factores climáticos adversos, como viento o lluvia). Asimismo es susceptible a los hongos mildiu y botrytis, pero relativamente resistente al oídio. Al ser propensa a la botrytis, se la utiliza para producir vinos dulces en algunas zonas del mundo. La planta posee hojas pequeñas, redondas, con tres lóbulos y nervaduras con el inicio en color rojo. Los racimos son pequeños con bayas también pequeñas, de color rosado y piel más bien gruesa.

PERFIL AROMÁTICO ☛ es una cepa muy aromática que se adapta muy bien a zonas de clima fresco. Da vinos con notas a frutas tropicales como lichi (muy característica de esta cepa), durazno y maracuyá; flores como rosas, jazmines y azahares; y especias como clavo y pimienta. Son vinos, en general, de buen cuerpo, untuosos, que pueden tener alcohol de medio a alto y acidez de media a baja. En Alsacia (Francia) es utilizada para elaborar excelentes vinos dulces de cosecha tardía con potencial de guarda y gran complejidad.

AFINIDAD ENOLÓGICA ☛ si bien es utilizada para producir todos los estilos de vino (secos, semisecos y dulces), los más reconocidos de esta cepa son los dulces de cosecha tardía, algunos de los cuales son botritizados. Generalmente no se realiza fermentación maloláctica (es decir, se deja intacto el ácido málico que viene de la uva) para maximizar la frescura en el vino. No es una variedad asociada a la madera, pero con la evolución puede desarrollar aromas especiados gracias a la naturaleza misma de los compuestos organolépticos que posee la cepa.

AFINIDAD CON OTRAS VARIEDADES ☛ no es habitual que se vinifique en *blends,* aunque en algunas zonas del Nuevo Mundo se pueden encontrar cortes con riesling. En Argentina hay bodegas que elaboran vinos blancos de corte de cepas blancas (sauvignon blanc, viognier, pinot gris, chardonnay), en las cuales se suma la gewürztraminer para aportar sus particulares notas aromáticas.

REGIONES ICÓNICAS EN EL MUNDO DONDE SE LO CULTIVA ☛ en Alsacia (Francia) es una de las cuatro "cepas nobles" admitidas para producir los mejores vinos de esta zona (fincas identificadas como Grand Cru). Se destacan allí excelentes vinos dulces de cosecha tardía (*vendange tardive*) y botritizados (etiquetados como "Selection de Grains Nobles", ya que se seleccionan los mejores granos durante la cosecha).

VINOS QUE ABRIERON CAMINO ☛ Bodega La Rural (Rutini) fue pionera en la década de 1960 aprovechando algunas plantaciones de esta cepa ubicadas en Tupungato (valle de Uco) para elaborar vinos dulces; también, a partir de la década de 1970 comenzó a utilizarla para los vinos Viña San Felipe. En 1996 la bodega lanzó Rutini Gewürztraminer, el primer varietal seco de esta cepa con paso por barrica francesa nueva. Luigi Bosca, con plantaciones en Maipú desde mediados del siglo pasado, elabora varietales de esta cepa desde fines de los noventa. Se destaca Luigi Bosca Selección de Granos Nobles, el primer vino dulce varietal etiquetado de esta cepa en el mercado. Mucho más nuevo es el Blend de Blancas 2017 de Otronia, la bodega ubicada en una zona de clima extremo en Chubut, que se elaboró a partir de un corte comandado por gewürztraminer (60 %) junto con pinot gris y chardonnay (10 %).

BONARDA

SUPERFICIE PLANTADA EN ARGENTINA

18 153 hectáreas, que equivalen al 8 % del total de los viñedos del país. Es la segunda uva tinta más cultivada. Argentina es el lugar en el mundo que posee más superficie plantada de esta cepa, con la mayoría de los viñedos ubicados entre Mendoza (un 84 % de participación) y San Juan (un 12 %).

ORIGEN

☞ Durante muchos años fue difícil precisar su procedencia; se la creía emparentada con las cepas dolcetto y bonarda piamontesa, ambas comunes en el norte de Italia. Sin embargo, los estudios de ADN más recientes (2008) concluyeron que no tiene que ver con dichas variedades, sino que, en realidad, es genéticamente idéntica a la douce noir originaria de Savoie (Saboya), al este de Francia. También es llamada corbeau (que significa "cuervo") en el resto de Francia, dado el color profundo de los vinos que produce. En California también se encuentra plantada y se la conoce con el nombre de charbono.

CARACTERÍSTICAS VITÍCOLAS ☛ es vigorosa y productiva, de maduración tardía, se cuenta entre las últimas variedades que se cosechan en los viñedos. Por eso se adapta bien a zonas de clima cálido, donde se logra obtener buena maduración de azúcar y de compuestos fenólicos antes de que comiencen las temperaturas más frías. En Argentina destacan las plantaciones de la zona este de Mendoza, con un clima ideal para el desarrollo de este cepaje. Entre los departamentos de San Martín, Rivadavia, Santa Rosa y Junín, todos del este mendocino, suman unas 6000 hectáreas. Otras zonas donde su presencia es importante son San Rafael (1700 hectáreas) y Lavalle (con más de 2100 hectáreas). En los últimos años también se ha demostrado que con el cuidado adecuado puede desarrollar vinos muy interesantes en orígenes más altos y templados, como lo es el valle de Uco. La mezcla de bonarda de distintas regiones y alturas para elaborar vinos de complejidad es un recurso utilizado por algunos productores. Es una planta de hojas típicamente planchadas, con brotes coloreados y racimos medianos, compactos, con bayas redondas, de piel más bien fina que la hacen proclive a enfermedades criptogámicas (hongos).

AFINIDAD ENOLÓGICA ☛ se vinifica tanto sin madera como con crianza en barricas, dependiendo del estilo buscado. Puede trabajarse, por ejemplo, priorizando los altos rendimientos para producir vinos frutados, ricos en aromas, fáciles de tomar y con un medio de boca muy frutado, ideales para consumir jóvenes tanto en formato varietal como en diversos cortes. A la vez, trabajando el viñedo para lograr bajos rendimientos, se pueden obtener vinos intensos y complejos en nariz, con estructura en boca y gran capacidad de guarda, sobre todo cuando suman crianza en madera. Gracias a su elasticidad y al grosor de su piel, es utilizada en Argentina en procesos fermentativos con técnicas enológicas específicas (como la maceración carbónica) que permiten lograr vinos con mucho color, muy frescos y florales, atractivos para el consumidor. Dada la gran cantidad de hectáreas implantadas, coexisten en el país estilos muy diversos de bonarda que son únicos en el mundo, incluso con bodegas que elaboran espumantes varietales en base a esta cepa. Todo esto convierte a la bonarda argentina en una oportunidad enológica como representante del país en los mercados de exportación.

PERFIL AROMÁTICO Y DE BOCA ☛ da vinos intensos en color con aromas a rosas, a fruta roja como frutilla, ciruela y frambuesa, y algunas sutiles notas especiadas y herbales. En boca se repite la frutosidad y aparecen taninos que, en general, se perciben suaves y maduros, aunque los exponentes de zonas templadas de altura pueden presentar también taninos más apretados con vinos de mayor estructura.

AFINIDAD CON OTRAS VARIEDADES ☛ en nuestro país es muy utilizada en *blends* con malbec y en cortes con cepas bordelesas (cabernet sauvignon, merlot, cabernet franc), así como con syrah. Es una variedad muy bienvenida en cortes, a los que aporta muchas características buscadas en vinos contemporáneos, como su color profundo, la intensidad aromática y su frutosidad en boca.

HISTORIA Y PRESENTE ☛ a la Argentina esta bonarda llegó con las corrientes inmigratorias de fines del siglo XIX. Durante muchos años, incluyendo gran parte del siglo XX y hasta el boom del malbec que comenzó ya iniciados los años noventa, supo ser la tinta más plantada del país, y formaba parte de prácticamente todos los tintos que se elaboraban (aun cuando su nombre no figuraba en las botellas). Particularmente era el componente principal de los cortes etiquetados como "borgoña" argentinos que tanto se consumían en esa época (y que nada tenían que ver, ni en variedades ni en estilos, con la reconocida denominación francesa). En los últimos veinte años diversos vinos de alta calidad tomaron a la bonarda como protagonista en la búsqueda de instalarla como una posible sucesora o compañera del malbec en la exportación de vinos de la Argentina, una idea que aún varias bodegas y enólogos mantienen, si bien por ahora no dio los frutos esperados. A tono con esto, y aprovechando que es una cepa tinta de calidad que se da particularmente bien en la productiva zona este de Mendoza, en el año 2011 la Municipalidad de Gral. San Martín estableció como política de Estado el desarrollo y promoción de la bonarda argentina, en una asociación entre el municipio y productores que veían la necesidad de revalorizar la cepa. Dicho plan se relanzó en 2020.

VINOS QUE ABRIERON CAMINO ☛ a partir del año 2000, Roberto González, gerente enológico de Nieto Senetiner, comenzó a elaborar varietales prémium de bonarda provenientes de un viñedo de Agrelo que ya en ese momento tenía más de treinta años de antigüedad. Nieto Senetiner Edición Limitada Bonarda se convirtió en una etiqueta con varios reconocimientos a nivel internacional y marcó un rumbo que fue seguido más tarde y, hasta la fecha, por numerosos productores. Actualmente otros dos bonarda que también marcan posibles rumbos para esta cepa son El Enemigo Bonarda (de la Bodega Aleanna, conducida por Alejandro Vigil y Adrianna Catena) y Emma (de Familia Zuccardi).

MERLOT

SUPERFICIE PLANTADA EN ARGENTINA

3858 hectáreas, que equivalen al 1,8 % de los viñedos del país. Alrededor del 70 % de las plantaciones se encuentran en Mendoza. En esta provincia, más del 30 % está en el valle de Uco.

ORIGEN

☞ La merlot proviene del sudoeste de Francia. Su nombre se relaciona con el del mirlo (*merle* en francés), pájaro de plumaje negro que se alimenta de sus granos en la zona de origen. Según estudios genéticos, es descendiente del cruzamiento natural entre la cepa cabernet franc y una cepa prácticamente extinta llamada madeleine noir des charentes, y es "medio hermana" de las cepas cabernet franc y malbec. Pertenece a la familia de las carmeneres. Se cree que llegó a la Argentina a fines del siglo XIX, junto a otras variedades francesas.

CARACTERÍSTICAS VITÍCOLAS ☛ es vigorosa, de brotación temprana y ciclo madurativo medio, que puede acortarse o alargarse de acuerdo a la zona de cultivo. Conserva su acidez y equilibrio tánico tanto en climas frescos como templados. Es sensible a los hongos mildiu y botrytis y bastante resistente al oídio. Si bien la pueden afectar las heladas de primavera y la sequía, se adapta bien a distintos tipos de suelo. La planta tiene hojas redondas y pentalobadas, el racimo es suelto y alargado, con bayas pequeñas y uniformes de color bien oscuro. Tiene hollejo grueso.

PERFIL AROMÁTICO Y DE BOCA ☛ produce vinos tintos de cuerpo y taninos medios, con una acidez menos pronunciada que los de cabernet sauvignon, con aromas frutados. Puede presentar desde notas de frutos rojos, como frutilla y frambuesa, pasando por las especiadas, como canela y clavo de olor, hasta un perfil más tostado de tabaco y regaliz. En climas templados presentan un perfil más maduro, mientras que en climas fríos aparecen las notas a hierbas. Permite elaborar vinos de guarda, así como también otros para ser disfrutados jóvenes, con el atractivo de su textura aterciopelada. Por su equilibrio y delicadeza suelen describirse como vinos elegantes.

AFINIDAD ENOLÓGICA ☛ diversos estudios han confirmado el beneficio de la maceración prefermentativa en frío para destacar los aromas y sabores frutados que da esta cepa. Se adapta bien a la crianza en madera, que ayuda a redondear al vino, otorgando complejidad de aromas tostados y especiados que se integran a los frutados y herbales que provienen del viñedo.

AFINIDAD CON OTRAS VARIEDADES ☛ es, junto con la cabernet sauvignon, la combinación clásica de los vinos de Burdeos, en los que esta cepa aporta fruta, elegancia y redondez a la estructura y potencia de su compañera. En Argentina, son comunes los cortes con malbec, con malbec y syrah y, asimismo, con cabernet sauvignon y malbec, en cortes de estilo bordelés.

REGIONES ICÓNICAS EN EL MUNDO ☛ en Burdeos (Francia) está siempre presente en los cortes con cabernet sauvignon y con cabernet franc; es especialmente muy plantada sobre todo en la margen derecha del estuario del Gironda, donde a la cabernet sauvignon le cuesta madurar por el clima más fresco de la zona. Destacan los vinos de Pomerol, donde incluso se elaboran grandes exponentes varietales, como el famoso Château Petrus. Hay también merlot de mucha calidad en el Friuli italiano, donde muchas veces se lo combina con la sangiovese.

La merlot está presente en todo el Nuevo Mundo vitivinícola, acompañando a la cabernet sauvignon. En Estados Unidos esta cepa vivió diversas etapas: hasta el 2000 creció de manera impactante en el Napa Valley californiano, convirtiéndose en un varietal muy popular pero de calidad decreciente. Esto llevó a una saturación del mercado que provocó el reemplazo de la merlot por la pinot noir. Este cambio de tendencia contagió a gran parte del Nuevo Mundo. A pesar de esto, en países como Estados Unidos, Chile, Sudáfrica y Oceanía se siguen produciendo muchos vinos merlot de calidad.

En Argentina la superficie de cultivo de merlot cayó más de un 30 % en las últimas dos décadas. Hoy se produce principalmente en el valle de Uco, en parte de la zona sur (San Rafael) y en la zona alta del río Mendoza (Maipú y Luján de Cuyo). Otra zona privilegiada para este cepaje es el Alto Valle del río Negro, donde la cepa se beneficia de la humedad que aporta el caudal del río. Hay en esa región vides antiguas de las que se obtienen vinos profundos y brillantes, con aromas complejos de frutos negros y especias y gran potencial de guarda. Y también tiene buena presencia en Neuquén (San Patricio del Chañar), donde aprovecha las características del clima patagónico.

VINOS QUE ABRIERON CAMINOS ☛ el enólogo Mariano Di Paola es uno de los grandes defensores y promotores de la merlot en Argentina, y entre otros vinos demuestra su pasión a través del Rutini Merlot. En la Patagonia, el Marcus Gran Reserva Merlot de Humberto Canale muestra las bondades del Alto Valle del río Negro para esta cepa, mientras que Los Stradivarius de Bianchi Merlot hizo lo propio con la merlot de San Rafael.

TORRONTÉS

SUPERFICIE PLANTADA EN ARGENTINA

7700

hectáreas, que representan el 3,5 % del total del país. Mendoza cuenta con el 45 % de los viñedos de torrontés riojano, La Rioja el 26 %, Salta el 12 %, San Juan el 10,5 %, Catamarca el 4,4 %. El noroeste argentino suma así más del 40 % de la variedad.

ORIGEN

☛ La cepa torrontés riojano proviene del cruzamiento natural en el viñedo entre la criolla chica (también llamada uva negra o uva país en otros países de Latinoamérica, y mission en Estados Unidos) y la cepa moscatel de Alejandría (antiguamente llamada uva italia). Este cruzamiento se produjo en nuestro país hace varios siglos, ya que las dos cepas mencionadas fueron de las primeras en llegar a América de la mano de los conquistadores (la criolla chica) y luego, junto con los jesuitas (la italia), entre los siglos XVI y XVII. Se cree que la torrontés nació así entre fines del siglo XVIII y principios del XIX.
Es necesario tener en cuenta que la cepa torrontés mendocino (también conocida como chichera) y la torrontés sanjuanino (llamada moscatel de Austria en Chile) son variedades distintas aunque emparentadas, con características aromáticas y cualitativas diferentes a la torrontés riojano, y que actualmente se utilizan principalmente para

elaborar vinos en cortes con otras variedades. Más allá de su nombre, estas denominaciones (riojano, sanjuanino, mendocino) no hacen referencia al lugar donde se cultiva, ya que las tres pueden encontrarse en diferentes zonas vitivinícolas del país, desde el sur patagónico hasta el extremo norte. De todas maneras, un 80 % del torrontés cultivado en Argentina corresponde a la variedad riojano.

PRESENTE

☛ Junto con la malbec, la torrontés es considerada la segunda cepa emblemática de la Argentina, con la diferencia de que esta última es autóctona de este país (mientras que la malbec proviene originalmente de Francia). Es parte de la historia y cultura del vino nacional, y da vida a vinos blancos tradicionales, esos que se popularmente se bebían (y aún se beben) con hielo en los asados familiares o junto a una picada, pero también, a nuevas etiquetas con una mirada contemporánea, que logran mayor complejidad y elegancia. Con viñedos de alto rendimiento, sus números demuestran la importancia que esta cepa tiene dentro de la producción argentina. La torrontés es la sexta variedad más producida en el país; es, a la vez, el quinto vino varietal más exportado (entre las cepas blancas ocupa nada menos que el segundo lugar, después de la chardonnay). Y si bien la mayoría de los viñedos de torrontés se encuentran en Mendoza (por ser la principal región vitivinícola del país), su importancia relativa es muy marcada en el noroeste argentino. En La Rioja, por ejemplo, la torrontés ocupa nada menos que el primer puesto de producción (triplicando en importancia a cualquier otra variedad); y en Salta ocupa un segundo puesto detrás de la malbec. Justamente de las alturas de Salta (en su mayoría de Cafayate, pero también de Molinos, Cachi y más regiones) provienen hoy muchos de los vinos torrontés de mayor prestigio en el país.

PERFIL AROMÁTICO ☛ es una variedad terpénica; sus descriptores recuerdan a los moscateles y a la flor de azahar, tilo, flor de jacinto, rosa, melón, pomelo rosado, banana, durazno, manzana verde, orégano, cáscara de naranja, miel y manzanilla.

AFINIDAD ENOLÓGICA ☛ es una variedad muy plástica, que se ha adaptado muy bien a diferentes regiones (especialmente a las zonas más cálidas) y que permite obtener vinos de estilos muy distintos, tanto tranquilos como dulce natural, espumantes, gasificados y cosecha tardía.

AFINIDAD CON OTRAS CEPAS ☛ en su mayoría se lo vinifica como varietal (así es el 85 % de los torrontés que se producen en el país), aunque también existen cortes con chardonnay, chenin, viognier y moscatel rosado.

CARACTERÍSTICAS VITÍCOLAS ☛ es una cepa vigorosa, productiva y de maduración temprana. La planta de torrontés riojano se caracteriza por sus hojas grandes, contorsionadas y gruesas. Sus racimos son grandes, sueltos, cónicos, alargados, de granos esféricos y color amarillo dorado. Generalmente se elige el sistema de parral para su conducción.

Sus racimos precisan el equilibrio justo entre sol y sombra para lograr buena madurez sin obtener sabores quemados o un retrogusto amargo.

UN VINO QUE MARCÓ LA HISTORIA ☛ Nacarí, un torrontés riojano de La Rioja, fue premiado en Vinexpo, en Burdeos, en el año 1987. Fue un hecho inolvidable que le dio un gran empujón a la variedad. Ese concurso marcó también el lanzamiento de torrontés y malbec como las dos cepas emblemáticas de la Argentina.

ENÓLOGO A DESTACAR ☛ en la actualidad una de las grandes autoridades en cuestiones de torrontés es José Mounier, propietario de Finca Las Nubes en Cafayate, asesor de muchas bodegas en cuanto a técnicas de elaboración de los varietales a base de esta cepa. También destaca Susana Balbo, reconocida por muchos como la "dama del torrontés"; ella no solo fue pionera en destacarlo como varietal mientras trabajaba en Salta, sino que actualmente, en su bodega propia, presenta diversas etiquetas de torrontés, tanto cafayateñas como mendocinas, que logran grandes reconocimientos y premios.

TRADICIÓN E INNOVACIÓN

Todo enólogo lo sabe: cada añada, cada cosecha, cada nuevo vino que elabora no son más que escalones que forman una escalera infinita, la de una industria en evolución. No se trata tan solo de honrar a los miles de vinos elaborados en el país en los últimos cinco siglos, sino de pensar lo que surgirá en los próximos cien años. Es un recorrido zigzagueante, que atraviesa toneles y barricas, huevos de concreto y vasijas de barro; implica una mirada sobre la sustentabilidad, la producción orgánica y la biodinamia, desde el trabajo de los pequeños productores hasta el de las grandes bodegas. Es, en suma, la industria del vino en Argentina, que desde su tradición centenaria apuesta a un futuro que siempre debe ser mejor.

El recorrido del vino en Argentina, su pasado y presente, muestra cómo este país vive desde hace más de un siglo entre la tradición de una bebida histórica y la innovación de la tecnología, entre los cambios en los consumos y el modo de pensar una vitivinicultura en un contexto global. No es casual que muchos consideren a la Argentina como una mezcla híbrida entre el Viejo y el Nuevo Mundo del vino. En materia de vinos se puede decir que este país tiene un pie de cada lado del Atlántico. Es "nuevo mundo" porque el vino comenzó su historia en Argentina hace "apenas" quinientos años, con la conquista europea. Pero el modo de consumo (tiene más de 20 litros per cápita, el vino en este país es parte de la mesa diaria) y el modo de cultivo (tiene más de 20 000 fincas distribuidas en todo el país, con un tamaño promedio de menos de 10 hectáreas) son similares a los que muestran países como Francia, Italia o España. ¶

En línea con esta dicotomía entre tradición y modernidad, respondiendo a la tensión que genera un importante mercado interno junto con exportaciones crecientes, el vino vivió en Argentina diversas revoluciones, modificando estilos, variedades y lógicas. Es una evolución que sigue en movimiento, con una industria comandada por nuevas generaciones de bodegueros, empresarios y enólogos que avanzan sobre su propio pasado. No es un camino lineal, sino que incluye retrocesos, éxitos, modas pasajeras y tendencias a largo plazo. Se suele decir que el vino está vivo, que sigue cambiando en la botella, que evoluciona, mejora o incluso empeora. Esa analogía va más allá: el vino, también como industria, como herencia y futuro, está vivo, siempre en evolución. ¶

EL ROBLE: UNA RELACIÓN PENDULAR

Una de las revoluciones que vivió el vino en las últimas décadas tuvo que ver con el uso de la madera. En su historia, que se remonta al Imperio romano, los barriles surgieron primero por un aspecto práctico, como contenedor ideal para guardar y trasladar el vino de un lado al otro sin los riesgos de rotura que significaban los recipientes de arcilla y con la ventaja extra de que se los podía hacer rodar sobre la superficie. El azar mostró también que el contacto con la madera generaba cambios en la bebida: se modificaba el color y se suavizaban asperezas, y de esta forma se obtenían aromas, particulares y bienvenidos, a especias dulces y tostados. El conocimiento crecía por prueba y error. Así, la barrica comenzó a utilizarse en la producción de muchos de los mejores vinos del mundo, experimentando variedades de árboles (acacias, cerezos, castaños, robles), tipos de tostado, tamaños de barril. Con el tiempo, el roble europeo (*Quercus petraea*) y el roble americano (*Quercus alba*) se impusieron al resto. Recién a finales del siglo XX se comenzaron a comprender los complejos fenómenos químicos que ocurrían en esa crianza del vino dentro de toneles y barricas. Se lograron aislar en laboratorio los compuestos aromáticos del roble, se estudió el aporte de taninos de la madera al vino y se comprobó el lento proceso de microoxigenación que se da dentro de una barrica. ¶

En la Argentina del siglo pasado la norma de calidad estaba impuesta por los toneles, unos enormes recipientes de roble que solían comenzar en los 10 000 litros de capacidad y que en muchos casos superaban incluso los 50 000. Importados durante las primeras décadas del siglo XX, su tamaño era tan imponente que venían desarmados: las duelas llegaban en barcos desde Europa junto con los toneleros que luego les daban la forma final directamente en la bodega. Estos toneles, testigos de una época, se pueden ver al día de hoy en exposición, por ejemplo en los museos de La Rural en Mendoza y de Graffigna en San Juan. E incluso unas pocas bodegas los siguen utilizando, como sucede en los casos de López y de Weinert, dos apellidos icónicos del vino nacional. ¶
Con esos toneles, que se usaban año tras año sin descanso, reparándolos cuando se rompían, se buscaban los aromas terciarios logrados por el largo tiempo de guarda, en esa lenta oxigenación de vinos que pasaban cinco, diez y más años dentro de estos generosos recipientes. Eran vinos de colores terrosos, en los que la fruta o la pureza varietal no eran las características buscadas. Pero durante la década de 1990 todo esto cambió: con la apertura de los vinos argentinos a los mercados de exportación –y la consiguiente necesidad de adaptarse a las preferencias globales–, el tonel fue dejado de lado, sustituido por la barrica de 225/228 litros de roble francés y americano. No solo se trataba de un cambio en el tamaño, sino principalmente de la mirada enológica. Se comenzó a trabajar con menores rendimientos en los viñedos, cosechando las uvas con mayor maduración. Las barricas eran nuevas, con tostados intensos. Su menor tamaño (que lograba una mayor relación de contacto entre el líquido y la madera), sumado al roble todavía virgen, producía efectos inmediatos en el vino, que rara vez pasaba en la barrica más de dos años. ¶
"La nuestra fue la primera importación de madera en Argentina en más de cincuenta años", recuerda José "Pepe" Galante, que por ese entonces era el enólogo principal de la Bodega Catena Zapata. "En 1990 compramos 67 barricas de la tonelería Taransaud pensadas para el cabernet sauvignon y 67 de François Frères para el chardonnay. De ahí salieron las primeras cosechas del Catena Reserva", continúa. En palabras de Galante, la política cambiaria de los años noventa permitió a las bodegas incorporar muchas de las tecnologías que en ese momento usaban los principales productores del planeta, incluyendo líneas de embotellado, medidores de oxígeno, filtros, bombas de calidad, tanques de acero y, también, las conocidas barricas de roble. "La gran pregunta que nos hacíamos era saber si Argentina podía hacer vinos de calidad. La barrica sirvió como un condimento esencial para compararnos y mostrarnos al mundo. Luego, cuando confirmamos nuestro potencial, empezamos a ser más cuidadosos en el uso del roble. Pasamos de vinos con 200 % de roble nuevo (doce meses en una barrica nueva y luego otros doce en otra barrica también nueva) a usar la madera de manera más reflexiva". ¶

En esos primeros años el éxito de la barrica fue abrumador: las exportaciones crecían de a dos dígitos, y grandes críticos globales daban altos puntajes a vinos repletos de aromas a madera. Para la categoría de tintos ultraprémium se solía utilizar además la técnica de la sangría (mosto previo a la maceración y/o fermentación, que logra una mayor relación líquido-hollejo), que permitía obtener vinos negros e intensos. ¶

Para vinos de precio medio, que no podían afrontar el costo de una barrica y el tiempo de añejamiento, se recurrió a modos alternativos que permitían también obtener algunos de sus aromas de manera más rápida y económica. En 2008 el Instituto Nacional de Vitivinicultura (INV) autorizó, por ejemplo, el uso de duelas y chips de roble que se colocaban en los tanques de vino. El roble y los aromas a vainilla, caramelo y café estaban de moda; su omnipresencia era tal que pronto comenzaron a surgir algunas voces críticas, que se enfrentaban a tostados fuertes, al uso de barricas nuevas, a la sobreextracción y a las cosechas cada vez más maduras. Para estas voces, este camino eclipsaba lo que debía provenir en realidad del viñedo. ¶

"A finales de la década de 1990 era enólogo en Luigi Bosca", cuenta Mauricio Lorca. "Allí comencé a investigar sobre el comportamiento de polifenoles en el manejo de viñedos. Entendí que las uvas con mucha concentración de polifenoles tenían también una concentración alta de color y de expresión en boca y nariz, con un claro perfil varietal y de terruño. En esa época muchos creían que el vino podía ganar polifenoles estando en la barrica, pero era un error conceptual: el vino es una solución hidroalcohólica y tiene una capacidad máxima de disolver cosas, entre ellas los polifenoles, el color y todo lo que da el carácter de la uva. Era posible lograr uvas ya saturados desde el viñedo, que no precisaban de nada más. Y esto se traducía en la posibilidad de mostrar una cara distinta de Argentina, en un momento en que se puntuaban alto los vinos sobremaduros y con mucha madera. Ya en mi viñedo propio, en 2003, hice mi primera producción con este objetivo en mente: así salió el Mauricio Lorca Ópalo, un vino de alta gama que no había pasado por la barrica. Era llevar al consumidor lo que daba la naturaleza". ¶

Más allá de la barrica. Ese es el camino que recorre el vino actual. "La industria del vino en Argentina está en un momento muy interesante: hoy hay una libertad y un espacio para la creatividad que no existían hace apenas veinte años", asegura Iduna Weinert, de la reconocida Bodega Weinert. "Es una industria en ebullición donde la investigación y el desarrollo han impulsado no solo a experimentar con más, menos o nula madera, sino también a extender las fronteras geográficas de los viñedos, además de probar nuevos varietales, nuevas formas de conducción y nuevas formas de vinificar. Lo que se busca es el protagonismo de la materia prima", continúa. ¶

En Weinert, por ejemplo, utilizan actualmente toneles de 2000 a 6000 litros de roble francés del bosque de Nancy, y están sumando nuevos toneles de 6000 a 8000 litros de roble francés del bosque de Allier. También, para su línea de vinos Montfleury (de viñedos del valle de Uco) incorporaron pipones de 500 litros de roble francés de Allier para los tintos, y del Jura para el chardonnay. "Los toneles de más de 2000 litros le permiten al vino redondear y pulir taninos sin perder peso o estructura en boca, mientras que el aporte aromático luego de muchos usos tiene que ver con aromas secundarios como el sándalo, resina y cedro. No nos interesa el aporte primario de la madera, como la canela, el tostado o la vainilla". Ya lejos quedó la omnipresencia del roble: el vino en Argentina se permite jugar con distintos recipientes, tanto para las fermentaciones como para la guarda posterior. Ahí están los tanques de concreto, algunos recubiertos con epoxi, otros al natural. Se suman los tanques de acero de distintos tamaños, los huevos de cemento, las vasijas de cerámica, las ánforas de barro, además de barricas, fudres y cubas que van de 225 a más de 5000 litros. "Los argentinos somos algo pendulares, vamos de un extremo a otro con facilidad", dice Pepe Galante. "Del enamoramiento de la barrica muchos pasaron a ser antimadera, pero varios de ellos hoy la redescubren como algo maravilloso. El tema siempre es el equilibrio: cada vino precisa la madera que le corresponde, y esto tendrá que ver con su estilo, la cosecha, la región, y también con el propio roble, su secado, el origen del bosque, la tonelería, el tostado. Son muchas las opciones que están sobre la mesa". ¶

LA REVOLUCIÓN DE LOS BLANCOS

Un viaje en el tiempo: hace apenas cuarenta años, Argentina era un país dominado por los vinos blancos. Eran otros tiempos, era otro el modo de consumo, otras las variedades y los rendimientos buscados. El vino se consumía en los almuerzos y en las cenas, servido en vasos generosos con abundante hielo, particularmente en los calurosos veranos del hemisferio sur. Los números lo demuestran: por esos años el consumo anual per cápita podía superar los 80 litros por año, de los cuales más de un 70 % eran vinos blancos sin mención varietal, a base de cepas como torrontés riojano, pedro giménez, ugni blanc, también la semillón y algunas criollas. Los viñedos se trabajaban con el objetivo de lograr más cantidad de kilos, despreocupándose de la calidad organoléptica de las uvas. Luego, en la elaboración en bodega, en la mayoría de las fermentaciones se oxidaba por falta de tecnología y de controles de temperatura. "Elaborar un vino tinto es siempre más fácil, a grandes rasgos precisás una descobajadora, cualquier tipo de prensa y listo. En cambio, un buen blanco requiere de mucha más tecnología; ya desde el viñedo la uva es más delicada, la cosecha debe ser cuidadosa y en la bodega son necesarias herramientas tecnológicas de calidad, con prensas neumáticas, capacidad de frío, uso de gases inertes...", explica Fernando Losilla, enólogo de Las Perdices, una de las bodegas que desde sus inicios en 2006 apostó fuerte por las variedades blancas y rosadas. ¶

De esa producción que se daba en las últimas décadas del siglo XX, en la Argentina actual los números son opuestos. Como si fuese un espejo del pasado, ahora casi un 80 % del consumo interno es de vinos tintos y apenas el 20 % restante se reparte entre blancos y rosados. Este cambio radical se comenzó a dar a partir de 1990. En ese momento, en especial por la caída en el consumo local, las bodegas líderes comenzaron a dirigir la mirada a la exportación, mejorando la tecnología y cambiando los modos de vinificación y los estilos de vino buscados. "Vivimos una reconversión de la industria: se sacaron muchas cepas tintas de baja calidad para implantar mejores variedades, y eso nos permitió lograr una oferta homogénea y pareja en cuanto a calidad, personalidad de vinos, aromas. Pero ese cambio no se produjo en los blancos. Es una deuda pendiente: nuestra actividad vinícola debe entonces rediseñar los viñedos de variedades blancas, priorizando las que tienen mejor demanda para adaptarnos a los cambios que se ven en la gastronomía de nuestro país y del mundo, con comidas más livianas y refinadas. Es una cocina que demanda rosados y blancos. Pensemos que Argentina exporta el 87 % de los vinos tintos, cuando en el mundo el consumo se divide 50 % y 50 % entre blancos y tintos. Esto nos muestra que estamos perdiendo una gran oportunidad de negocios", dice la enóloga y bodeguera Susana Balbo, una de las grandes productoras argentinas de vino blanco de calidad. ¶

No son pocos los que vaticinan que la situación actual está cambiando: en los últimos años los blancos viven su propia revolución, con grandes y premiadas etiquetas que demuestran un posible camino a seguir. No solo resurgió la cepa emblemática del país, la torrontés riojano, ahora bajo nuevos paradigmas de elaboración (que priorizan menores rendimientos, con cosechas más tempranas y un trabajo meticuloso en el viñedo para proteger la fruta del sol intenso), sino que además comenzaron a proliferar varietales como chardonnay, también semillón (muchas veces de viñedos viejos), sauvignon blanc y otros, capaces de competir en precio y en calidad con los tintos más conocidos. "Cada vez veo vinos blancos mejor hechos, vinos atractivos que la gente elije y que rotan en la góndola", asegura Losilla. En Las Perdices, por ejemplo, este enólogo elabora hasta un 40 % de vinos blancos, incluyendo cepas tan disímiles como sauvignon blanc, riesling, viognier, pinot grigio, torrontés, chardonnay, albariño, gewürztraminer y más. "Comenzamos con los blancos en 2006, imaginándolos como una estrategia de diferenciación en la exportación, para que se sumen a nuestro malbec. Por eso elegimos la pinot grigio, que era muy buscada en Estados Unidos. Pero la realidad luego nos demostró que había una gran demanda en el mercado local. Hoy vendemos el 70 % de nuestros vinos blancos en Argentina", explica. ¶

TRADICIÓN E INNOVACIÓN

El recorrido de los vinos blancos en la actualidad se emparenta al que comenzaron los tintos hace ya treinta años. Cada año se suman bodegas que experimentan con variedades y terruños, priorizando el cuidado de la viña y optimizando puntos de cosecha, poda y deshojes. Este trabajo se traslada luego a la elaboración, donde se busca mantener las características logradas en el viñedo. ¶

"Le puse mi nombre a nuestro mejor vino blanco, justamente para mostrar que los argentinos podemos elaborar blancos de alta gama sin tener que envidiar nada de lugares como Borgoña o Chablis, en Francia. Hoy conocemos los suelos y el clima necesarios para que un vino blanco argentino alcance su máxima expresión, para elaborar etiquetas que se pueden guardar en el tiempo", explica el reconocido enólogo Walter Bressia. "Es verdad que aún la exportación de blancos no es tan fluida como la de tintos. Falta para que el mundo sepa esto, para que nos demanden estos vinos, pero tenemos el potencial. Los vinos blancos serán una tendencia en aumento. Recuerdo cuando hice mi primer blanco de alta gama, el Lágrima Canela: al principio se vendía poco, siempre iba detrás, acompañando a los tintos. Ahora es al revés, me piden primero el Lágrima Canela y luego los tintos que lo acompañan", culmina. ¶

Un breve repaso por los vinos blancos argentinos muestra una escena diversa, con opciones en distintas gamas de precio provenientes de todo el país, desde etiquetas económicas, frutadas y fáciles de beber hasta otras que buscan expresar las condiciones de su terruño a través de la textura y sus aromas, cosechando altos puntajes de parte de los críticos más reconocidos. Un breve listado puede incluir etiquetas como White Bones y White Stones del Viñedo Adrianna de Catena Zapata, Susana Balbo White Blend, Walter Bressia Grand Blanc, Grand Vin Blend de Blanchard & Lurton, Riccitelli Old Vines Semillón, Zuccardi Fósil de San Pablo, La Linterna Chardonnay de Bemberg, Ver Sacrum Geisha de Jade, Rutini Apartado Chardonnay, Diamandes Grand Reserva Chardonnay, Paradoux Blend de Alandes, Terrazas de los Andes Grand Chardonnay, Colomé Altura Máxima Sauvignon Blanc, La Primera Revancha Chenin Blanc, Otronia III & IV Chardonnay, El Enemigo Semillón y Chacra Chardonnay, entre otros. Dentro del torrontés destaca el trabajo renovador que están haciendo bodegas como Susana Balbo (con su Torrontés de Raíz), El Esteco (con su Old Vines), Colomé o El Porvernir (con el Laborum de Finca El Retiro), por dar unos pocos ejemplos. ¶

"Cuando hay calidad, hay mercado", dice Susana Balbo. "Nosotros vendemos un 40 % de blancos y rosados contra un 60 % de tintos, tanto en el mercado interno como en el externo. Si uno tiene productos innovadores, que logran complejidad a través de un *blend* o por la identidad varietal, hay un consumidor que los compra. En el país tenemos los terruños y la tecnología necesaria, falta la decisión del enólogo, de la bodega, para que cada vez sea mayor la oferta. Todavía queda mucho por hacer. La torrontés puede ser nuestra cepa bandera. Eligiendo los clones correctos y trabajándola bien, es una cepa 360°: da excelentes cosechas tardías, es maravillosa cuando se la fermenta en barriles, es fantástica como parte de cortes y es ideal para elaborar vinos de bajo alcohol, gracias a su alta concentración de aromas. Incluso me gusta como propuesta de jugos naturales para los que no beben alcohol. Luego tenemos zonas en la montaña ya identificadas, como Gualtallary, Pampa El Cepillo, San Pablo y Los Chacayes, que son excelentes para variedades blancas: en ellas podemos trabajar el concepto de viñedos de altura para sauvignon blanc, semillón, chardonnay, el mismo torrontés, pensando en ciclos cortos y cosechas más tempranas, que dan vinos terriblemente complejos. Vinos con perfiles aromáticos que van por lo cítrico, por la mineralidad, por lo herbáceo y con notas florales que los hacen únicos. Estoy convencida de que Argentina puede hacer una revolución en vinos blancos, orgánicos y biodinámicos, con aromas de uvas maduras y menos contenido de alcohol que otras zonas del mundo", culmina esta enóloga. ¶

UN PAÍS BURBUJEANTE

Cada año se producen en el mundo unos 2000 millones de litros de espumosos, en una categoría claramente liderada por Italia (con sus prosecco y otras denominaciones de origen controladas –DOC–), Francia (con su Champagne), Alemania (con el *Sekt*) y España (con su cava). Argentina está lejos de ese podio; pero aun así, con poco más de 40 millones de botellas producidas al año, muestra un mercado interno dinámico y sediento de novedades. Hoy las bodegas locales producen espumosos de todo tipo y precio, de dulces a secos, con base de variedades clásicas como pinot noir y chardonnay, pero también con chenin blanc, semillón, pedro giménez, torrontés, malbec, bonarda y otras. Hay espumantes blancos, rosados y tintos; algunos se elaboran según el método tradicional (con una segunda fermentación en la misma botella), otros lo hacen en grandes tanques cerrados (charmat), y se suman los pét-nat, antiguo método que implica una única fermentación en la botella. Muchos espumosos priorizan la fruta fresca e impetuosa; otros, en cambio, buscan los aromas complejos que otorga el largo contacto del vino con las levaduras. Incluso en los últimos años surgió una nueva categoría de espumosos que suman otras materias primas además de la uva, compitiendo ya en el terreno de los aperitivos y los cócteles. ¶

"Los espumosos de Argentina viven un gran momento, con un futuro promisorio. No solo tenemos las mejores herramientas (variedades, el saber hacer, la tecnología), sino además grandes terruños que seguimos conociendo año tras año, puliendo los vinos bases con expresiones cada vez más precisas y propias", asegura Hervé Birnie-Scott, el enólogo francés que dirige Chandon Argentina. "Las degustaciones comparativas con espumantes de las mejores regiones del Viejo y del Nuevo Mundo, así como los *ratings* y concursos, confirman lo que digo. ¿Quién hubiera dicho que Argentina iba a recibir en el Champagne and Sparkling World Championship (CSWC) el premio al Mejor Espu-

mante Rosado Brut del mundo con nuestro Chandon Rosé, ganándole incluso a todos los Champagnes franceses? Y lo mejor es que seguimos evolucionando como país, tanto en espumantes jóvenes, con intensidad de fruta y bocas amplias y sedosas, como en espumantes de larga guarda sobre levaduras, gracias a terruños de altura en Mendoza, como el que tenemos en El Espinillo, en Gualtallary, a 1650 metros sobre el nivel del mar, un lugar de clima frío (Winkler 1) que permite obtener vinos bases de perfil aromáticos y equilibrios naturales ideales para ese extenso contacto con las lías", continúa. ¶ La palabra de Chandon es clave en este tema: esta bodega fue responsable de muchos de los grandes cambios que vivió el espumante en Argentina en los últimos setenta años. Fue en 1960 que la casa de Champagne Moët & Chandon eligió Mendoza como primer destino donde elaborar vinos espumosos fuera de Francia, algo que por ese momento era revolucionario. A lo largo de su historia, Chandon modificó el modo de beber espumantes en el país: creó categorías locales como el extra brut, fue también la primera en lanzar una botella de 187 mililitros, innovó el mercado con su espumante dulce (Delice), diseñado para ser bebido con hielo y *garnish*. La última novedad de esta marca fue la presentación de Apéritif, con una base de vino espumoso saborizado con naranjas que entra en el territorio de los cócteles aperitivos. ¶
La historia del espumante en Argentina se remonta a los comienzos de la industria del vino en el país. Uno de los primeros hitos ocurrió en el lejano año de 1927, cuando la mendocina Pascual Toso presentó el primer espumante de estilo tradicional en el país: desde entonces, esta bodega radicada en Maipú, Mendoza, se convirtió en una marca emblemática de las burbujas nacionales. Décadas más tarde, en los años de 1980, Pedro Rosell comenzó a elaborar espumantes para Navarro Correas, y así ganó una experiencia que en los años siguientes lo elevó a ser uno de los principales referentes de las burbujas de alta gama. Una prueba de ello es el International Trophy que la revista británica *Decanter* le dio en 2014 a su Cruzat Cuvée Réserve Rosé Extra Brut, al elegirlo como el mejor del mundo en su categoría. El trabajo iniciado por Rosell en Navarro Correas fue más tarde continuado por Celia López, enóloga que brilló con luz propia por su especialización en los vinos burbujeantes. ¶
A mediados de la década de 1990, el consumo y la producción de espumantes en Argentina comenzaron a crecer de manera vertiginosa, acompañando una tendencia mundial que también se podía corroborar en lugares tan distantes como Estados Unidos o Inglaterra. Comenzó así un momento de ebullición burbujeante, que atrajo a decenas de bodegas. De pronto, de unos pocos espumantes que había en la góndola, la oferta se multiplicó con cientos de opciones. Al día de hoy la lista de productores de alta calidad incluye nombres como la propia Chandon, Baron B y Cruzat, pero también Rosell Boher (dirigida enológicamente por Alejandro "Pepe" Martínez Rosell), Otronia (que aprovecha el frío chubutense para elaborar vinos base de alta acidez), Luigi Bosca con

su icónico Bohème o Alma 4, un proyecto nacido de cuatro jóvenes enólogos con variedades disruptivas y estilo propio. Entre los más grandes productores del país, aparecen bodegas emblemáticas como Navarro Correas, Nieto Senetiner, Bianchi, Norton y Dante Robino, y se suman muchas otras de distintos tamaños y orígenes. ¶

"En el mundo –lo mismo sucede en Argentina–, el espumante apunta a una mayor diversidad de gustos y de consumidores. Cada vez veremos menos copias del estilo de Champagne ortodoxo y más expresión de espumantes de terruños locales, con diversidad de variedades. Veo un fuerte crecimiento de las categorías de dosés y de rosés, con consumidores que eligen beberlos incluso con hielo o en cócteles. También encontramos al mismo tiempo consumidores que migran a espumantes secos, tipo extra brut y brut, pero sin querer una acidez agresiva, que buscan una boca amable y una expresión aromática más frutada. Conseguir ese equilibrio es el desafío actual de los elaboradores", culmina Hervé. ¶

SUSTENTABILIDAD, LA PALABRA DEL SIGLO XXI

La imagen que ofrece la vitivinicultura puede parecer idílica: viñedos frondosos, paisajes deslumbrantes, altos picos, cielos estrellados y esas uvas que maduran bajo el sol potente del verano. Es común ver zorros salvajes deambulando entre las vides, se oyen los pájaros en su aleteo matinal. Pero ese paraíso de naturaleza y sabor, de cosechas y podas, de pasión y de vida, es más frágil de lo que parece. Al menos, así lo sostienen miles de voces en todo el mundo, tanto en el vino como en el resto de la industria agroalimentaria. La tierra, aseguran muchos, está cansada. El cambio climático afecta al planeta y el necesario compromiso hacia una producción cada vez más sustentable se extiende al mundo del vino con más bodegas que adoptan diversas filosofías, métodos y convicciones. Uno de los ejemplos más dramáticos y urgentes en Argentina, en un contexto vitivinícola desértico, es la escasez de agua, con agrónomos y técnicos que trabajan e investigan constantemente para hacer más eficiente su uso, dejando de lado técnicas tradicionales como el riego por manto para adoptar sistemas por goteo en una viticultura de precisión. ¶

"El mundo comprendió que se deben tomar acciones. Ya sabemos del calentamiento global, ahora vemos cómo el cambio climático lleva a eventos extremos, con tifones, inundaciones, sequías. En Mendoza cada hoja verde que vemos depende del río Mendoza, de los ríos del sur, del riego. Y el riego depende de la nieve y de los glaciares, que se están retrayendo. Se está dando una certidumbre de crisis hídrica. Y si bien la vitivinicultura tiene comparativamente una huella muy chica respecto al cambio climático, es una industria que hoy asume una posición líder en el tema. Tal vez esto suceda porque el vino es uno de los pocos productos que llega a la mesa de los consumidores con la etiqueta a la vista, donde identificás al productor, al lugar. Con un bife es común que no te preguntes de dónde sale, pero con el vino sí. Hoy la enorme mayoría de las bodegas y de los actores del mundo del vino tienen a la sustentabilidad como uno de sus ejes productivos", asegura Luis Romito, coordinador de la Comisión de Sustentabilidad de Bodegas de Argentina, la cámara empresarial que reúne a más de doscientas bodegas de todo el país, representando al 75 % del consumo interno y al 90 % de la exportación. ¶

Esta búsqueda de la sustentabilidad se da hoy de distintas maneras, con trabajos integrales que van del manejo del agua y la energía al tratamiento, reciclaje y reutilización de los desperdicios, pasando por una reducción de la huella de carbono, que tiene como objetivo llegar a números negativos a través del secuestro de carbono, y planes de compensación de emisiones. La apuesta máxima de la industria es lograr devolver a la tierra más de lo que se obtiene de ella. ¶

En los últimos años surgieron empresas, ONG, fundaciones y certificaciones globales y nacionales que trabajan sobre la sustentabilidad en el vino. Desde multinacionales como Vinventions, con distintas soluciones al cierre de botellas, como el ya conocido Nomacorc, que en lugar de provenir del alcornoque se elabora a base de materias primas obtenidas de la caña de azúcar, hasta Halpern o Kilimo con sus sistemas y diseños de riego por goteo eficientes, pasando por proyectos de reciclaje de botellas o de generación de compost y fertilizantes a partir de sarmientos y hollejos que sobran de la cosecha. Se suman ejemplos como Burdeos Giuliana, una botella de apenas 400 gramos de peso diseñada en 2016 por Verallia en la búsqueda de reducir la huella de carbono tanto por la producción del vidrio como por su transporte. El camino en el futuro cercano indica que la sustentabilidad pasará a ser un objetivo colectivo de la industria, más allá de las siempre necesarias acciones y caminos individuales que cada bodega está tomando. La madurez implica convertir a este tema en un objetivo común que reúna a cámaras, Estados y consorcios de productores. ¶

"La tendencia creciente de todo esto es arrolladora", dice Luis. "En algunos casos será por vocación, en otros porque cada vez lo demandan más mercados y consumidores. Y también los requisitos son cada vez más rigurosos". Desde Bodegas de Argentina impulsaron así un protocolo de autoevaluación para las bodegas (junto a entidades como el Instituto Nacional de Tecnología Agropecuaria, el Instituto Nacional de Vitivinicultura y la Facultad de Ciencias Agrarias) que incluye ítems como el manejo del suelo y del riego, el manejo fitosanitario del viñedo, el uso eficiente de la energía y la gestión de los residuos sólidos, entre otros. "Lo primero es una autoevaluación, luego la implementación generando documentos, registros e inversiones si fueran necesarias. Y finalmente se realiza una auditoría de verificación, con un certificado o aval de Bodegas de Argentina, que da derecho al uso del sello", culmina Romito. ¶

"Nacimos orgánicos", cuenta Rodrigo Serrano, enólogo de la mendocina Jean Bousquet. Con 300 hectáreas propias de viñedos en el valle de Uco (y manejando 400 hectáreas más

de terceros), y con más de veinte años de experiencia, esta bodega es una de las principales productoras orgánicas certificadas del país, parte de una tendencia que año tras año suma nuevos productores. "Para ser orgánico, tenés que tener convicción, no lo podés pensar como una estrategia comercial. Nos gusta decir que la primera botella la vende una idea, pero luego eso ya no alcanza; la segunda botella la vende siempre la primera botella", afirma. ¶ Más allá de representar apenas el 3,4 % de la superficie de los viñedos en Argentina, la producción orgánica aumenta rápidamente en el país. De menos de 300 hectáreas certificadas en el año 2005, hoy la superficie sobrepasa las 7000 hectáreas. En total hay más de doscientos cincuenta productores vitivinícolas orgánicos certificados y unas ochenta bodegas que elaboran al menos un vino orgánico dentro de su porfolio de productos, lo que suma una producción total mayor a 10 millones de litros al año. Según el informe "Situación de la Producción Orgánica en la Argentina durante el año 2021", publicado en 2022 por el Servicio Nacional de Sanidad y Calidad Agroalimentaria (Senasa), el vino es el segundo producto orgánico de origen vegetal más exportado de la Argentina, con la Unión Europea y el Reino Unido como los principales clientes. Y si bien en el consumo interno la incidencia de estos vinos puede parecer insignificante (apenas 167 125 litros sobre un consumo total que sobrepasa los 940 millones de litros), la tasa de crecimiento que muestra es exorbitante: tan solo entre 2018 y 2020 el consumo de estos vinos aumentó nada menos que un 5000 %. ¶
"El vino orgánico puede considerarse sinónimo de vino ecológico", explican desde Bodega Chakana. Esta bodega es conducida enológicamente por Gabriel Bloise, uno de los principales referentes en Argentina de la producción orgánica y biodinámica. "El hecho de que un vino sea orgánico o ecológico se centra principalmente en los procesos que hacen a la técnica de cultivo donde la salud del suelo es lo más importante. A través de fertilizantes naturales como el compost o el estiércol y de evitar el uso de agroquímicos, favorecemos el desarrollo de material orgánico para que la planta crezca sana. Trabajando el suelo de esta manera, logramos que cuente con una gran biodiversidad para protegerlo de la erosión y de otros organismos que pueden enfermar a la planta. Son estos microorganismos 'buenos', además, los que transmiten los nutrientes y las particularidades intrínsecas al vino. Solo algunos métodos de manejo de las plagas están permitidos en el método de cultivo orgánico. Algunos de ellos son: trampas mecánicas, barreras físicas (de luz o sonido) o sustancias naturales. Con respecto al proceso de producción en bodega, solo se permiten algunas pequeñas intervenciones para la conservación del vino y la corrección de la acidez, pero también se procura que estas intervenciones sean mínimas: la levadura para la fermentación puede ser autóctona de la uva o agregada, pero nunca elaborada por manipulación genética", continúan. En Argentina hay certificadoras orgánicas habilitadas (Ecocert y Letis), que controlan los distintos procesos en bodega y en viñedo. La certificación puede ser exclusiva para

el viñedo (lo que permite elaborar un vino certificado de uvas orgánicas) o también para la bodega (el nombre "vino orgánico" en la etiqueta implica que tanto el viñedo como los procesos de vinificación en bodega están certificados). ¶
"Hacer un vino orgánico no es difícil, pero exige compromiso. Hay partes del proceso que llevan más trabajo que lo habitual", explica Rodrigo Serrano. "Precisás más mano de obra y una lectura muy detallada y sistemática de tu viñedo. Está claro que con herramientas sintéticas puede ser más fácil controlar un viñedo. En cambio, cuando querés evitar todo producto de síntesis, tenés que estar encima de la finca; la variable más delicada para lograr ser orgánico es el tiempo: los días te quedan cortos", confiesa. El crecimiento de la producción orgánica es hoy transversal, se suman establecimientos pequeños y grandes, además de productores de uva independientes. Santa Julia, por ejemplo, es uno de los principales productores de la Argentina con viñedos propios orgánicos (como las 180 hectáreas que posee en Maipú y otras 130 hectáreas en Santa Rosa), mientras que Terrazas de los Andes se encuentra en proceso para que el 100 % de sus fincas sean orgánicas en el corto plazo. Otra bodega líder en exportaciones que pesa fuerte en el mundo orgánico es Argento, cuyo Single Vineyard Finca Altamira Organic Malbec 2019 fue premiado como uno de los mejores vinos del mundo en su relación precio-calidad por la revista *Decanter* en el World Wine Awards 2021. ¶
Algunas bodegas van más allá, controlando su producción con Demeter, la certificadora global que trabaja sobre normas biodinámicas e implica cambios filosóficos sobre lo que es y debe ser un viñedo y un sistema de producción agrícola autosustentable. Casas como Alpamanta, Chakana, Domaine Bousquet, Wine is Art, Bodega Krontiras, SuperUco, Finca Dinamia, Casa de Uco, Vinyes Ocults, Piedra Negra, Luna Austral y Escorihuela Gascón están trabajando de manera biodinámica, en algunos casos sobre el 100 % de su producción, en otros en algunas de sus fincas, con la ayuda de referentes en la materia como Matías Ciciani Soler, Gabriel Bloise y Facundo Bonamaizon, además de la Asociación para la Agricultura Biológico-dinámica de Argentina (AABDA), creada en 1998. ¶
"Hay mucha información difusa sobre lo que son los vinos orgánicos, naturales, veganos, biodinámicos", dice Victoria Brond, enóloga de Alpamanta. "Según nuestra mirada, las normas orgánicas podrían ser ya el nuevo convencional en la producción. Con el crecimiento que tuvo esto en los últimos años, hoy se puede cultivar sin utilizar productos de síntesis química: todo el vademécum autorizado por el INV tiene algún tipo de reemplazo dentro de las opciones orgánicas", afirma. En palabras de Brond, no se trata de una competencia, menos aún de una pelea entre sistemas de producción, sino de intentar mejorar la tierra que uno recibe. En el caso de Alpamanta, trabajan con certificación orgánica y biodinámica: "Demeter no permite ningún agregado de productos de síntesis química al vino, al menos en primera instancia. Podés sumar levaduras si no te

fermentó de manera natural, podés utilizar anhídrido sulfuroso solo si es realmente necesario, lo mismo con los nutrientes. No autoriza tampoco sumar alternativas de roble (chips, duelas, etc.), clarificantes, estabilizantes, antibióticos. Se trata de una filosofía que se desprende de la antroposofía que Rudolf Steiner planteó hace ciento cincuenta años, en la que se busca entender los equilibrios naturales de la agricultura, formando circuitos cerrados donde todo se produce dentro de la misma granja biodinámica". ¶
Más allá de las cantidades de hectáreas orgánicas y biodinámicas listadas, las estadísticas oficiales solo muestran la cuota certificada por organismos habilitados. En el mundo del vino todos admiten que son muchas más las bodegas y las fincas que están reduciendo el uso de herbicidas sintéticos en la búsqueda de una mayor sustentabilidad de los viñedos. Algunos están en proceso de certificación (que demanda tres años de trabajo previos), y también se suman proyectos, en especial de pequeñas bodegas, que prefieren evitar el sobrecosto de la certificación, más allá de estar siguiendo pautas orgánicas. "En mi opinión, la certificación te ordena bastante, pero entiendo que hay distintas opiniones –dice Brond–. Lo importante es trabajar todos con un mismo objetivo, apoyándonos como industria. Una alternativa interesante a los organismos oficiales, y menos costosa, pueden ser las certificaciones cruzadas, donde una bodega controla a otra". ¶
Junto con conceptos como orgánico, ecológico, baja intervención o sustentabilidad, en los últimos tiempos se comenzó a ver –primero en el mundo, luego en Argentina– la palabra "natural" impresa en la etiqueta de algunos vinos, lo que generó nuevas controversias. Sin una definición controlada por el INV, este adjetivo puede significar diversas cosas según la bodega que lo utilice. "Natural no es una categoría en Argentina, tampoco en el mundo, si bien en Europa están trabajando para darle un marco formal. En muchos casos, se suele aplicar a vinos que no tienen ningún tipo de agregado de síntesis química, incluso sulfitos. Pero al no estar reglado, esto puede terminar confundiendo al consumidor y así destruir una posible categoría", dice Victoria Brond. ¶
El anhídrido sulfuroso es objeto de fuertes discusiones en la industria del vino. Se trata de un gas que se produce incluso de manera natural en la fermentación de las uvas; es decir, todo vino tendrá siempre una cantidad mínima de sulfuroso en su composición, que podrá ir de 10 a 30 miligramos por litro. Pero gracias a su poder antioxidante, antiséptico y desinfectante, desde hace décadas es normal que se agregue más sulfito en distintos momentos de la elaboración. Su uso es mundial, pero como es un elemento tóxico, se lo permite solo dentro de ciertos límites que establecen los distintos organismos de control nacionales. En Argentina, por ejemplo, el INV autoriza hasta 130 miligramos totales por litro en vinos tintos y 180 miligramos totales en blancos. Si es un vino orgánico, estos límites se reducen a 100 y 130 respectivamente, aunque esto podrá cambiar según el país al que se busque exportar (en la práctica, un vino orgánico no suele superar los 100 miligramos por litro). ¶

Dejando de lado los valores máximos, son cada vez más los productores que intentan agregar el mínimo de sulfitos, y así logran niveles muy por debajo de lo marcado por el INV. Incluso, en los últimos cinco años, varias bodegas comenzaron a ensayar vinos sin nada de sulfitos agregados, bajo la idea de que todo elemento químico que se trae desde afuera altera de algún modo al vino y lo aleja de ser una estricta expresión de su terruño. Esto se enmarca en un paradigma de elaboración natural (es decir, que el vino sea nada más que puro jugo de uva fermentado) y con una mínima intervención por parte de la bodega. Estos nuevos vinos sin sulfito suelen ser también vinos jóvenes que no tienen aporte de roble, que muchas veces son turbios y sin filtrar. La lista crece año tras año, desde etiquetas pioneras como el Familia Cecchin sin sulfitos agregados hasta una oferta amplia que incluye ejemplos como Libre de Fincas Las Payas, Domaine Bousquet Virgen Red Blend, BenMarco Sin Límites Orgánico Malbec, Piedra Negra Arroyo Grande Malbec, Le Petit Voyage, Lala Lá Malbec, Salvaje Casa de Uco Pinot Noir, Canopus La Nave Malbec, Kung Fu Malbec, Trivento Malbec Orgánico, Quinde Natural, Chacra Sin Azufre, La Marchigiana Criolla, Stella Crinita Cabernet Franc, Trivento Orgánico Malbec, Chakana Sobrenatural Bonarda, Krontiras Natural Malbec, Alpamanta Breva Criolla y El Burro de Santa Julia, entre otros. También dentro de la categoría "sin sulfito" surgieron con fuerza los pét-nat, esos espumantes elaborados directamente en la botella. Su elaboración no tiene secretos, pero sí debe ser hecha con extremo cuidado, tanto en la calidad de la uva como en los manejos en bodega, para evitar contaminaciones, fermentaciones incompletas y sabores indeseados. El mosto, sin agregado de sulfitos, azúcares o levaduras extras, se embotella cuando ya está fermentando para que el proceso continúe en el envase cerrado y quede así atrapado el gas carbónico responsable de las burbujas. Si bien es un método antiguo, nacido del azar, está hoy de moda en buena parte del mundo, con bodegas (en su mayoría pequeñas por los riesgos y atención personalizada que requieren estos vinos) que lanzan nuevas etiquetas. En los últimos años Argentina se sumó con ejemplos como Pintom, Rocamadre, This Is Not Another Lovely Pet Nat, Sobrenatural, Omaggio, Cruzat o el Kung Fu Pet Nat elaborado por Matías Riccitelli, entre varios más. ¶

LA DIVERSIDAD AL PODER

La regla hoy parecería ser que no hay reglas: nunca antes en la historia del vino argentino hubo tanta diversidad de propuestas, de estilos, de variedades de cepas, de categorías y de movimientos incluso filosóficos o ideológicos. Durante la mayor parte del siglo XX el consumo de vino en el país estuvo definido por unas pocas y grandes bodegas, marcas centenarias elegidas en la mesa familiar siguiendo tradiciones generacionales. A partir de finales de la década de 1990 esto cambió y comenzó el reinado de los varietales: surgió el malbec como cepa estrella, y su éxito sirvió a la vez para dar vida a otras variedades –tintas y blancas–, que comenzaron a aparecer con su nombre bien distinguido en las etiquetas. Fue un paso crucial para la modernización de esta bebida en el país: definir al vino por su cepa sirvió para ensanchar y democratizar el mercado, lo que permitió que nuevas bodegas compitieran en la góndola, en la vinoteca y en los restaurantes con marcas establecidas hace décadas. Ya no se trataba de elegir marcas, sino malbec, cabernet sauvignon, chardonnay o pinot noir, entre otras opciones, y a partir de ahí comparar precios y etiquetas. A su modo, ordenó una oferta creciente y cada vez más compleja. Más cerca en el tiempo se sumó un nuevo paradigma, el del terruño, es decir, el lugar, el clima y la cultura de donde provienen las uvas. La variedad sigue vigente, como modo de diferenciación y categoría, pero ya no está sola: empezó a competir o sumarse a nombres de lugares, valles e indicaciones geográficas que ganan lugar en el diseño de las etiquetas. Como en un juego de *matrioskas*, las definiciones se van haciendo cada vez más pequeñas, más exactas y finas. De hablar de provincias enteras (como Mendoza, San Juan, Salta, Río Negro y otras) se pasó a hablar de valles, de distritos, de fincas y parcelas. Si el varietalismo puro responde a un modo de clasificación estadounidense, priorizar el lugar nos acercó a las lógicas del Viejo Mundo. Hoy es común incluso que algunos de los mejores vinos del país ni siquiera mencionen la cepa con la que están elaborados, sino tan solo la finca de donde provienen. ¶

La rueda sigue girando, cada vez más rápido, con cambios en los modos de pensar, comunicar y categorizar los vinos. Como hemos visto, en los últimos diez años comenzaron a crecer los cultivos y vinos orgánicos y biodinámicos, con certificaciones en viñedos y en bodega. También surgieron nuevos estilos, muchos todavía en una etapa experimental, que deben formalizarse. A los consabidos tintos y blancos de toda la vida le siguieron los rosados, que empezaron como descarte de sangrías de tintos concentrados para convertirse en verdaderos vinos de prensa directa que conforman ya un segmento de gran calidad. Se suman los vinos naranjos, elaborados a partir de uvas blancas, pero con maceración de los hollejos (en un método similar a cómo se haría un vino tinto). Esta es una categoría antigua y olvidada que hoy agrupa a etiquetas nacientes con gran variabilidad de estilos, desde el pionero Vía Revolucionaria Torrontés Brutal, que el enólogo Matías Michelini comenzó a elaborar en 2011, hasta Pielihueso Naranjo, un corte de torrontés con sauvignon blanc y chardonnay cofermentados. La lista puede seguir con Livverá Malvasía, Zun Zun Sauvignon Blanc, Susana Balbo Signature Torrontés Naranjo, Antro Naranjo de chardonnay y semillón, Domaine Alma Negra Orange, Flora by Zaha Chardonnay Naranjo, Otro Andar Torrontés Naranjo, La Imaginación al Poder Naranjo Mecánico. En Río Negro, Marcelo Miras elabora su Miras Joven Naranjo y en Salta hace lo propio Paco Puga con el Pequeñas Fermentaciones Naranjo de El Porvenir. Incluso se suma un primer espumoso naranjo de la mano de la reconocida Cruzat. También cambian los envases, con el desembarco exitoso (tras alguna experiencia fallida hace más de una década) de las latas de vino, que no solo aportan nuevos momentos de consumo, sino una mirada sustentable sobre los recipientes y el transporte, con ejemplos como Santa Julia Tintillo o un Malbec Rosé, Traful Dulce, Las Perdices Chac Chac, Blasfemia Chenin y Torrontés, Mosquita Muerta –con tintos, rosados y espumantes– y más. Y lo mismo sucede con el *bag in box,* un formato ya establecido en la góndola local, con productos de 3 a 5 litros, como Las Perdices Red Blend, Finca Gabriel Roble, Cordero con Piel de Lobo, Lorca Fantasía, Los Patos Cabernet Franc, Tucumen, Ánimal Malbec Orgánico, Piedra Negra Malbec Orgánico, Padrillos Malbec, entre otros. ¶

"En los últimos cuatro o cinco años cambió la relación entre el consumidor y el vino. Hay una generación que hoy tiene entre 20 y 30 años que no sigue a los críticos, a los conocedores, sino que quiere probar distintas cosas y decidir si le gusta o no. Son jóvenes que consumen vinos de mayor precio de los que consumíamos nosotros a esa edad", dice Gabriel Dvoskin, fundador de la Bodega Canopus, desde la cual elabora vinos orgánicos y biodinámicos en Pampa El Cepillo, valle de Uco. Entre ellos, el Pintom Rosado Subversivo, también un pét-nat pionero a base de pinot noir, o el malbec Y la Nave Va, elaborado en ánforas de arcilla sin sulfito ni otros aditivos. Ya los nombres y el diseño de etiqueta de los vinos (tanto de Canopus como de muchísimas otras bodegas) muestran el cambio generacional de los consumidores, se alejan de paradigmas europeos clásicos para ganar en creatividad e identidad. "Cambió la idea de lo que es la calidad: frente al enorme avance de la industria y su mentada revolución verde, muchos creen que como humanidad hemos ido demasiado lejos, que debemos recuperar el origen, con una agricultura orgánica, sin productos de síntesis, y con vinos que tengan el carácter de la persona que está detrás de su elaboración, así como también el carácter del lugar. Es un paradigma de calidad que prioriza lo sano y auténtico", continúa Gabriel. ¶

Más que modas o tendencias, se trata de ampliar y profundizar en la elaboración y consumo de una bebida que cuenta con plena identidad argentina. Hay agrónomos y enólogos que recuperan y vinifican por separado viñedos antiguos de hasta cien años de vida, desde Humberto Canale o Matías Riccitelli en la Patagonia hasta Durigutti en Las Compuertas, pasando por Carasur en el sanjuanino Barreal o El Esteco en Salta. Cada vez surgen más etiquetas de vinos a base de viejas cepas criollas hasta ahora desprestigiadas, como Criolla Argentina de Niven Wines, Sunal Ilógico de Agustín Lanús, Tugurio Clarete (corte de criollas chica, grande y cereza) de Leo Erazo, Inculto El Pájaro (a base de una criolla chica del valle de Hualfín, en Catamarca) o Vallisto Extremo, elaborado en los valles Calchaquíes por Francisco Lavaque y Matías Michelini. Hay vinos ligeros que parten de los 9 % de alcohol, como el Crios Chenin Bajo Alcohol de Susana Balbo Wines, y otros potentes e intensos que fácilmente sobrepasan los 15 %, como el icónico San Pedro de Yacochuya. Incluso surgió una categoría nueva en el mundo, los vinos que directamente están desalcoholizados (se les quita todo el alcohol que se produce en la

fermentación), sobre el cual varias bodegas argentinas están actualmente investigando. Las novedades continúan: cada vez surgen más varietales no tradicionales en el país, como las deliciosas garnachas y mencías de la Bodega Ver Sacrum o el mourvèdre de Alma Gemela o el cordisco de Proyecto Las Compuertas. Algunos vinos se crían en grandes toneles de roble viejo, otros en pequeñas barricas de roble nuevo y alguno más en fudres de un par de miles de litros. Se suma una gran variedad de recipientes, muchas veces hechos a medida a capricho de cada bodega, con huevos de cemento, ánforas de arcilla, vasijas de cerámica, tanques de hormigón y de acero inoxidable. Cada enólogo decide los procesos que quiere recorrer, desde vinificar el racimo entero hasta realizar maceraciones carbónicas o aprovechar el hielo seco para enfriar las uvas blancas antes de prensarlas. Hasta hace muy poco tiempo, un vino turbio implicaba un defecto (incluso no estaba aceptado por el INV, salvo bajo permisos específicos); hoy, en cambio, se ven cada vez más etiquetas sin filtrar o espumantes sin degollar. Surgen vinos elaborados con crianza biológica o velo de flor (desde el Volare de Flor 2014, elaborado por David Bonomi para PerSe, hasta el Altar Uco Edad Antigua de Juan Pablo Michelini o el sanjuanino Pedrito, un blanco de flor a base de pedro giménez que Eduardo Casademont elaboró para Finca Las Moras, entre otros); y se multiplican las bebidas, aperitivos y cócteles listos para beber que tienen base vínica. Uno de los principales objetivos actuales de las bodegas es rejuvenecer el consumo de los vinos, buscando hablarles a los *centennials,* modificando etiquetas y discursos para que les sean más cercanos a sus modos de vida, a la música que escuchan y a las series que ven. ¶

"Los cambios van a seguir ocurriendo, la búsqueda de estilos y de calidad seguirá creciendo por varios años más. Hay mucha mezcla, no todo lo nuevo es bueno, ni lo que hacen las bodegas grandes ni las chicas, pero cuando la ola empiece a bajar, ahí van a quedar los que tengan calidad, autenticidad e identidad. Ese el verdadero sustento de lo que hacemos", asegura Dvoskin. ¶

HACEDORES DE VINO

Silvio Alberto ¶ Onofre Arcos ¶ Susana Balbo ¶ David Bonomi ¶ Walter Bressia
Pablo Cúneo ¶ Roberto de la Mota ¶ Edgardo Del Pópolo ¶ Mariano Di Paola ¶ Marcos Etchart
José Galante ¶ Andrea Marchiori ¶ Santiago Mayorga ¶ Matías Michelini ¶ Marcelo Miras
José Luis Mounier ¶ Marcelo Pelleriti ¶ Estela Perinetti ¶ Daniel Pi ¶ Jorge Riccitelli
Pedro Rosell ¶ Alejandro Sejanovich ¶ Alejandro Vigil ¶ Sebastián Zuccardi

Horacio Bibiloni ¶ Francisco Bugallo ¶ Sergio Casé ¶ Gabriela Celeste ¶ Germán Di Cesare
Pablo y Héctor Durigutti ¶ Julia Halupczok ¶ Martín Kaiser ¶ Javier Lo Forte ¶ Mauricio Lorca
Francisco Lavaque ¶ Antonio Mas ¶ Germán Masera ¶ Ángel Mendoza ¶ Juan Pablo Michelini
Cristian Moor ¶ Andrea Mufatto ¶ Juan Pablo Murgia ¶ Karim Mussi ¶ Alejandro Pepa ¶ Francisco Puga
Laura Principiano ¶ Rogelio Rabino ¶ Matías Riccitelli ¶ Juan Roby ¶ Alejandro Martínez Rosell
Rodolfo Sadler ¶ Juan Facundo Suárez Lastra ¶ Noelia Torres ¶ Andrés Vignoni

HACEDORES DE VINO

SILVIO ALBERTO

ADE OBRERO A PRESIDENTE, del laboratorio a la viña, de vinos populares a las etiquetas más premiadas del país. No hay camino por donde Silvio Alberto no haya pasado en los cuarenta años que lleva en el mundo del vino argentino. "No vengo de una familia relacionada con la industria. Mi papá era taxista. Fui al colegio Miguel Amado Pouget, donde terminabas la secundaria con el título de técnico agrario y enólogo; me fascinaban las plantas y los cultivos. Quería seguir Agronomía en la universidad, pero cambié de idea gracias a Julio Wiederhold, mi profesor en análisis químicos del vino. Julio era un capo y me adoptó como su pichón: en las horas libres me iba a trabajar con él al laboratorio. Así aprendí una enología que tal vez hoy pase algo más desapercibida, pero que es también importante. Me metió en los secretos de la química del vino. Y más que nada, me contagió la pasión por esta bebida", explica. ¶

De trato afable y sonrisa contagiosa, Silvio enumera mentores y bodegas que fueron construyendo su conocimiento enológico. En cuarto año de la Facultad Don Bosco de Enología, tuvo a Mariano Di Paola como profesor. "Mis viejos me pudieron bancar los estudios los primeros seis meses, luego tuve que trabajar para pagar la universidad. Empecé dando clases en colegios secundarios. Un par de años más tarde, ya con Mariano como profesor, él entra a La Rural, al grupo Catena, y nos dio a los alumnos la posibilidad de hacer allí nuestras prácticas enológicas. Algunos fueron a Bodegas Esmeralda, a Escorihuela; y como yo tenía el mejor promedio, Mariano me eligió para trabajar junto a él. Me convertí en un obrero de la enología, metido en el día a día de una bodega. Esto fue muy importante para mí, por eso me sigo sintiendo tan cercano a Di Paola. Lo considero mi padre en la industria". ¶

Casi una década pasó Silvio Alberto junto al grupo Catena, en esos años noventa de ebullición en la vitivinicultura argentina. Estar ahí era un privilegio, era una vidriera observada por el resto de los productores de vino. "Todos nos miraban. Así salió la posibilidad de ir a Navarro Correas. Y acepté: significaba asumir la responsabilidad completa de toda una bodega, que además tenía un gran nombre y tradición a sus espaldas. Me buscaron justamente para que tomara esa tradición y la modernice, para que cambie el estilo de vinos que venían realizando. Pasar de los antiguos vinos de la Argentina, de mucha evolución, a mostrar la fruta". ¶

En Navarro Correas Silvio aprendió a tomar decisiones enológicas por sí solo, asumiendo la responsabilidad de esas decisiones. De allí se fue como enólogo principal y gerente de Producción a Andeluna, una bodega joven creada por Ward Lay, el magnate estadounidense dueño de las conocidas papas fritas Lay's. Entrar a Andeluna fue como el "sueño del pibe". "Me tocó construir la bodega desde cero, pude elegir todos los chiches que un enólogo sueña tener". Como parte de una nueva camada de inversiones bodegueras en el país, en Andeluna Silvio Alberto debió desarrollar desde cero un porfolio completo de vinos, sin necesidad de reformulaciones o cambios. También Andeluna significó para este enólogo su llegada oficial al valle de Uco, una zona que ya conocía desde los tiempos de Catena, pero donde ahora debía estar todos los días para desarrollar un concepto relacionado con esta región, con sus alturas y climas. ¶

En una bodega chica y personal, con menor estructura que las anteriores, Silvio sumó funciones comerciales que le permitieron viajar, conocer zonas productoras y mercados de exportación. "Me metí en facetas en las que no siempre los enólogos se meten, en los costos, en la administración, en lo gerencial. Fueron nueve años de un crecimiento muy lindo". Luego vino la etapa Diamandes, la bodega de la prestigiosa familia Bonnie (propietaria también en Francia del reconocido Château Malartic-Lagravière –Grand Cru Classé de Graves–, como parte del proyecto de Clos de los Siete impulsado por Michel Rolland. Allí Silvio Alberto fue nombrado gerente general y pudo viajar a los grandes terruños de Francia, donde probó algunos de los mejores vinos del mundo. Su siguiente trabajo fue incluso más ambicioso: fue elegido como presidente de Achaval Ferrer. "Me contrató el grupo ruso SPI Group, una multinacional muy fuerte en bebidas. Ese trabajo terminó de completar mi experiencia laboral. Yo, que había empezado como un obrero, era el presidente de la empresa en Argentina, desde la cual debía reportar a una multinacional. En el medio creo que pasé por todos los cargos habidos y por haber. Y cada cambio me dio algo positivo, cada uno de ellos valió la pena, me permitieron crecer profesional y humanamente". ¶

El último gran salto profesional de Silvio Alberto tiene algo de cíclico, ya que volvió a una de esas bodegas que son sinónimo de tradición y prestigio, con un apellido al frente que es parte de la gran historia de la vitivinicultura de la Argentina: Bianchi. "Fue algo sorpresivo, yo estaba muy cómodo en Achaval, pero cuando apareció esta oportunidad me di cuenta de que quería salir un poco de lo administrativo para dedicarme de forma más intensa al vino, al trabajo en la tierra. Y Bianchi era el lugar ideal para esto: una empresa con más de noventa años de vida, donde me presentaron el desafío de mantenernos al día con los cambios de los mercados y de los consumidores. Algo que con el gran equipo de trabajo que tengo allí hemos logrado". ¶

El desafío del que habla Silvio implica elaborar un vino emblemático como Valentín Lacrado, del que se producen unas 15 millones de botellas al año, pero también de seguir desarrollando la alta gama de la bodega. "Algunos creen que calidad es solo la alta gama. Yo no estoy de acuerdo: la calidad debe ser transversal a todas las líneas, sea un vino de altísimo precio o uno de consumo diario", asegura Silvio. ¶

En Bianchi, él ya tuvo el honor de elaborar una etiqueta nueva y muy importante: el Enzo Bianchi Gran Malbec del valle de Uco. Este vino nació para acompañar al Enzo Bianchi original, ese corte icónico de 1998 por Valentín "Tincho" Bianchi en honor a su padre. "Tengo el orgullo de haber sido el primero en elaborar un Enzo Bianchi fuera de San Rafael, es un malbec de Los Chacayes. Un vino fundamental en la historia de la bodega, del que tuve el honor de hacer la primera cosecha". ¶

ONOFRE ARCOS

VARIOS GRANDES ENÓLOGOS ARGENTINOS PASARON UNA DÉCADA, dos, e incluso tres, en la misma bodega, y así se convirtieron en voceros e imagen de un estilo de vinos y de su modo de elaborarlos. Pero son muy pocos los que estuvieron, literalmente, toda su vida en un mismo lugar para ser parte intrínseca de la historia de una marca y de una categoría en el país. Este es el caso de Onofre Arcos, el histórico creador de los espumantes de Chandon, que elaboró por más de cuarenta años las burbujas más reconocidas de la Argentina. "Inicié mi vida laboral en Chandon. Y me jubilé en Chandon", cuenta risueño y satisfecho de una carrera que lo tuvo como protagonista de los grandes cambios que vivió el espumante nacional a lo largo del último medio siglo. ¶
Onofre entró a Chandon muy joven, recomendado por Juan Formento, uno de sus profesores de Enología en el Liceo Agrícola. "Entré de manera temporaria, como un pasante o practicante, y ya nunca más me fui. Hoy, cuando se piensa en Chandon, es fácil ver la gran empresa, con su historia y su prestigio, pero en el año 1975 Chandon era todavía una novedad. Se había fundado quince años antes en Mendoza y parecía una pequeña bodega familiar, con grandes maestros detrás. A mí me enseñó nada menos que Paul Caraguel, el enólogo y chef de cave de la casa. También Philippe Coulon, el director de Enología de Moët & Chandon. Caraguel, por su parte, había sido elegido por Renaud Poirier, el enviado de Francia para encontrar en América un lugar donde lograr elaborar espumantes con la calidad del Champagne. Fue Poirier quien decidió que la bodega debía estar en Mendoza y, dentro de Mendoza, en la zona de Agrelo. Ya tenía la visión de los viñedos de altura". ¶
Casi medio siglo, vendimia tras vendimia, fermentación tras fermentación. Durante estos años Chandon elaboró espumantes icónicos, pero también vinos tranquilos que marcaron la agenda de la vitivinicultura nacional. "Mi fuerte siempre fueron los espumantes, aunque también estuve relacionado con vinos que revolucionaron la industria local, como Valmont, un tinto joven y frutado que presentamos en una época en la que la mayoría de las otras bodegas hacía vinos más alcohólicos y añejados". ¶
Desde el 2000, luego del retiro de Paul Caraguel, Onofre Arcos obtuvo el puesto de chef de cave de Chandon, como responsable de mantener el estilo de las burbujas de esta casa a lo largo del tiempo. "Es una posición muy específica de la región de Champagne: la traducción en Argentina sería algo así como 'enólogo general' o 'jefe de bodega'", explica. "El espumante significó muchísimo en mi carrera profesional y personal. Cuando empecé a trabajar en Chandon, el consumo de estos vinos era muy estacional, no estaba realmente desarrollada la categoría. Fue Chandon la que impuso el espumante en el país. Los enólogos en esos años no éramos una figura conocida, sino que nuestro trabajo era de bajo perfil, como parte de la empresa. Y en mi caso tuve la suerte de participar en esa evolución de lo que es el espumante, dentro de un gran equipo de trabajo". ¶

Si bien a partir de 2000 los viajes a Europa y a otras zonas vitivinícolas se convirtieron en moneda corriente entre los enólogos y bodegueros argentinos, ávidos por entender los mercados de exportación, Onofre fue definitivamente pionero en visitar estos destinos, dentro de la estructura de Moët & Chandon, una de las casas de Champagne de mayor prestigio en el mundo. "Fui muy afortunado. Viajé varias veces a Francia; también a otras filiales del grupo, como Australia, Estados Unidos (California), Brasil, para realizar intercambios técnicos y de conocimientos. Mi primer viaje fue en 1982. Pude ir a Moët & Chandon y descubrir un mundo totalmente distinto a lo que era Mendoza. Es impresionante todo lo que cambiamos en estos años. Hoy Mendoza no tiene nada que envidiarle a nadie en el mundo". Así, de las manos de Onofre, surgieron estilos de espumantes que se convirtieron en grandes clásicos: el Brut Nature, lanzado en 1982; el transgresor Chandon Délice, en 2012; y el Brut Nature Rosé, en 2015, de uvas provenientes de viñedos a más de 1500 metros sobre el nivel del mar. Y poco antes de jubilarse, el Chandon Apéritif, en 2019. "Son todas innovaciones de las que participé, adaptándonos al momento, a las necesidades de los consumidores, abriendo categorías y estilos. Por eso siempre me gustó estar en Chandon, seguir en la misma bodega: si bien nos hicimos responsables de mantener una tradición que nos llega de nuestra historia en Francia, fuimos siempre muy innovadores. Aburrirme era imposible, no trabajábamos de manera rutinaria, sino siempre innovando, haciendo cosas nuevas". ¶ Los cambios no solo tuvieron que ver con los estilos de los vinos, sino especialmente con las fincas y con las variedades utilizadas. A lo largo de la vida de Onofre, se pasó de los clásicos espumantes nacionales, elaborados con chenin blanc y semillón, al chardonnay y al pinot noir, que ganaron peso progresivamente. También hubo una búsqueda de la frescura a través del clima frío de las alturas del valle de Uco. "Fuimos líderes en plantar chardonnay y pinot noir. Chandon incentivó las plantaciones de estas variedades en el valle de Uco, pionera en la altura, ya que envió a nuestros técnicos a Israel para aprender sobre riego por goteo. Hoy existen viñedos a más de 1500 metros de altura, y esto marcó un cambio conceptual enorme. Al probar los vinos base, podíamos animarnos a compararlos con los de la Champagne. Fue un proceso de búsqueda, de encontrar en las alturas la fineza, la acidez, el potencial de guardar luego los vinos en el tiempo, de hacer una segunda fermentación larga y compleja". ¶
Ante la pregunta, Onofre niega. "No, no. En estos años nunca imaginé cambiar de bodega. Chandon te daba un sentido de pertenencia. Y a la vez, sin cambiar de lugar, nunca dejé de crecer. Viajé por el mundo, me capacité y aproveché los trescientos años de historia de la marca, todo en un momento en el que los enólogos no eran una figura pública. ¶
Ante la pregunta de si le interesaría terminar su carrera haciendo su propio vino, responde: "Es algo que muchos me plantearon, pero yo creo que ya hay muchos vinos ricos vinos. Ahora lo que quiero hacer es tomarlos". ¶

HACEDORES DE VINO

SUSANA BALBO

SON MUCHOS LOS ENÓLOGOS DE LA ARGENTINA que comparten orígenes similares: abuelos y tíos inmigrantes, propietarios o empleados en pequeñas fincas en Mendoza o San Juan, donde los niños de la familia correteaban entre parrales repletos de uvas dulces y tentadoras. Pero el caso de Susana Balbo es distinto. "Entré en la enología medio de casualidad. Yo quería ir a estudiar al Balseiro, en Bariloche. Esto sucedió en el año 1976, durante el Gobierno militar, y mis padres se opusieron a que, en un momento así y con 17 años, me fuera tan lejos. Entonces encontré la carrera de Enología, en la que daban materias como Física, Química, Matemática, Biología. Era más o menos cercano a lo que a mí me gustaba. Así empecé y, a medida que fui estudiando, me fui apasionando. Por lo visto, el destino me tenía preparada una sorpresa, una muy buena sorpresa", cuenta. Ese acercamiento casual al vino, junto con esa pasión por las ciencias duras y exactas, explican todavía hoy buena parte de la mirada personal que Susana tiene del mundo del vino. En sus charlas, entrevistas y exposiciones, esquiva el acercamiento romántico a esta bebida para profundizar, en cambio, sobre números, estudios, mercados y estrategias. "No vengo de una familia dedicada al vino; tal vez por eso pude adherir tan rápido a priorizar la importancia de la información y de la formación –dice–. Una de mis frases favoritas es que elaborar un vino de calidad es un arte, pero ese arte debe estar respaldado por la ciencia para lograr consistencia. Recuerdo la cosecha del año 1998, que fue un desastre, porque no sabíamos cómo manejar el clima húmedo y frío. Ya en 2015 y 2016, entendíamos mucho más: aplicamos la ciencia en los viñedos, con deshoje y prevención, y eso nos permitió sobrellevar esas dos añadas tan particulares. Desde luego que me gusta caminar los viñedos, pero lo hago con un ojo más científico que romántico", explica. ¶
Susana creció en un mundo de hombres que ocupaban espacios cada vez más jerárquicos, tanto desde su bodega como en la política y la comunicación del vino. Fue, por ejemplo, dos veces presidenta de Wines of Argentina, la entidad que agrupa a la gran mayoría de las bodegas exportadoras del país, y ahí llevó a cabo grandes campañas y acciones de promoción de la marca país en el mundo. Práctica, directa y resolutiva, Balbo no camufla convicciones. "Tuve suerte. En la universidad conté con el mentoreo del cura Oreglia, el decano que por ese entonces ya tenía escritos dos libros de enología. Creo que su apoyo se debió a que yo era de las pocas mujeres que avanzaba en la carrera. Recuerdo que, en primer año, empezamos en cantidades iguales, hombres y mujeres, pero de a poco mis compañeras fueron desistiendo. Al tercer año, solo quedaba yo". Tras recibirse en 1981, la vida de Susana dio un giro clave en su desarrollo profesional: dejó Mendoza para ir a trabajar a Sucesión, de Michel Torino, en el valle de Cafayate. "Buscaban un enólogo que supiera hablar inglés, con tres o cuatro años de experiencia. Yo no cumplía con esos requisitos, pero de todas maneras me presenté y me tomaron. Por diez años fui la enóloga en esa bodega. Esa fue mi 'universidad de Cafayate', así es

como me gusta llamarla. Allá todo era muy primitivo, nos faltaban muchas cosas: tecnología, materiales, recursos. A la vez, las expectativas de los dueños eran muy altas y me esforzaba por cumplirlas. De esa manera, aprendí que las dificultades terminan formándote. Cuando tenés todo a mano, es más fácil quedarte quieto; pero, cuando estás obligada a rebuscártelas con lo que hay, terminás sacando lo mejor de vos misma. Y en esos años en Cafayate estaba 'sola solita mi alma'. Claro que siempre conté con la ayuda y consejos del padre Oreglia".

Cuarenta años lleva Susana Balbo en la industria. Cincuenta cosechas, si se suman las diez que realizó en el hemisferio norte. Tiempo suficiente para poder mirar atrás y sacar conclusiones: "Después de esa universidad cafayatense, pude volver a Mendoza y ser parte de la revolución que hicimos en los noventa entre enólogos, consultores extranjeros e inversores con ganas de apostar al país. En esos años no éramos conscientes de lo que estábamos logrando, de la tecnificación, de las nuevas variedades y del trabajo sobre los viñedos. Pero todo eso fue la base necesaria para lo que vino después. En mi caso, fui precursora en traer tecnología al país. En 1992 fui la única persona de Argentina en ir a uno de los congresos de tecnología más importantes del mundo, en Australia. Y volví con elementos y conceptos maravillosos, que luego pudimos desarrollar con proveedores locales. Soy una convencida de la importancia que tuvo el avance de la química enológica, que comenzó a cobrar fuerza en todo el mundo en los noventa. Empezamos a traer encimas específicas para lograr extracciones de aromas y colores con fermentaciones muy sanas y complejas. También trabajamos con los estudios de Roger Boulton sobre copigmentación y microoxigenaciones, o con el descubrimiento de los componentes químicos y naturales de la uva, de los descriptores de las variedades… Todos esos cambios fueron maravillosos".

Con energía inacabable, Susana supo conformar una generación que modificó el modo de pensar el vino en Argentina, en un contexto caracterizado por un crecimiento exponencial. "Fueron años fascinantes. Como dicen los jóvenes, había una 'vibra fantástica', con inversiones por todos lados, con nuevas bodegas y mercados. En 1997 se exportaban apenas 190 marcas de vinos de no más de una docena de bodegas. En 2005 ese número había ascendido a más de 1500 etiquetas de cien bodegas distintas". No se trató de un crecimiento casual, sino que se veía sustentado por grandes cambios en el modo de pensar la producción del vino en el país. "En el año 1996, hicimos una reunión en Trapiche para hablar del malbec. Participaron muchos enólogos de Mendoza, de San Juan, de Salta. Por ese entonces la diversidad de malbec que producíamos era muy grande: había algunos sobreextraídos, otros sobremaderizados, saltaban a la vista los usos alternativos de la madera, e incluso había algunos que eran muy livianos. Faltaba un criterio de variedad: cada productor hacía lo que quería y esa dispersión confundía al consumidor, que no lograba entender nuestros vinos. En esa reunión nos pusimos como objetivo encontrar un estilo del malbec, destacando sus taninos suaves y redondos, con identidad varietal. Empezamos todos a buscar más elegancia y acidez. Justo en aquel tiempo, el mundo estaba cansado del merlot, y nuestro malbec surgió como un reemplazo perfecto. Sigo convencida de que la gente quiere vinos balanceados, con equilibrio. El que crea que va a enamorar a un consumidor con un vino disruptivo que no representa la región y la variedad se equivoca". ¶

Hablar hoy de Susana Balbo Wines es hablar de una de bodega reconocida en Argentina y en el mundo; pero el camino recorrido para alcanzar el éxito no fue fácil. En 1989, en medio de la hiperinflación que azotó a la Argentina, Susana dejó de cobrar su sueldo en Cafayate. "La bodega cambió cuatro veces de dueño; el último era un banquero que usaba el dinero de nuestros salarios para una mesa de dinero. Mi esposo estaba enfermo de depresión y yo empecé a diseñar unos camisones que una amiga vendía en la capital salteña. Cuando ya no pude más, volví a Mendoza. Con la venta de todo lo que teníamos en Cafayate, más préstamos familiares y de un banco, abrí mi primera bodega, Lovaglio Balbo. Empezó a irnos bien, pero luego nos estafaron con una compra fraudulenta y un seguro de caución falsificado. El banco me quería rematar todo, era la quiebra absoluta. Al final pude recuperar algo con la compañía de seguro –cuenta–; a pesar de todo, nunca pensé en dejar la enología. Sabía que en algún momento iba a salir adelante". ¶

Tras ese duro fracaso, Susana comenzó a trabajar para otras bodegas: estuvo cuatro años en Catena Zapata y fue asesora de grupos españoles y chilenos, donde aprendió de producción, de tecnologías, de marketing y, también, de mercados de exportación. "Generé un círculo virtuoso con mucha gente muy valiosa de todo el mundo. Mi papá siempre me decía: 'Tu palabra debe valer más que cualquier contrato'. Eso, para mí, se convirtió en un estilo de vida. En 1999, cuando empecé a diseñar mi nueva bodega, Susana Balbo Wines, conté con la ayuda de muchos de estos amigos, que la hicieron posible". Inaugurada oficialmente a fines de 2002, Susana Balbo Wines se convirtió en las últimas décadas en un modelo para seguir. Una bodega personal y profesional, que se abrió camino en los mercados internacionales ganando clientes fieles y altos puntajes. "Estoy muy feliz con la bodega. En particular, creo que 2013 fue un año bisagra para nosotros, cuando entró Eddy Del Pópolo como gerente general. Con Eddy comenzamos a trabajar uvas del valle de Uco, armando nuestro viñedo en Gualtallary. Y fue un giro espectacular en la calidad de los vinos". ¶

Desde sus tiempos en Cafayate, Susana Balbo es reconocida como "la reina del torrontés", la cepa blanca única de Argentina. "Le estoy muy agradecida a la torrontés. Ella me puso en el mapa mundial de los vinos, y yo la puse a ella en ese mismo lugar. Es una cepa muy interesante, compleja de trabajar, que exige conocimiento enológico. Creo que Argentina falla en pensarse a sí misma como un país de tintos; nos perdemos así grandes oportunidades. No hay que olvidar que el consumo mundial de vinos blancos es del 50 %. Y

nosotros podemos ofrecer varietales y cortes increíbles, con muy buena complejidad". ¶
Siempre fiel a sí misma, Susana Balbo se involucró incluso en la política partidaria, como diputada por la provincia de Mendoza. Luego renunció a su banca para dedicarse por un año a su rol como presidenta de Women 20, un programa de crecimiento inclusivo del G20, con especial énfasis en el empoderamiento económico de las mujeres. "Lo de W20 fue una experiencia fantástica, hay otro mundo luchando por derechos muy necesarios. Pero respecto de la política, quedé desilusionada... No importa de quién se trate, no es más que una corporación que se defiende a sí misma, sin importarle realmente la gente. No hay altruismo, empatía, sentimientos verdaderos. Sin embargo, creo que todos deberíamos involucrarnos al menos un tiempo en la política, así el país cambiaría. El 'No te metas' de la dictadura militar todavía existe en nuestras cabezas: 'No te involucres, no seas generoso, no brindes tu tiempo a la patria'". ¶
Para los próximos años Susana imagina una Argentina vitivinícola con cada vez más identidad de región, abriendo nichos de negocios que permitan diferenciarse de sus competidores. "La pandemia comenzada en 2020 terminó de definir también una revolución digital, consolidando nuestras plataformas de *e-commerce*. Todo eso llegó para quedarse, descubrimos que podemos vender vinos sin necesidad de viajar tanto. Por dos décadas viajé entre ciento veinte y ciento ochenta días al año, eso ya no es necesario. Como país nos falta hacer una gran inversión en digitalización, un proceso que exige capitales muy grandes, con inversiones multimillonarias que hoy por hoy no logramos hacer y corremos por eso el riesgo de quedarnos afuera de muchos mercados. Es algo que debe ser pensado en conjunto, entre todos. Una golondrina no hace verano. Las batallas no se pelean solos, sino en ejércitos. Así debemos plantearnos como industria". ¶

DAVID BONOMI

COMO SUCEDE CON LA MAYORÍA DE LOS PRINCIPALES ENÓLOGOS y agrónomos mendocinos, David Bonomi heredó la pasión por el vino como parte de su genética familiar. Sus abuelos vinieron de España y de Italia, uniendo así en una misma casa a dos inmigraciones europeas que sumaron sabores, sonidos y temperamentos a la Argentina. De ellos aprendió que el vino no es tan solo una mercancía de venta, sino una forma de vivir, de relacionarse con el paisaje y con la cultura. "Ellos eran productores de uva; mi

B

padre nació en Argentina, pero también siguió ese camino. Vivíamos en Palmira, en el departamento de San Martín. Desde que tengo memoria, las fincas y el vino fueron siempre nuestro medio de vida. A la hora de estudiar, ni se me ocurrió otra alternativa que no fuera la enología", cuenta. Empezó a trabajar temprano, antes de recibirse, primero en las bodegas de la zona donde vivía. Luego, a principios de los noventa, entró en Gancia, que producía en el valle de Uco la base de sus espumantes. Allí fue donde conoció a Eddy Del Pópolo, su actual socio en ese pequeño e influyente proyecto que es PerSe. ¶ "Eddy se fue de Gancia antes que yo, y ya en ese momento me dijo que seguro en algún momento la vida nos iba a volver a juntar. Tuvo razón. Entre tanto, en el 2002, yo entré como tercer enólogo a Norton, bajo las órdenes de Jorge Riccitelli. Al tiempo, Eddy me llamó y me pidió que lo acompañara en Doña Paula. Para mí, era una gran oportunidad, pasaba a ser el enólogo principal en una bodega. Hablé con Jorge y me dio piedra libre. Diez años estuvimos con Eddy en Doña Paula, donde escribimos un capítulo propio, trabajando con distintas genéticas de cepas, distintos clones, con la limpieza de materiales del malbec. Teníamos gran libertad de acción, si bien dependíamos de la casa central en Chile. Empezamos en una bodega que estaba naciendo y fuimos parte de su crecimiento en cientos de hectáreas y millones de botellas. En 2012 arrancamos con Eddy lo que hoy es PerSe. Y en 2014, Norton me convocó una vez más, en esa oportunidad para acompañar por un tiempo a Jorge Riccitelli y luego quedar a cargo de la enología de esta gran bodega", cuenta David, haciendo un resumen de su carrera. ¶ La bodega grande y la pequeña. La antigua y la nueva. Dos mundos que semejan tan distintos. De un lado, Norton, una casa centenaria con fuerte arraigo en el consumo local y una muy importante exportación. Una que posee fincas en distintas regiones de Mendoza: produce millones de litros de vinos tranquilos y espumantes, y cubre así gran parte del espectro de consumo. Del otro lado, PerSe, un proyecto de apenas 15 000 botellas nacidas en su viñedo propio del Monasterio del Cristo Orante, en Gualtallary –al que se suma ahora uno más, en San Pablo, para futuros vinos blancos–. Pero, se sabe, muchas veces los extremos están más cerca de lo pensado. "El vino argentino es así, es un compendio entre esas dos situaciones. PerSe es algo familiar, se emparenta con lo que hacían mis antepasados. Es volver al origen de la familia, a cuando ellos llegaron de Europa y se instalaron en Mendoza para hacer sus vinos. Ahora se incorporó Santiago, hijo de Eddy Del Pópolo, y en un tiempo más será el turno de María Luz, mi hija. Tener a nuestros hijos allí es pensar en una continuidad, con valores como la dedicación, el trabajo y la calidad. Pero todo esto también se replica en Norton: más allá de la diferencia de tamaño, lo que subyace es similar. Norton es una bodega en la que todo enólogo quisiera estar, con presencia en sesenta y cinco países, elaborando una enorme diversidad de vinos. Y con un dueño muy comprometido con la marca. Así, en PerSe tengo la libertad del proyecto pequeño, donde somos solo dos personas y hacemos lo que se nos da la gana; y en Norton, la responsabilidad de mantener un mercado activo en el mundo y en el país, manejando un equipo de ciento cincuenta personas. En lo personal, pienso ambos espacios como un gran complemento: los dos me alimentan y me activan. El único límite que veo es la energía física que demanda todo esto. Por suerte, por ahora tengo esa energía que me permite trabajar desde las siete de la mañana hasta las once de la noche, recorriendo cada día 350 kilómetros para visitar distintos viñedos". ¶

Levantarse temprano, manejar hasta a una finca en Perdriel, luego ir a la bodega, probar los mostos de fermentación, catar algunos vinos de barrica y de tanque; ir a otro viñedo en Gualtallary, volver una vez más a la bodega, definir algunos cortes. Los fines de semana le toca juntarse con Eddy y pensar, planificar, diseñar. No se trata tan solo de controlar cada variable que hace a un vino, sino de entender la correlación que existe entre aquello que se ve en el campo y lo que empieza a vislumbrarse en los tanques. "Es confirmar lo que uno imaginaba *a priori*. En las últimas décadas, muchas cosas cambiaron de manera vertiginosa, pero lo que no cambió es la forma de leer el campo. Se lo lee pisándolo, caminándolo. Hay que conocer cada planta, hilera y rincón. Yo no entiendo una finca si no la puedo recorrer antes". Parece un trabajo agotador, pero a David se lo ve feliz. Sonríe fácil, le gusta explicar lo que hace; incluso, pareciera disfrutar un poco de ese agotamiento diario. "Hoy me gusta mil veces más que antes ser enólogo", afirma desafiante. "El conocimiento básico que me dieron en la facultad comprendía fórmulas, recetas. La apertura a la realidad es siempre distinta. Y disfruto muchísimo con ese contrapunto". ¶

A David Bonomi se lo puede describir como un intelectual del vino. Después de caminar las viñas, antes de tomar una decisión, se detiene y reflexiona. Medita sobre lo que sucede en las fincas, en las vides, en la bodega, en los mercados, en el país. "Esto lo aprendí de mi época en Gancia, donde todo estaba pensado desde antes de mover un dedo. Siempre tengo en la cabeza el vino que voy a hacer mucho antes de cosechar. Tal vez parece algo aburrido, pero la verdad es que resulta muy demandante. Y por supuesto que luego cae un granizo y barre con todo aquello que tenías planificado. Pensamos mucho, hablamos mucho, y de ese diálogo e intercambio salen las mejores cosas", dice. Hoy su reflexión pasa por el futuro de los vinos nacionales. "La gama de vinos que disfrutamos actualmente, esos terruños que tanto nos cautivan, son un desarrollo que demandó muchos años. Es como una máquina del tiempo: lo vemos ahora mismo, pero se pensó, en realidad, en el 2000. Y, del mismo modo, lo que estamos trazando hoy se

verá mucho más tarde. Un tema prioritario es darle lugar al consumidor que simplemente quiere un vino que lo acompañe, que lo refresque: esos vinos de gama media y varietales del año, que requieren invertir en tecnología, una materia en la que hoy Argentina se está retrasando respecto del mundo, ya que nos cuesta invertir a largo plazo. Este ejemplo siempre es polémico pero válido: cuando uno habla de cerveza sin alcohol, sigue hablando de cerveza. Es algo que también sucederá en nuestra industria en algún momento. Y hacer un buen vino sin alcohol requiere de tecnología. Otro tema superinteresante es estudiar la matriz genética de las plantas, los consumos de agua que requieren; investigar sobre portainjertos y biotecnología". ¶
Para Norton, David significó una apuesta importante, una jugada de ajedrez dentro de un plan estratégico, que les garantizó un ímpetu juvenil a los vinos de esta casa centenaria. "Estar en Norton me permitió revalorizar los terruños de Luján de Cuyo, lugares como Perdriel y Lunlunta. Recuperé el respeto que toda esa zona merece; son viñedos históricos de la Argentina, de los que cada vez quedan menos porque crece la presión inmobiliaria sobre esas tierras, con barrios privados y nuevas casas. Me da mucha felicidad poder dinamizar una bodega de la importancia de Norton, haciéndola crecer también en zonas que no son las de Luján. Es abrir una nueva ventana: hoy Norton puede hacer vinos en Salta, en San Juan, en la Patagonia. Si mañana surge la posibilidad de hacer vinos en la costa atlántica, ¿por qué no hacerlo? Es entender que lo histórico no debe significar quedarse quieto. Eso estamos haciendo con los Altura o con la grüner veltliner". ¶
David Bonomi tiene en su poder la preciada llave que abre la cava de Norton, una de las colecciones de vinos antiguos más importantes de la Argentina. Cada tanto entra allí para abrir alguna botella invaluable: de pronto, un malbec de 1974 ("El primer malbec exportado que salió con etiqueta de malbec –dice–, así como otros vinos y variedades de las décadas de los cincuenta, sesenta y setenta"). "Son cosas que no se pueden comprar, que te permiten repensar la historia y el presente del vino nacional de otra manera". ¶
Pensar, siempre pensar. Con PerSe, en los últimos años el binomio Bonomi-Del Pópolo obtuvo altos puntajes e importantes reconocimientos nacionales e internacionales. "Esos puntajes generan gran exposición; pero, en realidad, no son más que la consecuencia de un montón de actos que incluso van más allá del vino calificado. No me gusta el puntaje en sí, sino la crónica de ese puntaje, el prólogo que el crítico hace en el reporte. Eso es lo que valoro: cuando alguien viene, recorre toda la zona y PerSe queda como un hito en su crónica. El puntaje es una forma siempre un poco arbitraria de medir; hoy parece que todo se debe medir, vivimos en una época en la que importan los *likes* que tenés y, cuando alguien escribe algo más profundo, pasa desapercibido. Pero ahí está lo que a mí me interesa: la narración de lo que está pasando. Eso es lo que tratamos de difundir".¶

WALTER BRESSIA

B

WALTER BRESSIA LLEVA EL VINO EN LA SANGRE: su abuelo siciliano fue viñatero, su padre fabricaba toneles, y él mismo, tras un fallido intento de estudiar Medicina, terminó recibiéndose de enólogo en el Liceo Agrícola. Desde allí construyó una historia que hoy continúa y suma a sus propios hijos a la saga familiar. ¶
El primer trabajo oficial de Bressia fue en la Bodega Nieto Senetiner, donde entró en 1978. "Comencé como enólogo y llegué a ser director de Producción. Estuve ahí hasta 1998: por veinte años Nieto Senetiner fue mi casa, donde crecí como persona y como profesional", cuenta. En esos finales de los años ochenta y principios de los años noventa, Walter Bressia fue testigo y a la vez protagonista de la revolución vitivinícola que cambió al vino de la Argentina, un proceso de incorporación de tecnología, mejoramiento en los viñedos y profesionalización en la bodega. "El mercado interno estaba resentido, las producciones eran de millones de litros y era necesario salir a vender al exterior. Pero el estilo de vinos que bebíamos aquí no funcionaba en otros países, nadie lo quería. Cambiar esto implicó encontrar problemas existentes en la conservación, en la elaboración, en los viñedos, en las vasijas y en las maquinarias. Era empezar de cero. En lo personal fue un enorme aprendizaje; hice también ahí mis primeros viajes para ver bodegas en Europa, en Francia, Italia, España. Luego empezaron los intercambios de técnicos, llegaron asesores de afuera, incorporamos tecnología con un tipo de cambio favorable. Logramos una reconversión increíble, que sumada a la gran estrella que era el malbec, nos permitió posicionarnos en el mapa mundial", explica. ¶
De Nieto Senetiner, Walter Bressia se asoció con quien había sido allí su jefe, Adriano Senetiner, para abrir en conjunto Viniterra, proyecto que lo tuvo al frente de 1996 a 2003. "Viniterra fue una bodega adelantada: la pensamos focalizada en la tierra, en los vinos originados en la tierra. Esto es algo de lo que hoy se habla mucho, pero que en ese entonces apenas se mencionaba. Como director ejecutivo de la Denominación de Origen Luján de Cuyo yo entendía que el vino debía representar a su lugar, a su terruño y a la mano de obra atada a ese suelo", cuenta. Viniterra también le dio la oportunidad a Walter de conocer la otra cara de una bodega, la parte comercial. "Yo era un técnico y ahí sumé lo que significa ser un empresario vitivinícola. Eran años duros, Argentina no crecía a la misma velocidad que antes, el proyecto era complicado, pero estar ahí me permitió entender variables desconocidas del vino, aprendiendo de mis errores". De a poco este enólogo devenido bodeguero comenzó a imaginar un proyecto aún más personal, que lo involucrara a él y también a su familia. En 2001, siendo todavía parte de Viniterra, lanzó un vino propio que marcó el camino a seguir: el Bressia Profundo. "Se trataba del primer *blend* de cuatro variedades, con malbec, cabernet sauvignon, merlot y syrah, de alta gama, en un momento en que todos hacían solo malbec. Ese corte, sumado al precio alto y con un nombre que rompía muchas de las tradiciones de los vinos de la época, hizo un gran ruido en el mercado". ¶

En 2003 Walter Bressia decide irse de Viniterra y dar vida a una bodega familiar que desde entonces lleva su nombre en la marquesina. Comenzó elaborando vinos en lugares ajenos, hasta poder construir su espacio en Agrelo. Desde entonces surgieron grandes etiquetas como Lágrima Canela, Conjuro o Piel Negra, construyendo un nicho de fieles consumidores en el país y el mundo. "Estamos en pleno crecimiento con vinos muy demandados, haciendo lo que nos gusta. Logré algo que alguna vez vi en Europa, pero que no creí posible replicar acá: vender cosechas anticipadas, vinos que todavía no están terminados. Y lo puedo hacer trabajando con mi esposa Marita, con mis hijos Walter, Álvaro y Antonella, no puedo imaginar algo mejor". ¶

A lo largo de tantos años Walter dio forma a un estilo propio que lo distingue: le gusta decir que hace vinos elegantes, modernos pero de perfil clásico, que se dejan beber y disfrutar, que son armónicos. "Son los vinos que a mí me gustan; no quiero vinos agresivos y por eso trabajamos mucho desde el viñedo, para lograr una buena madurez de los taninos, que sirvan como esqueleto para sostener los aromas y sabores, pero que nunca estén verdes". ¶

A sus espaldas tiene varios vinos de los que sentirse muy orgulloso. Como el cabernet sauvignon 1995 y el syrah 1995 de Nieto Senetiner, que obtuvieron el Gran Premio de Oro en Vinexpo. O los malbec y chardonnay de Viniterra, también con medallas de oro en concursos internacionales. "Pero sin dudas el vino que me ha dado más satisfacciones es el Bressia Profundo, que cambió el mercado de la alta gama. Ahí hubo también un gran trabajo de Víctor Dayán, dueño de la vinoteca Ligier. Con su mirada comercial él logró poner ese vino en el lugar que merecía. Al día de hoy el Bressia Profundo sigue siendo nuestro emblema, incluso sin ser el tope de gama, que ahora es el Saro, un corte con el que mis hijos homenajean a su abuelo". ¶

Si bien Bressia utiliza para sus vinos uvas de regiones del valle de Uco (como Gualtallary, La Consulta, Vista Flores y más), asegura que su lugar en el mundo es Luján de Cuyo, en especial la zona de Agrelo, donde consigue el equilibrio entre acidez, dulzura y cuerpo que considera ideales para elaborar grandes vinos. "Hoy Argentina tiene vinos fantásticos y es algo que debemos cuidar. Costó mucho llegar donde estamos. Hubo un tiempo en que se debatía si había que hacer dos vinos distintos, uno para el consumo local y otro para la exportación. Yo era de los que decía que no, que el vino era uno solo, y que los consumidores locales iban a recibir bien cambios que apunten a una mejor calidad. Por suerte tuvimos razón y hoy el mundo confía en los vinos de la Argentina. Debemos cuidar esto y apostar a seguir evolucionando, subiendo segmentos de precio y mostrándonos como una actividad madura, consolidada, repleta de potencial. En lo personal creo en eso. Y trabajo para eso". ¶

HACEDORES DE VINO

ALGUNOS DECIDEN ELABORAR VINOS POR HERENCIA FAMILIAR, otros por decisión comercial o incluso por azar. En el caso de Pablo Cúneo, lo que lo definió fue un paisaje visto de adolescente: durante la primaria y secundaria realizó distintos viajes con el colegio a la Patagonia y esos primeros contactos con la naturaleza, explica, fueron decisivos para que años más tarde eligiera anotarse en la carrera de Ingeniería Agronómica en la Facultad de Ciencias Agrarias de la Universidad Nacional de Cuyo. "Mis padres eran contadores, mi abuelo también, ninguno tenía relación con la agricultura. Pero ahí, rodeado de esos horizontes, descubrí que yo quería estar en contacto con la naturaleza", cuenta. Se recibió en 1999, en la bisagra del nuevo siglo, en plena ebullición y cambios de la industria del vino en Argentina. Ya desde 1997 trabajaba para Bodegas Chandon, primero haciendo pasantías de verano, y luego, ya culminados los estudios, elaborando espumantes y vinos base junto a dos grandes maestros: Onofre Arcos y Hervé Birnie-Scott. "Aprendí de enología con ellos, parado al lado de los tanques, en el día a día", afirma. ¶ Detallista y con mirada siempre a largo plazo, a partir de ese momento, Pablo acumuló experiencias que lo marcaron de por vida: en 2002 pasó a ser parte del equipo de Terrazas de los Andes, bajo la mirada y enseñanzas de Roberto de la Mota. En 2003 cruzó el Atlántico y pasó tres meses en la mítica región francesa de Burdeos, donde quedó maravillado por la pasión y la dedicación de los trabajadores de la zona. Tres años después, su camino profesional lo llevó a aceptar un nuevo desafío, como director de bodega en Ruca Malen, donde puso trabajar y aprender junto a Jean Pierre Thibaud, uno de esos nombres sólidos e ineludibles en la transformación del vino en la Argentina. Doce años estuvo Pablo en Ruca Malen, consolidando allí muchas de sus obsesiones vinícolas: el respeto por los viñedos, por las uvas, por las características varietales y las del terruño. ¶ En 2017 Pablo Cúneo giró una vez más ese timón que lo va llevando por la vida, y se convirtió en el director técnico de Luigi Bosca, la histórica bodega mendocina que en 2021 cumplió ciento veinte años de vida. "Con más de un siglo a sus espaldas, es fácil pensar en Luigi Bosca como una bodega tradicional, pero la verdad es que siempre tuvo a la innovación dentro de sus principales objetivos. Alberto Arizu fue uno de los grandes impulsores en la definición de la DOC Luján de Cuyo. También Luigi Bosca fue pionera al presentar un sauvignon blanc en los años noventa, luego salió con *blends* de alta gama en los 2000 y hasta incluyó un *white blend* en la línea Gala cuando todavía hablar de cortes blancos de calidad era una curiosidad en la industria. A mí hoy me toca el desafío de mantener el legado de esta casa y también de continuar con ese mismo espíritu de innovación. Una innovación que, me gusta pensar, nace siempre en el viñedo, probando las uvas y entendiendo las zonas", explica Cúneo en una entrevista. ¶

Para lograr todo esto, Pablo Cúneo cuenta con material vinícola al alcance de la mano, incluyendo ese cabernet sauvignon que tanto le gusta (alguna vez confesó que esa es su variedad preferida, convencido de que Argentina puede competir con sus cabernet sauvignon de clima continental en las grandes ligas del mundo). Hoy Luigi Bosca tiene ocho fincas propias: dos en Maipú, tres en Luján de Cuyo (en Vistalba, en Las Compuertas y en Carrodilla) y tres más en el Valle de Uco, entre Gualtallary, Altamira y Tunuyán. Más de 500 hectáreas que le permiten a este ingeniero agrónomo dar rienda suelta a su creatividad, acompañando además un proyecto de transición a viñedos orgánicos en tres de esas fincas.

Desde que está a cargo de la enología de Luigi Bosca, Cúneo presentó en el mercado la extensión de la línea De Sangre, también el vino Paraíso (un *blend* malbec-cabernet sauvignon del valle de Uco), e incluso lanzó el primer vino certificado orgánico en la historia de la marca, un malbec bajo la etiqueta Apuntes. "El nombre Apuntes refiere a esos cuadernos de trabajo escritos a mano por Alberto Arizu en sus muchos viajes alrededor del mundo como ingeniero agrónomo. Y es una línea de edición limitada, en la que nos permitiremos presentar vinos nuevos, producciones pequeñas y pruebas que hacemos en la bodega", explica.

Pablo Cúneo adhiere a la idea de "menos es más", buscando que la intervención externa en el proceso de elaboración del vino sea la justa y necesaria. Esto lo lleva actualmente a trabajar con barricas y fudres de mayor tamaño, minimizando así el impacto de la madera, y apostando a lo que él llama la precisión y la transparencia en los vinos, cuidando cada detalle (la parcela elegida, el momento de cosecha) para expresar siempre el origen de las uvas. "Argentina es un lugar realmente único, donde tenemos más de 2500 kilómetros de viñedos que van del norte al sur del país. Encontrar algo así en Europa sería imposible. Y además tenemos la posibilidad de mostrar las diferencias que hay en todo ese recorrido a través de una cepa como la malbec. Yo tuve suerte en mi vida: siempre me acompañaron grandes maestros que se convirtieron, en muchos casos, en amigos. Trabajé con Onofre Arcos, con De la Mota, con Thibault. Una lista a la que se suma Alberto Arizu con toda su experiencia y conocimiento".

Los lujos de Pablo son tan simples como profundos: estar en familia, cuidar el jardín, vivir rodeado de naturaleza, cada tanto salir a pescar. A esto le suma su trabajo diario, con el objetivo de elaborar cada día un vino que sea mejor que el anterior, añada tras añada, experiencia tras experiencia. Esa es la búsqueda que guía su camino y que lo convierte en uno de los grandes vitivinicultores de la Argentina.

ROBERTO DE LA MOTA

D

HAY APELLIDOS QUE TRASCIENDEN EN LA HISTORIA. Esto, a veces, puede ser una bendición; también, una carga. Pero, para Roberto de la Mota, llevar ese apellido fue siempre una alegría. Este gran enólogo argentino es nada menos que hijo de Raúl de la Mota, uno de los próceres indiscutidos de la vitivinicultura en Argentina, quien defendió el malbec en una época en la que, a la gran mayoría de los bodegueros y viñateros, solo les importaba el volumen y el precio. "Nunca sentí el apellido como un peso. Salvo en algún caso puntual, que prefiero no recordar, siempre fue una enorme ayuda, me abrió miles de puertas. Pude vivir la responsabilidad de llamarme así con pleno orgullo. Y con la idea de que en esta profesión yo no podía macanear; de que todo lo que encaraba tenía que ser con seriedad y profesionalismo. A lo largo de su vida, mi padre tuvo muchos contactos con enólogos de afuera, y en mis viajes pude interactuar con ellos, me aceptaron en sus bodegas. Espero que, para mi hijo, que se recibió de ingeniero agrónomo en 2020, el apellido tampoco sea un peso, sino un modo de abrirse caminos, como sucedió cuando apenas recibido pudo realizar una estadía en Cheval Blanc, en Burdeos", dice Roberto, con esa voz reflexiva y pausada que lo identifica. ¶
Roberto de la Mota vivió su infancia en una bodega. No es una metáfora: por esos años era común que las grandes bodegas argentinas contasen con casas dentro de los mismos predios donde habitaban los empleados. La bodega era sinónimo del pueblo, de la vida social y comunitaria. Así, entre los 2 y los 16 años, Roberto vivió literalmente en Bodega Arizu, donde Raúl de la Mota se encargaba de la enología. "La bodega fue parte clave de mi infancia", cuenta. Del colegio secundario salió ya con un título de técnico agrario con especialización en Enología, y enseguida comenzó a trabajar como operario a las órdenes de su padre en la icónica Bodega Weinert. "En ese tiempo conocí a Émile Peynaud, uno de los más prestigiosos enólogos franceses, responsable de la modernización de la enología mundial durante la segunda mitad del siglo XX, y él me aconsejó que, si yo quería en algún momento seguir estudiando en Francia, lo mejor era ser ingeniero agrónomo para que me reconocieran luego las equivalencias. A mí me gustaba la viticultura; además, la carrera incluía materias como Enología 1 y 2, y te daban también un título de enólogo, así que le hice caso. Ya recibido me surgió la posibilidad de ir a Montpellier, al sur de Francia, y hacer la especialización de Viticultura y Enología. De este modo, puedo decir que me recibí tres veces de enólogo. Si sé algo del tema, no es tanto por mi capacidad, sino por mi insistencia". ¶
Entre finales de los ochenta y principios de los noventa, Roberto trabajó ocho años para Weinert como jefe de viñedos de esta casa centenaria. Luego, en 1994, comenzó una larga y fructífera estadía en Chandon, que marcó gran parte de su vida. Comenzó como jefe de viñedos, siguió como responsable de vinos clásicos y, finalmente, tuvo a su cargo un proyecto diseñado de manera global, de donde surgieron Terrazas de los Andes y Cheval des Andes, un *joint venture* entre los franceses de Cheval Blanc y Terrazas,

en Mendoza. "Trabajé en Chandon doce años, hasta 2006. Es una bodega que tengo en mi corazón. Estar con ellos significó la posibilidad de viajar, de aprender, de desarrollarme. Pero como siempre, hay ciclos en la vida en que uno siente, en determinado momento, que ya los cumplió. Y en 2006 apareció la posibilidad de hacer Mendel, mi bodega propia. Igual, con Chandon y con Cheval, con todos los que trabajan allí y muchos de los que trabajaron, sigo teniendo una relación permanente", afirma. ¶
Mientras repasa su historia, De la Mota menciona nombres y protagonistas que forman la genealogía del vino argentino a lo largo de los últimos cuarenta años, incluyendo a muchos que no siempre recibieron el crédito merecido. "Hoy hay una increíble generación de enólogos y agrónomos a los que admiro mucho. Son innovadores y trabajan de manera incesante para lograr que Argentina siga creciendo a pesar de todas las dificultades que siempre tenemos. Por suerte, tanto en las generaciones pasadas como en las actuales, hay muchísima gente valiosa, a la que hay que reconocerle su aporte y trabajo. Claro que algunos son más conocidos que otros, por la personalidad que tienen, pero hay también muchos realmente extraordinarios, que trabajan sin cesar con la cabeza gacha, lejos de los medios". ¶
Estudiar Agronomía en una época en que Argentina se desprendía de sus mejores viñedos no fue una elección estratégica, al menos no de manera consciente. "Fue una buena decisión; a la hora de hacer vinos, es necesario entender la fisiología de la vid. Tuve la suerte de contar con muchos amigos que me fueron dando consejos, mensajes que uno recibe a lo largo de su vida y que incluso a veces no termina de comprender, pero que le sirven muchísimo. De todo esto hablé con Paul Hobbs (uno de los más reconocidos enólogos y consultores estadounidenses, creador en Argentina de Viña Cobos), con quien tenemos una formación y edad parecidas. Ambos venimos de una época en la que la vitivinicultura no era algo importante. Cuando yo estudiaba en los ochenta, el vino argentino pasaba por una enorme crisis: estaba el caso Greco (una gran estafa organizada por los hermanos Héctor y José Greco a finales de los setenta en Mendoza, que llevó a decenas de bodegas a la quiebra), la desvalorización de los vinos y viñedos, la pérdida de 40 000 hectáreas de malbec. Fueron años dramáticos. Para los que estudiamos en ese tiempo, incluyéndome a mí y a muchos colegas amigos, era tirarse al vacío. Incluso el reconocimiento público a mi padre fue posterior, en los años noventa. Pero, cuando tenés la pasión en la sangre, no hay nada que hacer", afirma. ¶
Visionario, en su vida Roberto de la Mota marcó caminos indelebles. Entre 1989 y 1992, se encargó de realizar las primeras importaciones de plantas de vid de material clonal en el país. "Importé ese material, inscribí los viñedos, me tocó hacer la gestión en persona: recuerdo que el jefe de Sanidad en Mendoza era un tal Hernán Cortés y, cuando fui a verlo, me dijo directamente que no, que lo que yo quería traer era imposible. Pero soy cabeza dura, así que viajé a Buenos Aires, a la calle Paseo Colón, y ahí me entrevisté con

la jefa de Sanidad Vegetal a nivel nacional. Y me dijo que sí, que todas las plantas se pueden traer si uno cumple antes con el protocolo. El motor de todo esto era que, como argentinos, nos estábamos perdiendo de materiales fantásticos. Acá no existía el cabernet franc, el viognier, el petit verdot. Faltaban muchísimos clones de chardonnay, de pinot noir. Luego comenzaron a llegar los demás viveristas que se sumaron a esto. Al tercer año de importar, yo ya estaba vendiendo más de un millón de plantas a bodegas como Peñaflor, Luigi Bosca, a todos. De hecho, creo que la peor decisión económica que tomé en mi vida fue dejar ese negocio y dedicarme a hacer vinos", dice riendo en voz alta. ¶
En Chandon y en Terrazas de los Andes, Roberto tuvo la posibilidad de importar tecnologías todavía desconocidas, incluyendo el uso de alternativas de algunas maderas o la técnica de microoxigenación. Pero en sus propias palabras, el gran aporte de esos años fue más colectivo que individual, siendo parte de un grupo de enólogos con ganas de cambiar las reglas de juego. "Fuimos muchos que, apoyados en las bodegas en donde trabajábamos, comenzamos a viajar por el mundo, comunicando el vino argentino. Entre el 2000 y 2006, viajaba sin parar: por lo menos dieciséis semanas seguidas entre mayo (al terminar la cosecha) y diciembre. Estuve en Corea, Singapur, Malasia, China, Japón; también en Europa, EE. UU., Brasil, siempre hablando de lo que estábamos haciendo en nuestro país. Entre todos logramos colocar a la Argentina en el mapa vitivinícola mundial. Pero viajar es también extenuante. Cuando volvía a Buenos Aires, mi equipo técnico en la bodega se burlaba de mis ausencias poniendo una pelota en el sillón de mi escritorio a la que llamaban Wilson, como si yo fuera un náufrago. Son viajes solitarios, lindos pero agotadores. Y en realidad, al que estudia agronomía le gusta estar en el campo, no en un avión". ¶
A Roberto de la Mota le tocó la responsabilidad de comunicar sobre terruños y alturas. "Con Terrazas apostamos fuerte a crear la idea de que había una altitud ideal para los cepajes con los que trabajábamos. Al principio parecía una idea muy loca, pero pegó muy fuerte. Y lo hizo porque era una lectura de la realidad. Incluso un día, hablando con papá, le conté de todo esto y él sacó de su archivo un informe de un francés, Pierre Denis, quien había sido contratado por el Gobierno nacional en 1916 para estudiar los cultivos industriales de la Argentina. Cuando le tocó venir a Mendoza, Pierre escribió que el malbec daba muy buena calidad y tipicidad, sobre todo en las zonas más altas, en la precordillera de los Andes. Ya en ese entonces se sabía lo que luego reforzamos... De la nueva camada de bodegas, con Terrazas fuimos pioneros en plantar en Gualtallary, en Caicayén, hasta los 1300 metros sobre el nivel del mar; también en Altamira", relata con orgullo. ¶
Con Mendel, Roberto inició finalmente el camino de la bodega propia, donde hoy elabora 250 000 botellas al año. "En una multinacional te enfrentás a las complicaciones que implica la política, la burocracia que se genera, la necesidad de volúmenes determinados con pautas preestablecidas. A la vez, contás con un potencial de inversión, de

ensayos y pruebas formidable. En el proyecto chico y propio, podés decidir todo con más libertad de acción, pensar en cada parcela por separado, en cada tanque, generar microvinificaciones; hacés lo que querés sin tantas presiones. Pero, a la vez, tenés pocas balas en el tambor, no podés darte el lujo de fallar. En mi caso, las siento como dos etapas distintas. Como enólogo joven, lo mejor que te puede pasar es trabajar para empresas grandes, adquirir la gimnasia, soportar las exigencias, aprender de los equipos. Y luego, años más tarde, aplicar todo eso en proyectos más chicos. En Mendel, donde tenemos poca fuerza comercial, vendemos una relación humana: el importador que te elige lo hace porque te conoce, porque le gusta lo que hacés, porque te ganaste su confianza y amistad". ¶

En el 2007 Roberto de la Mota tuvo un accidente de auto por el que casi fallece. Tras una larga rehabilitación, logró reponerse. Hoy, desde una silla de ruedas, mantiene la pasión por el vino y por la vida. "Soy un agradecido. El accidente cambió muchas cosas, pero tuve la suerte de poder seguir trabajando. Eso es muy importante: nunca perdí las ganas de hacer, de seguir creando vinos. En simultáneo, relativicé otras cuestiones. Incluso creo que el mayor cuidado que debí tener fue no ponerme insensible frente al mundo, frente a las otras personas. En todo esto la familia y las amistades fueron importantísimas, significaron un soporte fundamental. Y también lo fue el universo del vino, los colegas y las empresas, que nunca dejaron de apoyarme". ¶

EDGARDO DEL PÓPOLO

EN EL UNIVERSO DE AGRÓNOMOS Y ENÓLOGOS ARGENTINOS, hay nombres ya conocidos que resuenan en revistas y notas periodísticas; que funcionan como contraseñas vox pópuli para abrir puertas de vinotecas y de góndolas por igual. Pero también hay otros nombres más silenciosos; grandes profesionales que cultivan un bajo perfil, trabajando casi en las sombras, y que, a la vez, son considerados gurúes por sus pares. Eddy Del Pópolo pertenece a este segundo grupo: arquetipo del hacedor de vinos, viene recorriendo y plantando viñas desde hace treinta años, como responsable de algunos de verdaderas etiquetas de culto buscadas por coleccionistas y conocedores. "Vengo de una familia de inmigrantes de distintas nacionalidades europeas, especialmente francesas e italianas, que llegaron al país entre finales del siglo XIX y principios del XX. Mis bisabuelos cultivaban vides en la zona central, en Maipú y en otras regiones vitícolas de esos tiempos. Ya en esos años plantaban malbec. Viví en ese mundo, desde chiquito estuve en contacto con todo esto, casi cincuenta años atrás, vivenciando los sistemas de conducción de la época, los modos de riego. Esa fue mi infancia y marcó mi futuro. Hice el bachillerato técnico-enológico, estudié Agronomía y empecé a trabajar muy temprano, a comienzos de los noventa, recién recibido de la universidad. Empecé en los viñedos de Gancia, que por ese entonces tenía muchas plantaciones, algunas en Luján de Cuyo, otras en el este, pero la gran mayoría en el valle de Uco", recuerda. ¶

Para un agrónomo enamorado de los suelos, plantar un viñedo desde cero es como para un escritor tener delante la hoja en blanco. En ese momento todo es posible, desde elegir el lugar exacto hasta definir el modo de conducción, los riegos, los clones, las orientaciones, la densidad y más. Para Del Pópolo, esa posibilidad se dio en Doña Paula, bodega nacida en Mendoza a finales del siglo XX de la mano de los chilenos de Santa Rita. "Fui su primer empleado en el país. Ellos querían plantar en Luján y en el valle. Fue muy interesante, porque el proyecto nació con tierras que apenas tenían unos pocos viñedos. De 700 hectáreas en Ugarteche, solo 35 estaban cultivadas. Ahí planté unas 440 hectáreas. Luego, seguimos en distintos lugares del valle de Uco, en Tupungato, en lo que en ese momento era el sur de Altamira (hoy es El Cepillo) y en Gualtallary, a 1300 metros de altura. Fueron años muy vertiginosos. Entre el 2000 y el 2010, la bodega pasó de 300 000 litros a 7 millones de litros. De 35 hectáreas cultivadas pasamos a unas 800", enumera. Una década que significó aprendizaje y experiencia, bajo una matriz de curiosidad y tenacidad sin límites. ¶

Hay un viejo refrán que afirma que el todo es más que la suma de las partes. Del Pópolo lo sabe, y para Doña Paula convocó a muchos de los que hoy les exigen a los límites de la enología nacional. "Tuve la suerte de armar equipos de trabajo fantásticos, con Matías y Juan Pablo Michelini, con David Bonomi, con Martín Kaiser. Doña Paula fue una gran escuela. Disfruté mucho esos momentos, donde pudimos innovar en la viña y en la bodega". Pero, como les sucede a muchos de los grandes enólogos, llega el momento de imaginar vinos personales que sean parte de un plan familiar. Para Eddy, ese momento fue el 2012. "Quería empezar un proyecto propio, y hacerlo mientras estaba en Doña Paula era complicado. Decidí dar un paso al costado y arranqué PerSe, junto con David Bonomi. En simultáneo, hablé con Susana Balbo; ella estaba precisando alguien que la acompañase. Y fue muy generosa: aceptó lo de PerSe y nos permitió usar sus instalaciones para elaborar nuestro vino. Así, en 2013, comencé a ser parte de Susana Balbo Wines", cuenta. Desde entonces mantiene ambos puestos: es gerente general de la bodega de Susana Balbo y elabora sus vinos propios con Bonomi. "Con Susana ayudo en la dirección de la empresa. Mi punto más fuerte es entender el viñedo y llevar eso a los vinos; particularmente, la acompaño en la línea BenMarco. Me gusta tener estabilidad en los trabajos, estar muchos años en un mismo lugar. Siento que es un compromiso hacia quien me contrató y, a la vez, representa la manera de profundizar realmente en los conocimientos", afirma. ¶

En esos primeros años profesionales de Eddy Del Pópolo, la distancia entre la enología y la agronomía era insalvable. Los enólogos vivían entre cuatro paredes; los agrónomos estaban en la viña. "La separación era fuertísima. Como agrónomos éramos tipos de campo, administradores de un negocio agrícola. Y el enólogo no salía de la bodega y del laboratorio. Esto sucedía de forma natural, no había siquiera tiempo de pensar otra cosa. ¿Cómo iba un enólogo a recorrer una viña si tenía que estar metido por horas en el laboratorio, en control de calidad, en el área de embotellado? Yo le hacía chistes a los enólogos: 'Ustedes son bichos que están en la bodega, haciendo análisis del vino, preparando un mate cocido en un vaso de precipitación'. Después, en la bisagra entre fines de los noventa y principios de 2000, eso cambió: las áreas técnicas se fueron profesionalizando, la industria cambió su modo de pensar, los enólogos se metieron en el campo y los agrónomos en la bodega. Eso fue superrelevante para elevar la vara de la calidad del vino argentino. Desde 2005 en adelante, dejamos de pensar el vino en función de la tecnología de la bodega, y comenzamos a darles sentido a los lugares, a las regiones, a las condiciones climáticas, a los suelos de zonas que venían creciendo de manera excepcional, como el valle de Uco. Fue un salto importante, se pasó de hacer vinos en los que la tecnología y la enología eran el sustento a hacer vinos que hablan del lugar: vinos de viñedo". ¶

Para Del Pópolo, hoy vivimos la década del suelo. Hasta hace muy poco, dice, todavía lo que más importaba de un terruño era el clima. La calidad en los viñedos se medía de manera analítica: "El suelo era secundario. Creíamos que, si un viñedo estaba sano, trabajado a la perfección, sin maleza, con hileras perfectas y una viticultura de alta precisión, entonces íbamos a obtener inevitablemente un gran vino. En algunos lugares esto fue así hasta 2010. La altura era el elemento esencial que todos buscábamos, pensando siempre en temperaturas, en lograr mejores condiciones climáticas. Ahí nació ese mito de que mayor altura significaba mayor amplitud térmica, algo que no necesariamente es así. Ahora pensamos distinto. Pasamos a la década de los suelos, y todavía la estamos atravesando. Miramos el suelo, no para analizar si es más arenoso o arcilloso y definir de acuerdo con eso el riego, sino para buscar cuestiones ligadas a la morfología y la geología, a la formación de esos suelos, para entender cómo serán luego los vinos que saldrán de cada lugar. Es importante entender esto: la gran calidad de un vino viene dada por el sitio donde nace, y no por cómo se encara el manejo vitícola. No les podés pedir grandes vinos a zonas totalmente inadecuadas". ¶

Vivir esos cambios marcó la vida de Eddy Del Pópolo, y definió su posición e importancia en el mundo del vino. En todos estos años, recorrió zonas, plantó y cultivó vides, y permitió que el tiempo le enseñara todo lo que sucedía en una botella. Así, descubrió que había viñedos que no eran como los de los libros de estudio; que, incluso con condiciones de suelo y de clima que parecían adversas, de pronto, se daban vinos excepcionales. "Me cambió la cabeza. Empecé a pensar en la riqueza de cada sitio, de la gente, del suelo, del clima, de las tradiciones de cada lugar. Me gusta decirlo así: 'Me saqué el mameluco del técnico y me quedé con la libertad del lugar'. Un poco exagero: claro que lo técnico es necesario, te permite lograr hábitos, te da capacidad de observación. Pero, en mi caso, lo empírico ganó mucho lugar. Dejé de lado algunos mitos, cerré los libros y empecé a mirar la planta para entender con más profundidad lo que los lugares nos querían decir. Y lo disfruté muchísimo. Fueron años apasionantes, plantando más de 1500 hectáreas de viñedo en distintos lugares. Son todas experiencias que te forman y ayudan a tomar decisiones que, aun siendo intuitivas, son mucho más firmes". ¶

Con PerSe, Eddy Del Pópolo y David Bonomi marcaron el paisaje del vino nacional de manera contundente. Un proyecto pequeño y personal, de apenas 15 000 botellas al año, pero con una influencia que se extiende mucho más allá de los números. ¶

Un viñedo propio de 2,2 hectáreas en la zona de Monasterio (Gualtallary), en un cerro con colinas y pendientes marcadas. "Un cultivo que, para nosotros, es nuestro jardín –dice–. Cuando probás vinos viejos argentinos, de 1920 a 1960, encontrás cosas increíbles, con una identidad, tal vez, similar a la actual. Hoy, como nunca antes, podemos hacer grandes vinos en el país, tan buenos como los mejores del mundo. Lo debemos hacer entendiendo esa historia argentina, que nace pequeña y artesanal, y que cambia luego a algo industrial para volver a estar en la actualidad más cercana a la tierra y al productor. ¶

Nosotros tuvimos la gran suerte, a diferencia de nuestros antepasados, de haber podido viajar, entendiendo cómo funcionan las zonas vinícolas más antiguas del mundo. Así, con una mirada abierta y respetuosa, podemos trabajar con más entendimiento. PerSe es un sumidero de todas esas ideas, de las experiencias vividas. ¶
Nunca intentamos imitar nada, sino hacer algo muy genuino, muy puro y cuidado que hable del lugar, de nosotros. Ahora empezó mi hijo a ayudarnos; pronto se suma la hija de David. Llegamos a Monasterio para servirlo, no para servirnos. El lugar es lo importante; la marca es secundaria. Esa es nuestra misión: somos actores pasajeros del lugar. Quien venga después que tome la posta y lo mejore. Esa es la única manera de que el vino argentino siga subiendo la vara. Que muchos más se animen, se entusiasmen y que, como productores de un lugar, un suelo, una tierra, puedan vivir con dignidad". ¶

MARIANO
DI PAOLA

SON LAS OCHO DE LA MAÑANA DE UN DÍA DEL MES DE MARZO, en plena vendimia, y Mariano Di Paola –director enológico de Rutini Wines– camina por los viñedos que esta centenaria bodega posee en El Cepillo, en el valle de Uco. Observa el vigor de las plantas, prueba algunas uvas para ver su madurez y planifica la cosecha de los próximos días. "A esta hora está bien fresco, hace 4 grados. Pero a la tarde la temperatura subirá a los 28 grados", cuenta. Lo dice con conocimiento del terreno, adquirido a lo largo de 41 cosechas que le valieron no solo ser uno de los enólogos más respetados del país, sino también uno de los más queridos por sus pares, gracias a un carácter afable y a una generosidad sin límites. "En mi vida tuve mucha suerte. Trabajé junto con gente muy valiosa y pude aprender de ellos. Nicolás Catena fue siempre un visionario. Él permitió que me equivocase. Cuando sos joven y tenés mucho ímpetu, con ganas de hacer cosas, lo más probable es que te equivoques. Si te controlan todo el tiempo, terminás limitando tus posibilidades. Que te dejen meter la pata es una gran cosa, es lo que te motiva a seguir adelante. Otras dos personas muy valiosas en mi vida profesional fueron Pedro Marchevsky y Pepe Galante, quienes, en el año 1988, me entrevistaron para entrar a trabajar en Bodegas Esmeralda. Son dos tipos increíbles, grandes compañeros, libros abiertos repletos de conocimientos y dispuestos a compartirlos". La lista que enumera Mariano de memoria continúa con Tito Quintana ("un gran tipo, que me ayudó muchísimo en mis comienzos en la enología") y el padre Oreglia ("cuando tuve dudas, él siempre se tomó un ratito para hablar conmigo y decirme la palabra justa"). "Y, claro, Raúl de la Mota –suma–. Raúl me enseñó lo que es la humildad. Yo era muy joven e inexperto. Un día fui a preguntarle algo, una duda técnica, a De la Mota, que era uno de los grandes referentes de la enología argentina. Y si bien él no tenía idea de quién era yo o de dónde trabajaba, aun así me recibió y habló conmigo; eso fue invalorable. Es algo que no solo te sirve en el momento, sino que te deja enseñanzas para el futuro: en especial, te enseña que nunca debés olvidar tus orígenes y, también, que todo el mundo merece respeto, dos aspectos que siempre intento llevar a la práctica". ¶ Mariano Di Paola es el tercero de una familia muy numerosa de quince hermanos. Su madre enviudó cuando la hermana mayor de Mariano tenía 18 años, y el menor, apenas 6 meses. "Nuestra vida no fue fácil pero sí gratificante. Cuando mi padre murió, yo tenía 16 años. Y la familia salió adelante gracias a mi madre; todo lo que pude lograr se lo debo agradecer a ella, es mi gran ejemplo de vida. Yo estudiaba en el colegio Don Bosco, trabajaba también en un pequeño parral de 4 hectáreas que teníamos en el fondo de casa. En ese secundario empecé a pensar en el vino como mi futuro profesional y luego lo confirmé en la universidad", cuenta. Apasionado por el conocimiento, fue jefe de Laboratorio en la facultad y profesor por veintitrés largos años. En simultáneo, trabajó en algunas bodegas pequeñas y en el Instituto Nacional de Vitivinicultura. "Pero no era lo que me gustaba hacer, era muy político. Se lo dije a mi mujer y ella me alentó a que tomara la decisión de irme. Fue en ese entonces cuando me entrevistaron Pedro y Pepe para entrar a Bodegas Esmeralda. Yo tenía muy poca experiencia, entonces les dije: 'Hay muchas cosas que no sé hacer, pero si me eligen, les aseguro que me como la cancha'. Y me eligieron". ¶

A partir de ese año, Mariano Di Paola comenzó a trabajar en distintos proyectos de Nicolás Catena para ya nunca más irse. En 1994, cuando el grupo compró La Rural, Mariano tenía 35 años. "Me ofrecieron hacerme cargo de la bodega. Era como si me dieran una Ferrari. Antes yo estaba siempre junto con otros enólogos, y esto significaba tomar la máxima responsabilidad. No podía permitirme el fracaso. Creo que por eso le puse siempre tanto corazón a esta bodega. Hoy, si bien tengo en claro que no soy el dueño, siento que es también mía, tanto la de Maipú como la más nueva en Tupungato, que además pude diseñar desde cero. Estoy muy orgulloso de lo que logramos hacer, feliz por lo que seguimos haciendo hoy, y soy optimista por el futuro. Todos los días siento que debo seguir trabajando y que nuestra mejor cosecha es la próxima. Soy un agradecido a Dios, a mi esposa, a mi madre y, sobre todo, al equipo de gente con el que trabajé y trabajo". ¶

A inicios de la década de los noventa, La Rural era una bodega con gran historia, pero con un presente difícil, en medio de una Argentina vitivinícola que todavía no lograba recuperarse de la debacle vivida durante los últimos años de la década anterior. "Era una marca muy fuerte que estaba de capa caída. Había que cambiar las filosofías de trabajo, mejorar la tecnología, contratar consultores, cuidar los viñedos. Y también trabajar muy fuertemente sobre el posicionamiento de marca. Fue así como, a partir de ahí, lanzamos etiquetas muy fuertes, que por ese entonces no existían, como Trumpeter, Rutini, Antología, Apartado, Encuentro, y que hoy son todas emblemáticas de esta casa. En todo esto fue muy importante el trabajo de Enrique Coscia, director comercial de la bodega; con él hacemos una dupla excepcional. Cuando miro hacia atrás y veo a dónde llegamos hoy, siento una de las satisfacciones más grandes de mi vida", admite. ¶

En 2008 Rutini Wines comenzó la construcción de su nueva bodega en Tupungato. "La cosecha 2009 la vinificamos allí. Esta bodega significa mucho para nosotros. Felipe Rutini fue uno de los pioneros en la región, un avanzado que plantó chardonnay y merlot en el valle de Uco hace cien años, a principios del siglo XX. Cuando empezamos a utilizar uvas del valle, me enamoré de esta zona y, a lo largo de los años, fuimos adquiriendo más viñedos y plantando diversas variedades. En lo personal, tengo una debilidad por el merlot y por el chardonnay, dos uvas increíbles. La primera vez que probé los granos de merlot que se cultivan en el valle, sentí que eran algo supremo. Por eso hoy casi todos nuestros cortes tienen un 5 % de merlot. Esa cualidad es la que les da una suavidad y elegancia únicas. También me está sorprendiendo el cabernet franc, tanto para cortes como para monovarietales". ¶

Más allá de un momento en particular, de un lanzamiento o de un premio de los muchos que recibió, Mariano Di Paola afirma que lo mejor que le dio el vino en su vida es haber podido hacer amigos, tanto en Argentina como en el mundo. "El vino me permitió sentirme querido y, a la vez, querer yo a muchísima gente, que me recibe siempre con los vasos abiertos. Es lo más grande que me regaló. Lograr hacer lo que a uno le gusta y encima recibir una paga..., eso no tiene precio. Aparte, es la única profesión en la que da gusto llevarte el laburo a casa", dice con una risa fresca. "También es un orgullo que uno de mis hijos esté junto a mí, trabajando en la bodega, como responsable de elaborar unos espumantes fantásticos, que están obteniendo premios y reconocimientos enormes. No es fácil trabajar con un hijo. Ser 'el hijo de' puede parecer una carga, pero lo que realmente quiero que digan es que 'yo soy el padre de'. Y eso está sucediendo gracias al gran trabajo y dedicación que le pone". ¶

Con tres hijos (dos mujeres –Anita, la menor, licenciada en Administración, y Emilia, que es el "motor de la casa"– y un varón –Mariano, que es enólogo–), para Mariano Di Paola, la familia es el centro de su vida, que le da fuerzas para seguir cada día su trabajo diario. "Emilia es una chica especial, nació con una parálisis cerebral, pero es muy independiente y es la que más nos enseña. En este mundo todos hemos venido a aprender, y ella vino a enseñar. Es un modelo de amor, de generosidad, tiene todas las virtudes y nos llena de alegría. Todos los días se levanta con una sonrisa. Recuerdo una anécdota: ella era chiquita, estaba afuera de la casa, al sol, y me llamó y me dijo: 'Sentí qué calentito el sol'. Es decir, mientras yo estaba pensando en cualquier otra cosa, en el dinero, en el trabajo, ella estaba en lo más simple e importante. Y quiero mencionar especialmente a mi esposa, que es el sostén de todos nosotros, el apoyo, la que nunca me dejó caer. Y de la que sigo muy enamorado". ¶

En sus décadas de trabajo en Rutini Wines, Mariano Di Paola nunca pensó en sacar su propio vino. "El desafío de Rutini era más grande que cualquier cosa que yo pudiera hacer por mi lado. Pero en un momento llegó el momento de tener un vino con mi nombre, y lo hice junto a la misma bodega. Sacamos el vino Mariano Di Paola, un corte de 50 % merlot, 40 % malbec y 10 % cabernet franc. Comenzamos con la añada 2015 y luego la 2017. También estoy haciendo con mi hijo un muy pequeño proyecto a futuro, un viñedo muy chiquito en La Carrera, a 2000 metros de altura, que podamos nosotros mismos, no con la idea de ganar plata, sino de despuntar el vicio cuando ya esté más retirado, de poder cosechar en familia". Porque algo está claro: para Mariano Di Paola, el vino es sus afectos, su historia y las personas que lo rodean. ¶

MARCOS ETCHART

E

EL APELLIDO ETCHART ES SIN DUDA UNO DE LOS MÁS ILUSTRES de la historia de la vitivinicultura argentina. Una dinastía familiar que comenzó allá lejos en el tiempo, con Arnaldo Benito Etchart, el mismo que en 1938 compró la Bodega La Florida, una de las más antiguas del país (fundada originalmente en 1850), que por ese entonces pertenecía a la familia de su esposa. Su hijo, también llamado Arnaldo, continuó la tradición y se convirtió en un pionero de la calidad: reemplazó la producción a granel de la finca por vinos finos de gran fama nacional, comenzando incluso con algunas de las primeras exportaciones de vino argentino al mundo, ya con la etiqueta Etchart al frente y con el torrontés como primer emblema. Fue allí que comenzó a trabajar el consultor francés Michel Rolland en su llegada a la Argentina, convocado por Arnaldo en un movimiento que cambió para siempre el perfil del vino nacional. ¶
Después de vender la bodega familiar al grupo Pernod Ricard en 1996, Arnaldo se dedicó de lleno al proyecto San Pedro de Yacochuya, apoyado en una finca plantada a 2000 metros de altura en Cafayate. Allí contó con la asesoría y sociedad en los vinos de quien era ya su amigo personal, el mismo Michel Rolland. Toda esta introducción es necesaria para llegar a la actual generación, con Marcos Etchart, el hijo de Arnaldo, al frente. "Por esos años yo vivía en Buenos Aires, había recién terminado la universidad. Pero una vez que mi tata decidió hacer San Pedro de Yacochuya, volví a Salta para comenzar a trabajar en la bodega", explica. ¶
A diferencia de la mayoría de sus colegas, Marcos no estudió Enología: él aprendió de chico, primero viviendo y respirando la bodega familiar, y luego ya de adulto trabajando junto a Michel Rolland, también junto a Benoît Prévôt (el enólogo que venía junto a Rolland para elaborar los vinos en Cafayate) y a Dany Rolland, pareja de Michel y por entonces directora técnica de la bodega que ambos tienen en Francia. "Fueron grandes maestros, tanto acá en Argentina, como en Francia. Cada año, en nuestra primavera, que es cuando Europa entra en cosecha, yo viajaba Francia para elaborar vinos con ellos", cuenta Marcos.
Fallecido Arnaldo en 2017, el legado enológico de la bodega quedó a cargo de Marcos, quien junto a sus hermanos se ocupa del manejo de Yacochuya: dos están en la administración, uno en ventas y él en la parte de producción. Es una bodega, que más allá del fuerte crecimiento que vivió en los últimos veinte años, sigue siendo pequeña, rodeada de una finca de 20 hectáreas donde conviven uvas malbec, cabernet sauvignon, tannat y torrontés. En el año 2003 Yacochuya sumó una segunda finca en Tolombón, a 16 kilómetros al sur de Cafayate y a 1 700 metros de altura, con malbec y cabernet sauvignon. "San Pedro de Yacochuya es una de las primeras bodegas pensadas como un *château*, con una producción chica y apostando en exclusiva a la calidad. En los años noventa esto no era lo habitual. Nosotros fuimos de los primeros en sumar barricas de roble, en esperar la mejor madurez de la uva, en hacer maceraciones más largas. Ese es el estilo que nos enseñó en su momento Michel Rolland. Y hoy puedo decir que es también mi estilo". ¶

En un momento histórico donde ciertas modas indican que los vinos deben ser más ligeros, de bajo alcohol y con menor presencia de la barrica, Marcos Etchart no duda en defender a la identidad de esta casa. "¿Quién dice que una uva cosechada un mes más tarde pierde su terruño? Eso no es así: son decisiones de cada bodega; yo puedo cosechar más tarde, macerar diez días más que otro y poner los vinos a criarse en barricas nuevas, y aun así estos vinos van a expresar el terruño de donde provienen. Incluso los mejores vinos del mundo, los más prestigiosos e importantes, son de este estilo, tanto en Francia como en Estados Unidos o España. Creo que parte de la moda de no usar madera es porque es muy caro comprar una barrica nueva y no todos lo pueden afrontar. La verdad es que hay consumidores para todos los estilos: algunos preferirán vinos más ligeros, a otros les gustarán con más cuerpo, e incluso un mismo consumidor puede querer un día un tipo de vinos, para acompañar cierta comida, y otro día elegir una etiqueta bien distinta, pensando en otra comida. Nosotros por ejemplo tenemos la línea Coquena, nuestra gama de entrada, que se compone de vinos mucho menos concentrados y sin paso por barrica. Cuando empezamos con la bodega, hace más de veinte años, hacíamos 60 000 litros; hoy hacemos 300 000 y cada año nos quedamos sin stock. Está claro que nuestros vinos gustan", afirma. ¶

Uniendo las características propias del cultivo en altura con rendimientos acotados, Marcos Etchart se concentra así en diseñar vinos de gran estructura y potencia, con mucho cuerpo y colores profundos, capaces de mejorar por largo tiempo de guarda en botella. Vinos que representan la tierra donde nacen. Especialista como pocos en su zona, en entender y caminar los suelos, el sol y las alturas del noroeste de la Argentina, este *winemaker* autodidacta también asesora a otros emprendimientos enológicos de distintos lugares de la quebrada de Humahuaca, ubicados entre los 2000 y los 3300 metros sobre el nivel del mar, como por ejemplo el de la pionera bodega de Fernando Dupont en el pueblo de Maimará. "La quebrada es un lugar muy interesante. Hoy hay varios enólogos de Mendoza y de Cafayate trabajando allí. A esa altura y en ese lugar, los vinos tienen una identidad bien propia, bien distinta a la de Salta. Es muy bueno lo que está sucediendo allí. Y son todos proyectos muy chicos porque la conformación geográfica de la quebrada impone sus propios límites: pensar allá en 10 hectáreas ya es pensar en algo grande". ¶

Amante del malbec, Marcos no duda en elegir esta cepa como presente y futuro de la Argentina. "Me gustan muchas variedades, me gusta el cabernet sauvignon, el cabernet franc, el tannat de Salta, el syrah de Jujuy. Pero no hay nada que se compare al malbec, nuestra cepa insignia que se da fantástica en todo el país, del norte al sur. No estoy de acuerdo con los que creen que el malbec ya aburre: esta variedad tiene todavía muchísimo por mostrarnos". Se dice que ciertos apellidos tienen peso propio: el de Etchart es claramente uno de ellos. ¶

JOSÉ «PEPE» GALANTE

TIENE LA VOZ, EL APLOMO Y LA CONFIANZA DE UN PROFESOR. Pepe Galante –hace ya muchos años que nadie le dice José– vivió la historia del vino argentino en carne propia. Y la sigue protagonizando hoy con el entusiasmo de siempre, el mismo que tenía cuando, apenas recibido en la universidad en la década de los setenta, comenzó a trabajar para Bodegas Esmeralda. Es uno de los grandes enólogos del país, con una historia personal íntimamente ligada a la evolución del vino en nuestro suelo argentino. Conocedor como pocos del valle de Uco, por más de tres décadas trabajó en Catena Zapata; desde 2011, está a cargo de la enología de la premiada Bodega Salentein; y conduce además Puramun, un pequeño y prestigioso emprendimiento de su familia. "La mecha viene por el lado de mi *nonno* y de mi papá, ellos estaban muy vinculados al mundo del vino. En realidad, papá quería que yo estudiara Ciencias Económicas, incluso rendí el examen de ingreso para empezar. Pero un día pasé con el colectivo delante de la Facultad de Enología, me bajé y me inscribí", cuenta. ¶
Es necesario imaginar el escenario cincuenta años atrás: una Argentina en la que el vino era un producto habitual de la dieta diaria, con más de 100 litros de consumo per cápita, compuestos en su enorme mayoría por lo que en ese tiempo se denominaba "vino común", en oposición al vino fino: botellas económicas, sin distinción varietal ni de región de origen, que priorizaban volúmenes sobre calidad. Pepe Galante tuvo suerte: apenas se recibió, comenzó a trabajar en Esmeralda, parte del grupo Catena Zapata, una de las pocas bodegas del momento dedicada a los vinos finos. "Empecé haciendo microbiología en el laboratorio, en esa época se hacían muchos espumantes de tipo asti y frizantes. Al año de estar ahí, el enólogo principal se fue a Bolivia y yo quedé a cargo. Fue un ascenso rapidísimo", recuerda entre risas. ¶
En ese universo particular que es el vino, el tiempo se mide con una vara distinta a la de otras industrias. Desde que una bodega decide plantar un viñedo, con todas las elecciones que esto exige (la cepa, el clon o selección de la variedad, el tipo de conducción, la orientación de las hileras, el sistema de riego y la densidad de cultivo, entre otras variables), es necesario esperar tres años para ver los primeros resultados. Lo mismo sucede dentro de la bodega, donde los tiempos avanzan a intervalos fijos: cada elaboración exige un año para repetirla, con uvas que deben ser procesadas apenas se cosechan. También los mostos ya fermentados precisan de pausas temporales y de evolución, sea en tanques o en barricas, en huevos de arcilla, fudres o botellas. Por eso, en la vitivinicultura la vida se mide en términos de vendimias que quedan en la memoria por sus granizos, lluvias, heladas y temperaturas. En 2020 Pepe Galante celebró nada menos que 45 vendimias a sus espaldas, un número contundente que expresa la base sólida desde la cual este enólogo afronta los nuevos desafíos. "Trabajé en Esmeralda por treinta años. A fines de los años ochenta, Nicolás Catena tomó una decisión muy clara y contundente: desprenderse de las bodegas que elaboraban vinos comunes para focalizar todo su esfuerzo en los vinos

de alta gama. Yo estaba en la bodega y Pedro Marchevsky (agrónomo) se encargaba de los viñedos. Fue una gran etapa, trabajábamos codo a codo para entender todo lo que pasaba en la finca y en los vinos. Por ese entonces, la producción en Argentina se destinaba al consumo local. Con Pedro hicimos un primer viaje a los Estados Unidos, a principios de los noventa, con dos grandes preguntas en la cabeza: la primera era si nuestro país podía producir realmente un vino de calidad; la segunda, si un vino así podía competir luego en los mercados del mundo". ¶
Fueron años vertiginosos para la industria vitivinícola en el país. En Catena, Pepe Galante elaboró los primeros chardonnay y cabernet sauvignon de exportación y, en 1994, las primeras cajas de malbec. "Nicolás vendió esos malbec a un precio mayor que el chardonnay y el cabernet sauvignon. El malbec de inmediato ganó prestigio, y así empezó el gran despliegue de esta cepa en el mundo. Empezamos la búsqueda de viñedos de altura con el objetivo de conseguir climas más fríos. Recuerdo que había dos opciones: algunos le decían a Catena que probara el lado de la zona alta del río Mendoza; Pedro y yo queríamos ir para el lado del valle de Uco. Finalmente, los convencimos y la bodega apostó al valle. Catena compró fincas en Villa Bastías, muy cerca de Tupungato. Luego en el Cordón del Plata, en Altamira y en Gualtallary. Recuerdo que todas las etiquetas decían 'alta' en referencia al piedemonte mendocino". ¶
En 2009 Pepe Galante se fue del grupo Catena. "Como pasa en algunas relaciones, hay un momento en que el amor se acaba". Su idea era comenzar a ser un consultor independiente y darle el tiempo requerido a un proyecto propio y familiar. Pero el destino cambió sus planes con una tentadora oferta para entrar a Salentein. "Ahí estaba Gustavo Bauza, con los vinos Portillo. Él había sido mi alumno en la facultad y quería que yo les diera una mano como consultor. Cuando se lo propuso a la bodega, le respondieron que sí, pero que mejor aún era contratarme de manera fija. Y me convencieron fácil. Para mí, era como un *bonus track*: yo ya venía trabajando fuerte en el valle de Uco, y Salentein es una bodega 100 % identificada con esta zona, con una estructura de viñedos muy interesante, ubicada entre los 1050 y los 1700 metros sobre el nivel del mar. En mi vida tuve dos grandes jefes: Nicolás Catena y Mijndert Pon, quien falleció en 2014. Y, si bien sus personalidades fueron muy distintas, ambas compartían algunas características en común: el carisma y esa gran mirada emprendedora. Cuando entré a Salentein, me dieron carta blanca para la acción: 'La calidad por sobre todo –dijeron–. Eso no se negocia'. Así, lo primero que hicimos fue armar un departamento de investigación y desarrollo para entender la diversidad de alturas y de suelos que tenemos. Y de ahí surgieron vinos como los Single Vineyards; aparecieron los pinot y chardonnay de San Pablo; el malbec 1997, que es uno de los primeros plantados a 1300 metros de atura; el Primus cabernet sauvignon, que llegó para reemplazar en ese momento al merlot…". ¶

Parte de la decisión de entrar a Salentein fue que la casa le permitiera a Pepe continuar con su idea de una bodega propia y familiar. "Tomamos la decisión en 2010 con Betty, mi esposa. Ella fue la que tomó la iniciativa. Nuestros hijos no estudiaron Enología, sino que cada uno tuvo total libertad para decidir su carrera. Cecilia, mi hija mayor, es arquitecta; Eliana, la del medio, es licenciada en Comercialización; y Fernando, el menor, estudió Economía. Betty nos marca el camino a todos. Y en Puramun está cada uno aportando desde donde sabe. El nombre es un homenaje al valle de Uco, una palabra en lengua mapuche –los mapuches son los habitantes más antiguos del valle–, que tiene muchos significados. Por un lado, es 'cosecha', algo que siempre es muy importante para toda bodega. Pero también significa 'búsqueda' y 'encuentro', y entendimos que eso representa un símbolo del trabajo que hacemos, recorriendo el valle para tratar de hacer el mejor vino. Nuestra primera cosecha fue en 2011, con el malbec. En 2013 sacamos un cofermentado de malbec y petit verdot; en 2016, un chardonnay, una cepa que me cautiva. Y en 2018, un cabernet franc", cuenta con entusiasmo. ¶

Más allá de su experiencia o, mejor dicho, gracias a ella, Pepe Galante sabe que cada año es distinto, con sus sorpresas y características. "Es el desafío que te impone la naturaleza. Esa es la belleza del vino: siempre estás volviendo a empezar. Pensar que ya sabés todo es lo peor que podés hacer. Avanzar, estudiar, arriesgarte... Eso te mantiene vivo; te genera expectativa hacia adelante. Antes todo era más personal, todo dependía de un nombre; hoy lo que importa es el trabajo en equipo. En Salentein tenemos más de 800 hectáreas. Para manejar algo así, precisás muchos agrónomos que supervisen cada hilera con precisión, que tomen decisiones muy importantes con el riego, con la poda... Cada vino que hacemos tiene detrás a mucha gente responsable. Y lo que intentamos siempre es sacar el mayor provecho de la fruta que la naturaleza nos entrega. Luego está la búsqueda de estilo, que cambió de manera importante en los últimos treinta años. Hoy se prioriza la frescura, la fruta. Yo me siento muy cómodo con esta idea, nunca fui partidario de los vinos concentrados, mantecosos, pesados. De hecho, en esos años en que estaban de moda los vinos maduros, yo no obtenía gran reconocimiento de los críticos, porque buscaba otra cosa: quería vinos bebibles, de los que, cuando terminás la primera copa, ya querés servirte una segunda". ¶

En casi cincuenta años de trayectoria, Pepe Galante trabajó para dos grandes bodegas, en las que dejó una huella profunda y duradera. "Es algo de mi generación, como sucede con Mariano Di Paola en Rutini, o con Daniel Pi en Trapiche. Hoy los jóvenes son algo más inquietos, a veces quieren resultados más rápidos, pero aun así deben entender que en el vino las cosas transcurren de una manera más lenta que en otras profesiones. Argentina es un país joven, que está en la búsqueda de su identidad. Y en estos últimos años estamos logrando encontrar esa identidad. Esto no sucedió de un día para el otro, sino que es un trabajo de muchos años. En su esencia, la industria vitivinícola, con respecto al tratamiento de las uvas, se mantiene igual que hace cientos de años; ahora podemos sumar tecnología y análisis para profundizar en el conocimiento científico, para desgranar todo eso que antes era más empírico". ¶

La primera vez que fue a Estados Unidos, Pepe Galante viajó con dos grandes interrogantes por equipaje: el primero residía en la posible calidad a la que podía aspirar el vino argentino, mientras que el segundo se cuestionaba la capacidad de nuestro país para competir en el mundo. Durante estas últimas décadas, con su trabajo incesante, este reconocido enólogo no hizo más que confirmar las respuestas a esas preguntas. "Argentina es uno de los pocos países en el mundo que produce vinos en un clima desértico continental, desde el extremo norte, en Jujuy, hasta Chubut, en la Patagonia. Es una fortaleza que tenemos. El valle de Uco comenzó a desarrollarse a mediados de los noventa, y requirió de todo este tiempo para ocupar el lugar que hoy tiene. Imaginemos lo que puede llegar a ocurrir en Chubut si se le da también el tiempo necesario; si se empiezan a cultivar allí las grandes cepas del norte de Europa. Lograr el conocimiento pleno de un lugar no es algo que suceda de un día para el otro. Cuando arrancamos con Pedro Marchevsky, no había ni un solo libro de enología o viticultura que dijera cómo plantar en el desierto. Aprender eso nos demandó, como argentinos, muchos años, sacrificios e inversión. El futuro de nuestro vino depende solo de nosotros". ¶

ANDREA MARCHIORI

UN POCO DE SUERTE Y MUCHO DE ESFUERZO. Estudio, conocimiento, experiencia e intuición. Con todo ese bagaje a cuestas, Andrea Marchiori supo estar ahí, en medio de ese vendaval de los años noventa, como una de las protagonistas de la gran revolución de la industria vitivinícola argentina. Lo hizo creando una bodega desde cero, con una inversión pequeña, pero con un objetivo claro: hacer grandes vinos de terruño con el malbec a la cabeza. Una idea que, por esos años, era revolucionaria. Así, junto con su pareja Luis Barraud y el neoyorquino Paul Hobbs –uno de los grandes referentes de los vinos californianos, quien ya para ese entonces había trabajado en bodegas míticas como Opus One y Simi Winery–, dieron vida en 1999 a Viña Cobos: una bodega que pronto se convirtió en nombre de culto para conocedores, periodistas y críticos por igual. ¶
"Terminé de estudiar Enología en 1996. Fui la única mujer de mi curso que se recibió ese año. Por ese entonces, no existía el llamado boom del vino argentino. Muy pocos querían ser enólogos. Cuando le conté a papá –que era contador– lo que yo quería estudiar, le pareció una locura. Me apoyó, pero me pidió que lo pensara muy bien antes de hacerlo. No había futuro en esa profesión", rememora Andrea. ¶
En la facultad Andrea conoció a Luis, quien se convirtió en su pareja y, también, en su mejor socio. Ya recibidos, fueron juntos a California para ganar experiencia y conocer de primera mano otros modos de pensar el vino. Allí trabajaron en la bodega de Paul Hobbs, y la química con el estadounidense funcionó muy bien. Fue Hobbs quien les propuso volver al país para elaborar juntos un gran malbec. "Paul conocía bien la Argentina. Había trabajado con Catena, también con Bianchi. Y estaba convencido de que se podían hacer acá vinos que compitieran con los mejores del mundo". ¶
En 2014 el Cobos Malbec 2011 se convirtió en el primer vino argentino en lograr los preciados 100 puntos por parte de un crítico internacional, en este caso de James Suckling, el exeditor de *Wine Spectator* por varias décadas. Un vino elaborado con uvas del antiguo viñedo Marchiori, propiedad del padre de Andrea, de ochenta años de edad, ubicado en Perdriel. "Los puntajes fueron siempre importantes para nosotros. Y la verdad es que la crítica fue muy generosa. Antes de esos 100 puntos, fueron incluso más importantes los 99 puntos Parker que tuvo la añada 2006, cuando todavía Viña Cobos no era tan reconocida. Cuando te llaman para decirte que obtuviste un puntaje alto o un premio, sentís que valió la pena el esfuerzo realizado. Y abre puertas comerciales, ya que ayuda a que alguien que no te conoce se decida a abrir la primera botella de tu bodega. Pero, luego, la decisión de seguir bebiendo ese mismo vino tiene que ver con el líquido. Si no abren una segunda botella, entonces la crítica no sirvió de nada –comenta Andrea–. Creo que en algún momento nos equivocamos endiosando a los críticos, como si las suyas fueran palabras santas. La función que tienen claramente es muy importante, pero no es definitoria. Menos hoy en día, que podés recibir comentarios directamente de los consumidores". ¶

El camino de Andrea es un ejemplo arquetípico del de muchos otros de sus colegas, de ese paso de una enología preventiva a una sensitiva. "Nos educaron con las enseñanzas de Francisco Oreglia a la cabeza, con la idea de que el vino nacía en el lagar, al recibir la uva. Hoy, en cambio, sabemos que todo arranca en el viñedo. No hay posibilidad de hacer buen vino si partís de una mala uva, aunque sí podés hacer un mal vino de una buena uva. El detonante de todo este proceso fue esa generación de enólogos que vino del extranjero: Paul Hobbs, Michel Rolland, Alberto Antonini... En ese momento se alinearon todos los planetas para que se diera el boom de la Argentina como país de vinos, con el malbec como emblema. Ellos trajeron una visión de afuera que nosotros no teníamos; ellos vieron en Mendoza algo que nosotros no veíamos por estar tan encerrados en nuestro propio consumo interno. Paul, Michel, Alberto nos convencieron de que podíamos compararnos con Europa o con California. Pero claro que no estuvieron solos: también hubo una generación de enólogos argentinos que entendió el mensaje, que tuvo la cabeza abierta para hacerse cargo de esta revolución. Nombres como Mariano Di Paola, Pepe Galante. Los de afuera vienen un rato, pero no están acá en el día a día. Sin el material humano que teníamos en el país, hubiese sido imposible el salto que dimos. Nosotros somos parte de ese salto. Con Cobos arrancamos con la cosecha 1998, que tuvo un efecto del Niño tremendo y, paradójicamente, de ese mal clima nació nuestra convicción, un concepto que mantuvimos siempre: solo embotellar las cosechas que lograran la calidad pretendida. Éramos realmente tres enólogos locos, sin saber mucho del mundo de los negocios, pero con ganas de hacer cosas. Empezamos elaborando apenas 1500 cajas de vino al año y, cuando nos fuimos con Luis de la bodega en 2016, ya estábamos haciendo 100 000 cajas". ¶

Hace cuatro años, Andrea y Luis vendieron su parte en Viña Cobos para volver a barajar las cartas de su vida. "Con Luis tenemos varias sociedades y una de las más importantes son nuestras hijas. Nos replanteamos nuestro futuro poniendo en primer lugar a la familia. Hay momentos en que te replanteás todo. En palabras del mundo del vino, es cosechar y volver a sembrar. El crecimiento de la bodega había sido tan grande que perdimos algo de ese contacto directo con el vino, con lo que disfrutamos de hacer, con el trabajo sobre pequeñas parcelas. Y decidimos volver a eso. Ya desde 2004 teníamos una bodega aparte, Marchiori & Barraud, que era más que nada un pequeñísimo proyecto personal, en el que embotellábamos algunos vinos para amigos. Cuando nos fuimos de Cobos, decidimos poner nuestra energía ahí. Volver a empezar, con todo lo bueno y también todo lo malo que eso implica. Hoy lo que no hacemos nosotros en la bodega no lo hace nadie. Pasamos de tener una gran estructura a ser tan solo nosotros". ¶

En poco tiempo Marchiori & Barraud se constituyó como un nuevo nombre propio entre los conocedores y coleccionistas de vino. Elaborando 7000 cajas anuales, quiebran stock año tras año. Son vinos nacidos en viñedos propios de Luján de Cuyo –del Viñedo Marchiori– y también en Tunuyán, en el valle de Uco. Andrea es una gran defensora de la diversidad de ambas regiones, y se niega a pensarlas como una competencia. "El valle es extremadamente joven, estamos descubriendo un montón de cosas increíbles allí. Pero, como enólogos, creo que a veces cometemos el error de pensar que, como el valle de Uco es espectacular, entonces Luján ya no existe más. Y no es así: ambos son lugares espectaculares, distintos y con potenciales increíbles. No compiten entre ellos, sino que se acompañan. Sería un error muy grave conjeturar que uno es mejor que el otro; significaría una vuelta atrás de la vitivinicultura argentina". ¶

Trabajando desde una mirada sustentable, Andrea y Luis cultivan sus uvas mediante prácticas orgánicas y agroecológicas, apostando no solo al malbec, sino también al cabernet sauvignon y, especialmente, a los *blends*. "Cobos siempre impulsó el malbec; pero, a la vez, nunca dejamos de pensar en el cabernet sauvignon como una cepa increíble. Si queremos competir en el mundo, el cabernet es la cepa para hacerlo. Hoy en la bodega nuestros dos vinos insignia son dos *blends*: Hornero, que tiene una base mayoritaria de malbec, y el de corte, a base de cabernet sauvignon. En este proyecto somos lo menos comerciales que puede existir. Hacemos lo que nos gusta hacer y lo que nos gusta beber, sin que esto signifique desconocer las corrientes de consumo en el mundo. Pero siempre prevalece lo que nos gusta. Y hoy entendemos que los cortes de distintas variedades nos dan posibilidades de enriquecimiento y creación únicos. En esto tienen mucho que ver los años que ya llevamos en la industria, el nombre que logramos construir. Alguien que empieza de cero no se podría dar estos gustos que nos damos". ¶

SANTIAGO MAYORGA

MIRADA JOVEN, SONRISA PLENA Y PROFUNDO CONOCIMIENTO de lo que hace. Santiago Mayorga es, sin dudas, uno de los grandes hacedores de vino en Argentina. Hijo de un muy reconocido ingeniero agrónomo, siguió el camino paterno estudiando Ingeniería Agrícola en la Universidad Nacional de Cuyo. "Comencé trabajando con él. Mi papá y yo somos muy distintos, él es de perfil muy bajo, no le gusta la parte social. A los 22 años lo acompañé a un viaje a Sudáfrica, donde fueron otros agrónomos y enólogos. Ahí conocí a Roberto de la Mota, me fascinaba escucharlo, todo lo que él sabía. Por esos años (2003) Roberto trabajaba todavía en Terrazas de los Andes y recién estaba abriendo Mendel, su bodega propia. Cuando volvimos del viaje, lo llamó a mi viejo y le dijo que quería convocarme para su bodega. Fue una oportunidad única". ¶
Mendel se convirtió en la escuela y casa de Santiago Mayorga por una larga y fructífera década. Siendo una bodega pequeña, pero con una mirada de estricta calidad sobre sus vinos, y con el propio Roberto dividiendo su tiempo con Terrazas de los Andes, Santiago tuvo allí que cumplir infinidad de posiciones distintas, y así conoció el ciclo completo de elaborar un vino, desde aspectos simples como la correcta hidratación de una levadura hasta estar a cargo de otros empleados, recorrer los viñedos para coordinar las cosechas, definir la compra de suministros e incluso diseñar etiquetas, viajar y comunicar las distintas etiquetas elaboradas. "Se formó un gran equipo: Roberto siempre me enseñó mucho, pero además estaba Anabelle Sielecki, socia de la bodega, con la que logré tener una relación muy hermosa, muy familiar. Lograban realmente que uno se sintiera parte de Mendel. Muchas veces los enólogos hacen al revés, comienzan por bodegas grandes y luego van a chicas, donde suelen precisar ya gente con más experiencia. A mí me pasó al revés, y eso me permitió entender muchas cosas que de otro modo no hubiese visto. Los diez años de mi vida que estuve allí me hicieron ser lo que soy", cuenta Santiago. ¶
De Mendel, Santiago pasó a Nieto Senetiner, lo que significó un cambio de escala –y también de tradición– importante. "Me llamaron para trabajar sobre el mercado externo. Hablé con Anabelle, y ella me aconsejó que fuera, que ya les había dado diez años, que ahora debía volar". ¶
Con su historia centenaria, Nieto Senetiner era un Goliat junto al pequeño Mendel. Una bodega enorme, con decenas de tanques y millones de litros. Más allá de esta diferencia, Santiago Mayorga muy pronto encontró su lugar y empezó además a definir un estilo. "La experiencia en Mendel me permitió conocer todo el proceso, así supe rápido dónde podía meterme, qué era necesario ajustar. Soy muy respetuoso de lo que se hizo antes de mí, pero a la vez soy una persona disruptiva. Yo siempre admiré mucho a alguien como Daniel Pi, que puede hacer vino de calidad sin por eso perder volumen. Y en Nieto pude aprender cómo se logra eso". ¶
De a poco las ideas de Santiago Mayorga comenzaron a consolidarse dentro de la bodega, bajando la madera en los vinos, suavizando taninos, buscando extracciones más

suaves. Por ese entonces Cadus era la línea de alta gama de la bodega, y el estadounidense Paul Hobbs era asesor externo. "Al principio Paul no trataba conmigo, sino con otra parte del equipo, hasta que un día él pidió que fuera yo su contacto, y me ayudó a intervenir en los estilos, en tomar mis propias decisiones que incluso muchas veces no eran exactamente las que hubiera tomado él". Cadus se convirtió en un proyecto personal de Mayorga, bien propio, hasta que ganó independencia como bodega aparte, lanzando variedades alejadas de la tradición de la alta gama (como la criolla), mirando siempre al terruño y origen de las uvas. "Confíen en mí –le decía yo a la bodega– si lo que hago no está rico no lo voy a sacar al mercado". Hoy Cadus sigue siendo la casa de este joven hacedor de vinos. "Cadus está creciendo, todavía siento que es una bodega recién nacida, que mejora año tras año, en la búsqueda de establecerse". ¶

Con Cadus, Mayorga comenzó a escribir su nombre entre los grandes hacedores de vinos del país. Tras pasar los 40 años de edad, ya pertenece a una generación que arrancó con la revolución del vino de finales de los noventa y que esta década los encuentra en un gran momento creativo y profesional. Él sigue imaginando su futuro dentro de Cadus, un lugar donde aún hay mucho para hacer. "Es fantástico, tenemos muchos viñedos en distintos lugares que nos permiten sacar cosas, a veces más locas, a veces menos, pero siempre muy ricas. Hay mucha tela para cortar". En simultáneo, se ve sumando además otros pequeños emprendimientos, consultorías o acompañando a gente amiga en sus proyectos. También, sumando algún vino propio, pero siempre algo chico y personal. Mientras que otros enólogos y agrónomos viven el 100 % de su vida dentro del viñedo y la bodega, incluso cuando están en sus casas o de vacaciones, Santiago prefiere separar un poco lo personal de lo profesional. "Hoy tengo dos teléfonos, el del trabajo y el mío. Los fines de semana desconecto el laboral. Siento que si no me desenchufo un poco, no puedo tener toda la energía que preciso cuando estoy en la bodega". Familiero, le gusta encontrarse en la mesa con su hermana, sus padres, su sobrina. "Y tengo cuatro caballos a los que amo mucho: antes tenía uno, se llamaba Cisco (por la película *Danza con lobos*), y aprendí a quererlos. Todos los años me voy a caballo a la montaña, haciendo el cruce a Chile, cinco días sin teléfono y al aire libre. Me gusta la naturaleza, la montaña, soy amiguero, quiero tener siempre gente en casa. Y ahí también está el vino, claro, que acompaña, pero de manera relajada, sin pensar en cómo está hecho o de qué lugar proviene". ¶

En 2020 Santiago Mayorga fue premiado por Wine & Spirit Education Trust (WSET) e International Wine and Spirit Competition (IWSC) como uno de los cincuenta jóvenes profesionales más prometedores de la industria del vino en todo el mundo, donde era el único argentino presente en la lista. Un reconocimiento que merece un brindis en esas mesas de amigos, donde el vino es puro disfrute. ¶

MATÍAS MICHELINI

M

PRIMERO FUE UNA PROMESA: UN JOVEN ENÓLOGO DESTACADO, que comenzaba a trabajar y crecer en algunas de las mejores bodegas de la Argentina. Luego, casi de un día para otro, se convirtió en el chico rebelde, el que decidió abandonar la gran industria para dedicarse a elaborar vinos únicos y personales: en algunos casos, verdaderos experimentos que generaron amores, pero también críticas. Finalmente, venció los prejuicios y pasó a ser, según muchos seguidores, un modelo a seguir, un paradigma de una nueva vitivinicultura en la Argentina. Se trata de Matías Michelini, creador de Passionate Wine, quien convenció también a sus hermanos de seguirlo en esta aventura vitivinícola hasta crear un pequeño emporio familiar. "Mis padres no tenían relación con el vino; pero, si voy para atrás, mis abuelos italianos y españoles fueron agricultores. Incluso, uno de ellos compró en los años cuarenta una viña en Maipú, que luego mi abuela vendió. Se ve que algo de todo eso me quedó en la sangre, porque cuando tuve que elegir un secundario, mientras que mis hermanos fueron para otro lado, yo convencí a mi papá para ir a un colegio agrícola. Y cuando lo terminé, decidí seguir Enología. En ese entonces no sé si ya estaba convencido, pero sí sabía que me gustaba el campo, me gustaba el colegio donde estaba, y no quería cambiar de rumbo", cuenta. ¶
De unas primeras prácticas laborales mientras todavía estaba estudiando, Matías Michelini entró por la puerta grande del vino nacional, trabajando en bodegas que estaban en pleno auge. Pasó por el laboratorio y la enología de Luigi Bosca, luego fue a Doña Paula y, finalmente, brilló al frente de Finca Sophenia. Pero, de pronto, todo cambió. "En 2009 decidí cambiar de vida. Como enólogo, siempre me angustió hacer vinos a pedido, que se ajustaran al mercado. Yo quería hacer los vinos que tenía ganas de tomar. Debía, entonces, cruzar de vereda. Fue ahí cuando empecé a planear Passionate Wine. En 2010 dejé Sophenia, y con ese paso abandoné la enología tal como la conocía hasta entonces. Yo veía que todos los vinos argentinos se parecían entre sí. Eran similares en términos de madurez, del uso de la madera, de la concentración, de los estilos. Y quería romper esos esquemas, mostrar que se podía hacer otra cosa. Ahí salí con dos vinos Montesco, luego los Vía Revolucionaria, los vinos naranjo, los bonarda con maceración carbónica, los vinos de bajo alcohol. Creo que fue un momento de mucha revolución", recuerda. ¶
De un sueño personal, Matías Michelini convirtió este camino en una epopeya familiar. "En casa éramos dos hermanas y cuatro hermanos. Los varones dormíamos en el mismo cuarto; siempre estuvimos muy unidos, todos siendo diferentes, pero sabiendo que no podemos estar el uno sin el otro. Cuando todavía ellos no pensaban en el vino, empecé a convencerlos de que esta industria podía ser algo importante para la familia. El primero que se enganchó fue Juan Pablo. Él quería ser músico, pero en casa le decían que debía estudiar algo más, así que le dije que estudiara Enología y que siguiera además con su música. Luego le pasó lo mismo que a mí: se enamoró completamente del vino. Después acercamos a Gerardo; él trabajaba en finanzas, en la crisis de 2001 se había ido

a España a trabajar en un banco alemán. Le dijimos cuánto lo extrañábamos y lo convencimos de volver y comprar un campo en Gualtallary. Nos quedaba Gabriel, que trabajaba en la administración de una empresa dedicada a la música. Hoy cada uno tiene su bodega, lo que nos permite mantener nuestros estilos de vida individuales con la libertad de hacer los vinos que sintamos. Estamos con Passionate Wine, con Michelini & Muffato, con Altar Uco, con Super Uco. Así logramos estar de vuelta los cuatro varones viviendo en Tupungato, con nuestros hijos compartiendo la misma escuela, siendo muy cercanos entre sí. Y, juntos, sabemos que somos potencia". ¶
Deambular por un camino poco transitado tiene sus riesgos. "Muchas veces me criticaron, pero eso nunca me detuvo. Al revés, yo siempre iba por más. No es que estaba totalmente convencido del camino elegido, pero sí sabía que no quería volver atrás. Y, por suerte, también hubo mucha gente que recibía mis vinos con felicidad, y agotaban cada partida. Cuantas más botellas hacía, más se vendían. En Passionate Wine comenzamos con dos referencias, y con los años llegué a tener treinta etiquetas distintas. Tuve esa suerte: del otro lado, había un consumidor muy abierto, con necesidad y ganas de aprender, de conocer cosas nuevas. Hoy muchos más enólogos se sumaron a esta idea, a la innovación, a buscar la diversidad. Si mirás los vinos que se elaboran en Argentina actualmente, no tienen nada que ver con lo que hacíamos veinte años atrás". ¶
La búsqueda de Matías Michelini tiene como primer gran resultado su festejado Agua de Roca, uno de los mejores ejemplos de la visión de este enólogo a la hora de elaborar sus vinos. "Por muchos años, trabajé con el sauvignon blanc y Agua de Roca es el resultado de todos esos años. Es un vino que habla fielmente de la montaña, de donde yo vivo. Un sauvignon blanc que no parece un sauvignon blanc, sino que representa el carácter de su origen. Quiero hacer vinos con sentido del lugar. Cuando lo estaba elaborando, yo lo imaginaba como tomar agua de deshielo, cargada de energía, que golpea sobre las piedras mientras baja. Un vino con tensión, con nervio y sin fruta, muy austero. Ese fue el inicio de mis vinos de lugar. Muchos no lo entendían; en esa época estaba de moda el vino bien frutado, y este vino apuntaba al lado opuesto". ¶
Durante sus años en Finca Sophenia, Michelini supo enamorarse de Gualtallary, de las características únicas de esa región del valle de Uco. Las condiciones del lugar, el clima, la altura y los suelos lo cautivaron. "Entendí que esta zona les da a los vinos algo que ninguna otra región puede ofrecerles. Empecé a catar a ciegas y en esas catas comencé a reconocer Gualtallary, algo que no me pasaba con otras partes del valle. Eso me permitió reflejar el carácter del lugar en cada botella. Acá hay unos aromas de montaña que no se dan en todos lados, como de monte, de jarilla, de tomillo y hasta de lavanda. A esto se suma una textura con cierta rugosidad, como de una arena fina en el paladar. Y todo con una gran estructura y una acidez sostenida. Pero claro que hay más lugares. Lo que está pasando hoy en Argentina refleja un camino muy fuerte, al que se están sumando

todas las bodegas. Es el futuro: cada vez habrá más vinos que se parezcan a sus orígenes, que sean puros y honestos, desde la quebrada de Humahuaca hasta Río Negro o el mar. Esto es lo que beberemos en Argentina y en el mundo. Y no hablo de consumidores sofisticados, sino de los chicos que hoy tienen 20 años y prueban vinos. Esos chicos, cuando tengan 40, querrán beber lugares, no marcas o enólogos". ¶

Más de una década pasó desde que Matías Michelini decidió "cruzar la vereda", tiempo en el cual este enólogo nunca dejó de explorar, atravesando todas las fronteras posibles. "En un momento quise entender cómo eran los vinos de Latinoamérica para tomar distancia de los conceptos europeos, y me fui a hacer vino a Chile, Perú, Brasil. Planté viñedos en la quebrada; estoy con un proyecto en Bahía Bustamante, en Chubut; hago vinos en las alturas de Cafayate", enumera. Lejos del paradigma del enólogo científico, de los análisis exhaustivos de los suelos, los mostos y los vinos, Michelini se reconoce como una persona intuitiva. "Siempre fui muy sensible con la naturaleza, nunca sentí la necesidad de estudiar química, matemática o física en profundidad. Yo camino el lugar, lo siento, lo respiro para entender qué pasa a mi alrededor. No me interesa hacer doscientas calicatas para entender el suelo. Cuando fui a Bahía Bustamante, pedí una pala, cavé un poquito, miré y dije: 'Acá plantamos'. Y estoy seguro de que ahí vamos a lograr hacer vino que se va a parecer al mar como ningún otro. Lo mismo me pasa con las botellas: las analizo porque los mercados lo exigen, pero no trabajo con un refractómetro en la mano. Por muchos años medí temperatura, densidad…; hoy sé la temperatura metiendo la mano en el mosto en fermentación. Es una locura mía, pero así es como trabajo y me encanta. Claro que se cometen errores… De ellos aprendo. Por suerte, los errores se dan cada vez menos", dice riéndose. ¶

Entender los terruños y encontrar la variedad que mejor exprese cada paisaje exige tiempo y constancia. Michelini lo sabe: "Son generaciones de trabajo. Es lo que pasó en Europa, donde llevan cuatro o cinco generaciones viviendo ahí. Nosotros todavía somos nuevos; antes hacíamos vinos de volumen, se plantaba uva en los lugares fáciles. En el mismo lugar donde había una huerta, había viñedos. Eso en Europa no lo podías hacer, la huerta tenía siempre prioridad; si no, se morían de hambre. Y para los vinos se buscaban los suelos más pobres, la piedra. Acá es algo que estamos transitando ahora; son nuestros nietos los que lo van a tener bien en claro". ¶

Hoy Matías Michelini dice que pasó de la revolución permanente a la evolución. "Estoy más preciso, no hago tantas locuras. Voy afinando mi trabajo para mostrar el paisaje de manera cada vez más ajustada. Llegando a mis 50 años de vida, ya no necesito patear el tablero. Pero cuando miro hacia atrás, recuerdo que venimos de una familia de recursos escasos. Papá era ingeniero y docente, y lo que ganaba le alcanzaba solo para que nosotros estudiáramos, no sobraba nada. Desde entonces logramos hacer todas estas bodegas, con mucho trabajo, cariño y una convicción muy fuerte. Eso me pone muy feliz". ¶

MARCELO MIRAS

M

"DE CHICO YO ERA UN BICHO DE CIUDAD", admite Marcelo Miras, parado hoy en una antigua viña en medio de ese paisaje inmenso que es la Patagonia argentina. "De los trece hermanos que eran, mi padre tuvo la suerte de ir al secundario, luego consiguió trabajo en un banco y se mudó a la ciudad. Pero el resto de mis tíos eran gente de campo. Mis abuelos tenían viña en Cañada Seca, en San Rafael. En mi infancia, los fines de semana y en vacaciones, yo iba mucho para allá, donde aprendía las tareas culturales del campo, la poda en invierno, el tironeo de los sarmientos, la cosecha en verano. Ahí nació el amor y la pasión por la viña. Tanto en lo de mis tíos como en lo de mis abuelos, se hacían vinos caseros, que me daban de probar aun siendo chiquito, diluidos en agua. Es lo que se hacía en esos años", recuerda con una voz que disimula nostalgia. Desde esos primeros pasos junto a las vides, el destino de Miras estaba escrito. En séptimo grado, cuando en el acto de fin de año le dieron el diploma por haber terminado la primaria, se lo llevó a su madre y le dijo: "Mirá, mamá, el título de enólogo". "Yo ya tenía esa idea en la cabeza. Mucho después, cuando terminé el secundario, a principios de la década de los ochenta, llegado el momento de tener que elegir una carrera, mi padre me sentó en la gerencia del banco donde trabajaba y me preguntó qué era lo que yo quería hacer de mi vida. Para él, su herencia era el estudio. Y le dije: 'Voy a estudiar la licenciatura en Enología'. Se quedó mirándome... '¿Hay otro plato en el menú?', preguntó. Y no, no había. Y él lo aceptó". ¶
Con más de treinta años de cosechas a sus espaldas, hoy el nombre de Marcelo Miras es sinónimo de vinos patagónicos, conocedor de los terruños del sur argentino y portavoz de una región que en los últimos veinte años recuperó su crecimiento en relación con la cantidad y calidad de sus vinos. "En 1984, cuando estaba en el tercer año de la carrera, empecé a trabajar en el laboratorio de Vitivinícola Vidaña, en Mendoza. Ellos fueron generosos y me permitieron hacer un turno allí de siete de la mañana a dos de la tarde para luego cursar en la facultad, donde seguía hasta las once de la noche. Al recibirme, era uno de los pocos licenciados jóvenes con experiencia. Tenía la teoría y también la práctica". ¶
—¿Cómo fue tu llegada a la Patagonia? ¶
—Yo había conocido a don Raúl de la Mota, que trabajaba en Weinert, por algunas consultas que le había hecho por cuestiones del trabajo. A fines de 1990, un compañero me dijo que don Raúl estaba buscando un enólogo joven, así que me animé a llamarlo. Él me dijo que sí, que había una posibilidad de trabajo, pero que no era en Mendoza, sino en Río Negro. Muy lejos de casa. Yo ya estaba casado, habían nacido mis dos hijos mayores. Y ahí don Raúl me dijo: "Esto que le digo es en Humberto Canale, la bodega de Guillermo Barzi". Canale era una bodega de primera línea, una oportunidad muy buena. Y don Raúl me trataba con mucho respeto: "Si no le molesta, yo seré el enólogo asesor, y usted el primer enólogo". Yo tenía 25 años y no podía creer lo que escuchaba. Hablé con Sandra, mi señora, y aceptamos la propuesta. Primero vine yo por tres meses, luego

se sumó ella con nuestros hijos. Fue una decisión importante. Significaba dejar todo lo que teníamos: padres, hermanos, amigos, nuestro entorno. Con los años, don Raúl pasó de ser un asesor a convertirse en algo mucho más importante: un mentor y un padrino. Su padrinazgo fue incluso más allá de la enología, también de todo lo que está alrededor, de la misma vida. De él aprendí el respeto al profesional que está trabajando en una bodega. Ese mismo sentimiento lo tengo hoy con su hijo, Roberto de la Mota; también con Adriana de la Mota, a quienes les tengo un cariño enorme. ¶
Para la región patagónica, Canale es una de sus principales bodegas, parte de un pasado y un presente, de la tradición y de la innovación de los vinos de Río Negro a lo largo de más de un siglo de historia. "Cuando entré, la capacidad de almacenamiento era de 6 millones de litros, entre 300 cubas y toneles de madera. Trabajamos muchísimo y a la larga se fueron viendo los frutos. Se logró el objetivo fijado, que era dar vuelta la página de los estilos de vinos que se venían elaborando en esa época para comenzar así una nueva etapa. Casi a finales de 1990, se sumó como asesor el enólogo danés Hans Vinding-Diers –quien, un par de años más tarde, creó Noemía, también en Río Negro–, y él hizo sus aportes en los tipos de vinificaciones, en las fermentaciones malolácticas en barrica. La Argentina entera vivía su gran cambio vitivinícola, incorporando tecnología y conocimientos. Los enólogos locales empezamos a viajar; los asesores externos comenzaron a venir. Fue un momento muy interesante", afirma Miras. ¶
Siendo todavía un joven de 25 años, Marcelo Miras nunca imaginó que su entrada a Humberto Canale iba a marcar el inicio de una relación con la Patagonia que continúa intacta al día de hoy. "Tuve la suerte de rodearme de gente muy valiosa. Estoy muy agradecido con Guillermo Barzi, un hombre muy honesto, directo, que me enseñó muchas cosas, que me dio absoluta libertad para tomar decisiones. Incluso, con la decisión de irme de Canale, en 2003, y comenzar de cero en Del Fin del Mundo, el proyecto de Julio Viola con viñedos nuevos en San Patricio del Chañar (Neuquén). Allí no había siquiera bodega construida; era apostar de vuelta toda nuestra vida. Se lo conté a Sandra, justo había nacido nuestra última hija. Pensamos juntos los riesgos y las posibilidades que implicaba el cambio. Nuevamente, fue ella la que me dio el empujón y el apoyo necesarios para irnos todos: yo, Sandra y nuestros hijos, los cinco Miras". ¶
Hoy es fácil decirlo: la decisión fue la correcta. Por dieciséis años Marcelo trabajó en Del Fin del Mundo, desde donde conoció el mundo enológico, viajando por distintos países, creciendo en conocimientos y experiencias. "En 2004 Julio Viola planteó la necesidad de un asesor externo, y yo sugerí que fuera Michel Rolland, que comenzó con nosotros ya en la vendimia de 2005. Estos asesores, Rolland, Hans, vinieron desde sus lugares de origen para enseñarnos, pero también para aprender de nosotros. Fueron años muy intensos. El vino argentino miraba qué estaba sucediendo en San Patricio del Chañar, una zona muy nueva con un proyecto importante que sumaba más bodegas y

viñedos. Hoy es una zona vitivinícola que se sigue consolidando año tras año, ya con viñedos de más edad y una camada profesional y apasionada de enólogos".

Incentivado por Hans Vinding-Diers, que le regaló un par de barricas nuevas, en el 2000 Marcelo comenzó también a elaborar sus vinos propios, más como un hobby que como un proyecto comercial. "Empezamos a vinificar en Chacras del Sol, en Río Negro, junto con Sandra; luego, se sumó nuestro hijo Pablo. En 2006 teníamos botellas más que suficientes para la familia y los amigos. Desde entonces hemos seguido creciendo, convirtiéndonos en lo que hoy es Bodega Miras. Al principio comprábamos las uvas, ahora tenemos nuestro viñedo propio de 10 hectáreas en Mainqué, implantado en 1958, con certificación orgánica. En la misma chacra, construimos una pequeña bodega garaje, donde desde 2019 realizamos todos los vinos que son orgánicos. Somos chiquitos pero ambiciosos".

Para Miras, la Patagonia está aún en pleno desarrollo. Una superficie amplia, desde el paralelo 37, al sur de La Pampa, hasta el 45, en Chubut. "Dentro de ese gran paraguas, empezás a encontrar regiones, subregiones y microrregiones como Mainqué. En estos años, San Patricio del Chañar le dio un impulso grande a la Patagonia, nos puso nuevamente en el mapa. Río Negro es más de minifundistas, y eso permite hacer focos en pequeños espacios. Y toda la zona tiene un diferencial agroclimático que le da un carácter particular a los vinos, tanto en el Alto Valle, en el Valle Inferior, en Chubut, en San Patricio, en 25 de Mayo, en El Hoyo y en tantos otros lugares. Un hilo conductor marcado por la acidez, el brillo y el color".

—¿Volverías a Mendoza?

—No. Si bien la respuesta puede sonar dura y cortante, dentro hay muchas cosas. Aquí se criaron mis hijos, y nunca se me cruzó por la cabeza volver. A la Patagonia le falta mucho por crecer: es una de las regiones del vino más antiguas del país, que llegó a ser la tercera en producción, y hoy pelea el descenso con Buenos Aires, Entre Ríos y Córdoba. Cerraron cantidad de bodegas en la historia de la provincia, pero la calidad actual es fantástica. Ese es el motivo y la seducción que encierra el quedarnos acá.

JOSÉ LUIS MOUNIER

EN EL VIEJO MUNDO, SE DICE QUE EL VINO SE LLEVA EN LA SANGRE; que es una herencia familiar, una cultura y un modo de vida transmitidos de generación en generación. De este lado del océano Atlántico, la historia se repite. Y el mendocino José Luis Mounier, uno de los grandes enólogos de la Argentina y referente en la región de los valles Calchaquíes, la cuenta. Descendiente de inmigrantes franceses, su bisabuelo, su abuelo y su padre fueron viticultores, labradores de la tierra y cosechadores de uvas.

"Mi padre era un obrero en viñedos. En esa época había una figura que era la del contratista de viñedos; tenías una parcela y te daban el 18 % de la producción y una mensualidad básica. Toda la familia trabajaba ahí, incluyendo a los chicos. Hacíamos la poda, el desbrote... Por esos años no había herbicidas, tampoco ningún tipo de mecanización; eran, sin duda, otros tiempos", recuerda. Con esa infancia, el destino de José Luis era ineludible: estudió Enología y comenzó a trabajar en una fábrica de conservas frutihortícolas. Luego, ya casado y a punto de tener a su primera hija, se mudó a Tucumán para desempeñarse en el Instituto Nacional de Vitivinicultura (INV). "Estuve allí desde 1984 hasta 1986. Gracias al INV, empecé a ir muchas veces a los valles Calchaquíes y, en uno de los viajes a Cafayate, me ofrecieron ser parte de Etchart en el área del laboratorio. Era una gran posibilidad para crecer profesionalmente. Estamos hablando de una bodega que era muy reconocida, con un equipo técnico fantástico, con profesionales como Mariano Bustos y Jorge Riccitelli, liderado por Juan Argerich, y con ese gran visionario que era Arnaldo Etchart. Un verdadero emprendedor, que siempre buscó hacer lo mejor. También a nivel viñedos era una bodega ejemplar, había un alemán a cargo que era pura disciplina. Y fue allí donde comenzó Michel Rolland su experiencia en Argentina, en 1987. Y yo era una esponja de todo eso, estaba en el momento justo, en el punto de inflexión de la vitivinicultura en el país", reflexiona. ¶

José Luis habla con esa "rr" cerrada que se comparte en el oeste argentino, en esa parte del país que bordea la cordillera andina. Y así como ese sonido característico no se desprende de él, Mendoza, Salta y Tucumán son parte insoluble de su historia. Lejos de impostaciones y estudios de marketing, habla con el aplomo de quienes tienen la experiencia de su lado. Trabajó en Etchart durante dieciocho años, entre 1986 y 2004, y allí se convirtió en uno de los grandes especialistas de los vinos cafayateños. Conoce como pocos la manera en que se comportan cepas como la torrontés, la malbec, la tannat y la cabernet sauvignon en las alturas y en los suelos del valle. En simultáneo, en 1995 comenzó con una pequeña bodega familiar, elaborando sus propios vinos. Y, a lo largo del tiempo, se convirtió en uno de los consultores más demandados de la región, asesorando proyectos como Quara y Tukma, entre otros. "Incluso estoy trabajando para una bodega en Bolivia", dice. Más allá de haber nacido en Mendoza, ya lleva treinta y cuatro años caminando en tierras salteñas, entre cardones y quebradas, bajo el omnipresente sol del noroeste argentino. ¶

"Cuando comencé en Etchart, el vino en Argentina todavía estaba lejos del desarrollo que vino después. Pero, puertas adentro de la bodega, había una gran cocina de microvinificaciones, de ensayos –se probaba qué pasaba si se dejaba el escobajo con las uvas, se comparaban nuevos y viejos clones–; fuimos pioneros al utilizar prensas hidráulicas horizontales para las bases de espumantes. Estar en Etchart era como jugar en River o en Boca, un equipo grande, en el que se arriesgaba mucho para ir siempre más allá. Eso era la impronta de Arnaldo".

Hablar de José Luis Mounier es también escudriñar la historia moderna del torrontés. Por sus manos y por su ojo experto, pasaron millones de kilos de esta uva, la única cepa vínica exclusiva de la Argentina. No solo elaboró torrontés para Etchart y sus proyectos de consultoría, sino también para muchas de las más grandes bodegas de Mendoza, que confían en él como socio estratégico en Cafayate. "Desde acá elaboré vinos para Bianchi, Zuccardi, Catena, Susana Balbo… Si mis cálculos no me fallan, habré hecho unos 200 millones de litros de torrontés en mi vida", dice. Una cepa popular, entre las más productivas del país, pero a la que siempre se la mira con cierta condescendencia, como si no tuviera la calidad de las grandes variedades europeas. "No es una variedad que tenga glamur; no es como las francesas viognier, sauvignon blanc o chardonnay. Tampoco está identificada con Mendoza, sino con Salta. Pero en estos años leí mucho de variedades patrimoniales y de estadísticas. Y, aunque muchos hablan poco del torrontés, cuando mirás los números, siempre te sorprende: es un gran cepaje aromático, regional y argentino. Es la segunda variedad blanca que más se exporta y se la puede trabajar de distintas maneras, vinificándola incluso como un chardonnay, con crianza sobre borras, *battônage* y fermentación en barricas. A todo esto, además, hay que sumarle el enoturismo: una empanada salteña, junto con una copa de torrontés, es un clásico formidable. Así hay que comunicarlo. No sé si es el gran cepaje nacional, pero es nuestro. Muchos países quisieran tener una variedad patrimonial así", afirma.

—¿Te sentís protagonista de los cambios que vivió el torrontés en las últimas décadas en Argentina?

—Sí, me siento parte importante, por el tiempo que llevo en la industria, por el volumen que me tocó hacer, por conocer la evolución de ese vino y por haber incorporado tecnología en su elaboración. Antes era un vino que se oxidaba rápido, era rústico y con retrogusto amargo. Con trabajo e investigación, hemos logrado hacer un vino internacional, partiendo de una uva regional, patrimonial y productiva. No soy Messi, pero sí me siento parte de todo esto.

Hoy José Luis sigue desempeñándose como consultor en varias bodegas de la región y elabora vinos propios en la casa que lleva su nombre. Partidas pequeñas, con un total de solo 30 000 botellas al año, que en su gran mayoría se venden en el mercado interno, especialmente en la propia Salta. La línea suma un torrontés reserva, un rosado de mal-

bec, un malbec, un cabernet sauvignon, un *blend* de tintas y un espumante elaborado al modo tradicional. Además, lanza partidas limitadas de ediciones especiales. "En Salta seguimos en la búsqueda de la excelencia, atentos siempre a las distintas alturas, que son importantes, pero aún más a los suelos, que resultan fundamentales. Dentro de Cafayate estamos mirando valles cada vez más pequeños. El nombre es Cafayate y hoy vamos buscando apellidos: Yacochuya, Tolombón, Cachi y más". ¶
Más allá de su historia con el torrontés, este enólogo se define como muy amante de los *blends*. Y está convencido de que el terruño cafayatense es ideal para cepas tintas como cabernet sauvignon, cabernet franc, tannat y petit verdot. "Hay variedades que en otros lados dan vinos más agresivos, pero que acá logran madurar muy bien y dan resultados fantásticos. En lo personal, creo que hay mucho para hacer con el cabernet sauvignon. El conocedor de vinos siempre llega en un momento al cabernet. La amplitud térmica de esta región y el poder que tiene el sol sobre las pieles de las uvas hacen que todo sea más intenso. Eso lo podés comprobar en las especias que se cultivan acá, en las frutas, en las hortalizas. Y, claro, también en vinos como el cabernet, que ganan un sabor increíble". ¶
Con sus tres hijos –Ana y Pablo, que viven en Salta, y José Omar, que es enólogo en Mendoza–, José Luis Mounier mira hacia atrás sin dejar de caminar nunca con vistas al futuro. "Salta te atrapa por la gente, el vino, la música, las comidas. Tucumán fue mi provincia anfitriona, una escuela de vida donde hice grandes amigos. Y pensar en Mendoza siempre me emociona. Pero ya Atahualpa decía que uno es de donde se queda, no de donde nació. Y acá me ves, en Salta". ¶

MARCELO PELLERITI

P

"A VECES LO QUE UNO BUSCA ES NO REPETIR HISTORIAS. Mis padres eran empleados públicos, siempre vivían complicados por la situación económica y laboral; tal vez por eso yo quería tener mi propia empresa, depender solo de mí", cuenta Marcelo Pelleriti, uno de los enólogos más admirados de la Argentina. Aun de adolescente, ya se imaginaba trabajando en el mundo del vino. Mucho tuvo que ver el Liceo Agrícola, la escuela secundaria dependiente de la Universidad de Cuyo, donde comenzó a cursar sus estudios. "Arranqué en el Liceo en 1984, justo después de la asunción de Alfonsín. No había una verdadera razón para ir ahí, salvo que era el gran colegio mendocino, lo mejor a lo que uno podía apuntar. Y más allá de la estructura del colegio en sí, también tenía un campo alejado para hacer las prácticas, que era un lujo, una belleza", recuerda. Terminados los estudios, Marcelo pasó por distintas experiencias de empresa propia: primero en jardinería y luego con un proyecto de producción de semillas de cebolla, hasta que finalmente decidió apostar todo por el vino. "En ese momento estaba trabajando para una de las principales empresas de agua mineral del país, pero lo que yo quería hacer era vino. Empecé con 1000 botellas, bajo el nombre De Pura Raza. Luego hice otra etiqueta que se llamaba Matices de Abril. Un par de años más tarde, ya estaba produciendo unas 30 000 botellas. No tenía mucha experiencia, pero sí tenía el sentido para darme cuenta de si la uva era buena. La compraba a amigos con viñedos viejos en La Consulta, que naturalmente lograban bajos rendimientos y me daban, así, vinos con mucha estructura. En esa época estaba de moda el vino con madera, con vainilla, muy gringo. Y para hacer vinos con madera, primero hay que conseguir una estructura que los soporte. Y como no tenía un mango, no tenía siquiera despalilladora, empecé desgranando los racimos a mano. Fue ahí, en 2001, cuando conocí a Michel Rolland". ¶
En esos años, para el mundo del vino, Michel Rolland era un *rockstar*, el enólogo y consultor más reconocido en el mundo. Michel estaba en la Argentina conduciendo los primeros pasos del gran proyecto Clos de los Siete, por el cual había convocado a amigos franceses para construir un grupo de bodegas en el valle de Uco. "Michel buscaba enólogos, pero mi única experiencia laboral importante tenía que ver con envasar agua mineral. Por eso fui a la entrevista con una botella de mi vino. Ese era mi currículum vítae, no tenía otra forma de demostrarle lo que sabía hacer. Cuando me vio llegar con una botella, le causó mucha gracia. Probamos juntos el vino, charlamos y nos reímos. Michel es muy franco, muy abierto. Y quince días más tarde, me llamó desde California para darme trabajo: tenía que ir a Francia para hacer vinos en Montviel, el primer *château* que compró Catherine Péré-Vergé. Y debía alternar con Argentina para comenzar la construcción de Monteviejo. Tuve la suerte de empezar proyectos nuevos, con todo lo que eso implica", cuenta. ¶
De ser apenas un principiante, Marcelo Pelleriti se convirtió, de la noche a la mañana, en la mano derecha de Catherine Péré-Vergé, impulsando sus grandes proyectos en

Francia y en Argentina. Para los franceses, esto podía ser una afrenta: un mendocino haciendo historia en sus tierras de férreas tradiciones enológicas. "Esos años, el 2001 y 2002, fueron de un caos terrible. Pero ahí me curtí. Con Catherine tuvimos un gran *feeling*, nos llevábamos muy bien juntos. Ella tenía una gran ambición, que iba mucho más allá de un pequeño *château* en las zonas más bajas de Pomerol. Desarrollamos todos los proyectos juntos, empezando desde cero. Catherine, quien falleció en 2013, era una persona de un carácter terrible, muy exigente y segura de sí misma, con una gran tradición empresaria familiar. Y aprendí muchísimo de ella. Claro que hubo que lucharla. Yo era siempre el primero en llegar y el último en irme. Molesté mucho a los que estaban allá desde antes que yo: les hice cambiar sus modos de trabajo, insistí con la limpieza, con los controles de gestión y de obra. Tuve que imponerme, aunque yo tampoco tengo una personalidad blandita. Si te mostrás débil, terminás débil. Por suerte, funcionó. Hoy manejo la parte técnica en ambos países y en Monteviejo, en Mendoza, soy además el director general", cuenta. ¶

Es imposible hablar de Marcelo Pelleriti sin hablar también de música, su otra gran pasión. Creador en 2010 del Wine Rock, el gran festival musical que se lleva a cabo cada año en los jardines de Monteviejo, y que reúne a muchos de los músicos más reconocidos del continente, para Pelleriti la guitarra es una parte indispensable de su vida. Otro canal donde expresar su creatividad y su arte. "Cuando era chico, uno de mis tíos vino a casa con un cassette de Paco de Lucía y fue un shock. Por ese álbum empecé a estudiar guitarra. Y, al mismo tiempo, comencé natación. Se dio la casualidad de que mi entrenador era un verdadero melómano, en una época de despertar musical para la Argentina. Entonces yo iba por ahí oyendo a Serú Girán, a Led Zeppelin, un bombardeo de información para mi cabeza. Esto marcó el inicio de una relación con la música que nunca más se terminó. Cuando empecé a trabajar, a tener más recursos económicos, pude comprar guitarras de más calidad, armar una bandita, luego otra. También el mundo del vino me permitió conocer a muchos grandes músicos que venían a la bodega, y así nació el Wine Rock", cuenta este coleccionista de guitarras que se hizo construir modelos especiales por los mismos lutieres que trabajaron junto con Frank Zappa o el Flaco Spinetta, entre otros. ¶

Para Marcelo Pelleriti, música y vino son dos caminos similares, que se pueden unir en una gran avenida. "Hay algo ahí, en la creación. Con los vinos ya sé lo que hago, tengo confianza; pero con la música sigue esa incertidumbre, ese temor a mostrar lo mío. En 2020, durante la pandemia, al estar más encerrado, sin poder viajar, pude empezar a quebrar esa incertidumbre. De algún modo, este momento, para mí, es como recrear mis inicios enológicos, dejando que otros vean lo que hago. Siempre hay una relación. Además, estoy convencido de que el Wine Rock le aporta mucho al vino; son construcciones a largo plazo. Muchos asocian el rock al 'reviente', pero cuando empezás a

conocer a los músicos, te das cuenta de que saben vivir, saben tomar buenos vinos, manejan sus empresas de manera profesional. Yo elaboro vinos con muchos de ellos. Ahí lo tenés a Pedro Aznar; a Felipe Staiti, de Enanitos Verdes; a Coti Sorokin; a Fernando Ruiz Díaz. La pasión y conciencia que le ponen es increíble". ¶
Uno hito ineludible en la vida de Pelleriti ocurrió en 2013, cuando su vino Château La Violette 2010 (100 % merlot de Pomerol) consiguió los preciados 100 puntos de la mano de Robert Parker, y así se convirtió en el primer enólogo argentino en lograr esa hazaña. "Fue un momento especial. Yo nunca había imaginado que el mismísimo Parker, el encargado de catar los vinos de Burdeos, el que creó la lista, nos podía poner un puntaje así. Nosotros ya veníamos con 97, 98, incluso 99 puntos, pero los 100 parecían imposibles. Un día estaba comiendo en un restaurante en Mendoza y de pronto me llamó Catherine llorando. Ella ya estaba enferma de cáncer y se la oía muy emocionada. Creo, además, que los 100 puntos fueron también algo bueno para la Argentina, ya que hablaban muy bien de nuestro nivel técnico. Pero que quede claro: yo no soy Eddie Van Halen, tan solo soy un enólogo al que en un momento le dieron 100 puntos. Como les digo siempre a los que trabajan conmigo: 'No debemos creernos que somos nosotros las estrellas, que nos filman cuando caminamos'. Siempre hay que caminar con las patitas en el piso". ¶
A más de veinte años de haber conocido a Rolland, Marcelo lo ve hoy como un padre, una persona que lo ayudó mucho, forjando una relación afectiva muy fuerte. "Lo respeté, lo respeto y lo respetaré como maestro, como persona, como ser humano, como profesional. Michel Rolland le dio pie al malbec, se lo recomendó a Robert Parker para que viera lo rico que es. Muchos castigan a Rolland sin conocerlo, pero, te guste o no, lleva hechas casi ochenta vendimias en más de quince países de todo el mundo. Eso te da una visión única. Cuando él empezó en Argentina, todos se peleaban para hacer el mejor cabernet sauvignon. Y fue Rolland quien dijo que había que mirar el malbec". ¶
Más allá de su vida entre Francia y Argentina, Marcelo Pelleriti nunca dejó de hacer sus vinos propios, esos que comenzaron siendo apenas dos etiquetas hechas con esfuerzo y a mano, para convertirse a través del tiempo en Marcelo Pelleriti Wines, una bodega propia pero conectada al grupo de Monteviejo. "En todos los casos, hago vinos que se pueden guardar. Creo que la historia de una región se construye dejando libros en la biblioteca. Si hoy trazo una vertical de los vinos que hice en mi vida, estoy seguro de que siguen vivos. La principal diferencia entre los propios y los de Monteviejo es el terruño. Marcelo Pelleriti Wines proviene de La Consulta y de Altamira, mientras que Monteviejo es de Los Chacayes y de Campo de los Andes. Después, Monteviejo es algo más tradicional: seguimos elaborando los mismos vinos de siempre, evolucionando en el estilo, pero manteniendo su identidad. En Marcelo Pelleriti Wines puedo jugar más, con tintos frescos, con vinos sin anhídrido, con vinos naranjas. Pero, a fin de cuentas, todo es parte de lo mismo: de un proyecto de vida". ¶

ESTELA PERINETTI

P

"NO SÉ SI YO ELEGÍ AL VINO O, MÁS BIEN, EL VINO ME ELIGIÓ A MÍ", dice Estela Perinetti, una de las grandes hacedoras de vino argentinas, creadora de vinos icónicos de los últimos treinta años y, además, cabal representante de las mujeres en un ambiente –en particular, el de la agronomía– ampliamente dominado por hombres. "Cuando comencé a buscar trabajo, a principios de la década de los noventa, presentaba mi currículum y me rechazaban explícitamente por ser mujer. En ese tiempo las empresas no tenían problema en admitirlo, no había corrección política. Me decían que sí, que mis estudios y conocimientos calificaban en primer lugar, que era todo fantástico, pero que no querían contratar a una mujer para el puesto –recuerda–; creo que, posiblemente, fui la primera mujer que logró trabajar en el ámbito privado como agrónoma. Y también de las primeras como enóloga". ¶
Estudiar Agronomía fue un quiebre familiar para los Perinetti. De joven, Estela estaba destinada a ser médica. Su padre, su madre y su abuelo eran médicos, lo que marcaba así una tradición férrea. "Pero del lado de mamá, había una parte de la familia que se dedicaba a la vitivinicultura. Ellos construyeron en su momento la Bodega Armando Hermanos, que luego sería la actual Los Toneles. Y por el lado de mi abuelo paterno, como buen italiano que vino del Piamonte, apenas empezó a irle económicamente bien, invirtió el dinero en una finca en Tupungato, de difícil acceso por caminos de tierra. Eso fue en el año 1941. De esa finca nace hoy mi proyecto personal, Las Estelas". La medicina, dice Estela, le gustaba. "Sin embargo, no me podía imaginar estar todo el día en un hospital. Por eso me decidí por Agronomía, con la idea de dedicarme a los frutales, a los cerezos. Por suerte, justo en ese momento, en los años noventa, el vino comenzaba a tomar vuelo, y me enamoré", explica. ¶
Recibida con honores en la universidad, Estela Perinetti ganó becas que le permitieron viajar y capacitarse como pocos en el país. Realizó intercambios y participó de cursos en Italia, España y California, donde descubrió un modo de trabajo y de pensamiento que en Argentina todavía estaba por descubrirse. Por un tiempo esos viajes al exterior se convirtieron en su modo de comprender la vitivinicultura. "Aprovechaba cada ahorro y las vacaciones para ir a estudiar y armar así un posgrado a medida. Empecé a trabajar en distintos proyectos, como asesora en el Grupo Crea, un programa de transferencias de tecnología del INTA. Fui la primera en traer las telas antigranizo, trabajamos mucho por extender el riego por goteo… Fue muy interesante, estábamos haciendo escuela". ¶
En 1998 Estela Perinetti entró a trabajar en Catena Zapata, donde inició un crecimiento en el grupo que duró veintiún años. "Nicolás Catena me abrió las puertas, a él no le importó que fuera mujer. Y era un lugar increíble; el único en ese entonces que se proponía desarrollar un vino para que se vendiera a cien dólares en el exterior, algo que Argentina no podía imaginar". Su primer puesto fue en Escorihuela Gascón, desarrollando la línea prémium de esta marca. "Cuando entré, le advertí a Catena que yo nunca

había hecho vinos, que lo mío era la agronomía. Y me respondió que no importaba, que justamente buscaba a alguien que entendiera la viña: 'Lo que no sepas de enología –me dijo– lo vas a aprender'. Y así fue. En esos años había un consultor que me enseñaba mucho. Y también había gente que sabía muchísimo, como Pepe Galante y Mariano Di Paola, que respondían mis llamadas e inquietudes". ¶

El largo paso de Estela en Catena Zapata se dividió en tres grandes etapas: primero, en Escorihuela Gascón; luego en Caro, el proyecto compartido entre Catena y la Casa Rothschild de Francia; y finalmente, en Luca, trabajando con Laura Catena. "Cada cambio fue un gran desafío y aprendizaje. Cuando comencé con Caro, en Argentina la mayoría de los vinos de calidad estaban pensados como varietales. Pero en este caso debía tratarse de un *blend*. Los franceses llegaron confiados en que se podía hacer un corte de malbec y cabernet para lograr un vino muy interesante, que cumpliera sus altas expectativas de elegancia y profundidad. Para lograrlo tuvimos que buscar viñedos viejos. En Francia consideraban que un viñedo nuevo no podía tener el balance necesario. Así sacamos la añada 2000, luego la 2001, y ya en 2002 decidieron construir una bodega independiente, que se terminó de armar para 2003. Yo estuve a cargo de Caro hasta 2012. Ahí me llegó una nueva oportunidad: acompañar a Laura Catena en Luca, además de trabajar en otros proyectos del grupo. Y agarré viaje; me interesaba mucho salirme un poco de la gestión y volver a la parte más creativa. De algún modo, Caro y Luca eran dos caras opuestas. El primero tenía una tradicional impronta francesa en cuanto al concepto de vino de *château*, donde solo se elaboran uno o dos vinos, como mucho tres, y todo el foco está puesto ahí. Yo, por ejemplo, tuve que luchar mucho para sumar el Petit Caro y luego el Aruma. En cambio, en Catena era todo lo contrario. Allí pensábamos vinos de todo tipo, con Laura, también con Alejandro Vigil, haciendo mil ensayos, buscando terruños, sin límite en la búsqueda de calidad y de variedades. Era todo el tiempo animarse a descubrir cosas nuevas, a romper reglas. Siento que ambos caminos son maneras posibles de hacer grandes vinos de calidad, dos escuelas que pueden parecer opuestas pero muy buenas. Caro es el perfeccionismo, los pequeños detalles, la precisión y la obsesión de qué es lo que hace a un gran vino. Eso lo aprendí de los franceses, de su respeto por el terruño y por los viñedos antiguos; no tanto por la edad de la vid en sí misma, sino porque esa edad indica que algo funciona a través del tiempo. De Catena rescato la investigación, la lucha incesante por mejorar, entender y aplicar la ciencia sobre el suelo, sobre la altura, la planta, la luminosidad. Ir a fondo con la explicación científica, con la comprensión de lo que estamos haciendo". ¶

En 2019, ya con dos cosechas previas, salieron al mercado los vinos de Las Estelas, el proyecto personal de Perinetti, en el que comenzó a mostrar su propia síntesis de experiencias y aprendizajes, tras casi treinta años de trabajo. "Me fui con mucho dolor de Catena, pero la verdad es que no tenía la capacidad para dedicarme a ambas cosas. Preferí poner toda mi energía en Las Estelas; si no, esta bodega iba a terminar siendo tan solo un hobby. Arranqué con un importador en Estados Unidos, lo que me dio la confianza necesaria para comenzar. Y, por suerte, hoy puedo también decir que el mercado interno nos recibió muy bien".

Ante la pregunta, Estela imagina Las Estelas más cerca del modelo de Caro, en el sentido de que es un proyecto basado fuertemente en el terruño, en ese viñedo antiguo de su familia. "La finca la compró mi abuelo en El Peral, en Tupungato, plantada originalmente con semillón y con nogales. En esos tiempos, un terreno ubicado a 1200 metros sobre el nivel del mar se consideraba demasiado frío para uvas tintas. Fue mi mamá, que venía de una familia vitivinícola, la primera en insistir en plantar acá malbec, cabernet, algo de merlot, de syrah. Tenemos también cabernet franc y pronto se estará sumando chardonnay. Por eso, creo que dentro de este terruño encuentro más variantes de lo que admitiría un proyecto como Caro. A la vez, estoy con una línea de exploración de viñedos de varietales que no tengo plantados en la viña, y que también me gustan mucho porque los trabajé por años. Ahí entra en juego mi parte de Catena. También en la mirada científica, que es característica de mi familia".

Estela imaginó sus vinos antes de que nacieran, mirando el viñedo. "No soy una buena arregladora de uvas –explica–: lo que no sale bien en la cosecha, luego no tendrá arreglo en la bodega. Eso sí, me puede llevar un par de años entender una vid, su potencial, sus riesgos y ventajas. A la vez, sé que hoy mi función no termina en la finca, sino en la botella y en su evolución en el tiempo. Es un proceso creativo completo, que empieza en la viña y termina en la copa. La verdad es que me gusta todo el proceso. Y lo mejor es que, cuando algo me gusta, disfruto mucho de comunicarlo".

DANIEL PI

P

DE CHICO DANIEL PI QUERÍA IR A UN COLEGIO TÉCNICO. Por ese entonces, recuerda, le gustaba la construcción, la electricidad. Su padre, en cambio, tenía una perspectiva más severa: su idea era enviarlo al Liceo Militar. Nada de esto ocurrió. "Por suerte, el Liceo Militar era muy caro para nosotros, y el técnico era demasiado específico. Así, terminé yendo al Liceo Agrícola", cuenta el que es uno de los enólogos más reconocidos de la Argentina. Tras casi tres décadas al frente de Peñaflor -el mayor grupo vitivinícola de la Argentina, con bodegas como Trapiche, en Mendoza; Las Moras, en San Juan; y El Esteco, en Salta, entre otras- hoy es director enológico de Bemberg Estate Wines, el proyecto de alta gama de la familia Bemberg, la misma familia propietaria de Peñaflor. ¶
El Liceo Agrícola significó un punto de inflexión en la vida de Daniel Pi. "Siempre digo que llegué a la enología por casualidad. Mi familia no tenía bodegas ni viñedos. Éramos de clase media-baja y mi único contacto con el vino era ir cada mes a una bodega ubicada a siete cuadras de donde vivíamos para buscar dos damajuanas de 10 litros para mi papá", afirma. A los 17 años, comenzó a realizar prácticas laborales en algunas bodegas, y de esa manera inició una relación que ya nunca más iba a finalizar. "En esos años, en 1977, 1978, Argentina producía cientos de millones de litros de vino. El litro de vino común valía un dólar, eso significaba un gran negocio... Las perspectivas laborales en el rubro eran inmensas. Por eso, cuando entré a la facultad, éramos como cien estudiantes en mi año. Luego vino la crisis; en 1980 cayó el grupo Greco, y con él los precios del vino y de las uvas: el consumo empezó a bajar. Para el segundo año, de los cien que habían empezado originalmente, quedaban solo treinta. Y cuando terminé la carrera, en 1983, sumábamos apenas doce estudiantes". ¶
Con el cura Oreglia como mentor, Daniel Pi logró encontrar trabajo en el Instituto Nacional de Vitivinicultura, dentro del sector de investigación. "Oreglia me ayudó mucho. Trabajé en el INV y también di clases en la facultad. Más que por una cuestión económica, lo hacía para ayudar un poco; la carrera en ese tiempo daba lástima, estaba muy venida a menos". Más allá de las crisis, para Daniel Pi fue una época de crecimiento y de aprendizaje: participó en congresos e incluso viajó para dar a conocer sus investigaciones. "Fui a Brasil para hablar de vino blanco. Me iba bien en esas charlas, algunas bodegas empezaron a saber de mí. Un día, en 1992, me llamaron de Peñaflor y me ofrecieron ir a vivir a San Juan para comenzar lo que luego sería Finca Las Moras. El desafío era grande: se trataba de cambiar la historia del vino sanjuanino". ¶
Diseñar viñedos desde cero, elegir las cepas adecuadas, plantar y ver crecer las fincas, ese es el sueño de todo enólogo. "En 2001 me ofrecieron hacerme cargo también de Michel Torino y Santa Ana; de ahí surgió El Esteco, en Cafayate. En 2003 volví a Mendoza. Por ese entonces el enólogo Ángel Mendoza se estaba yendo, razón por la cual me eligieron a mí para presentar los ciento treinta años de historia de Trapiche en el Teatro

Colón. Recuerdo el miedo que tenía de pararme en ese escenario. En 2005 convoqué a Marcelo Belmonte para que se hiciera cargo de toda la parte agrícola (hoy Belmonte es quién reemplazó a Daniel como director de viticultura y enología del grupo Peñaflor). Ese mismo año los Single Vineyard de Trapiche lograron por primera vez más de 90 puntos en la revista *Wine Spectator*. Y de ahí en más, nunca dejamos de crecer. Tuve suerte: me tocó ser parte de grandes transformaciones de la industria y del vino argentinos, trabajando en bodegas que supieron motorizar esos cambios. Bodegas que creyeron en mí, que me acompañaron en mis sueños, que me permitieron armar grupos de trabajo de los cuales sigo estando muy orgulloso. Muchas veces no estoy seguro de si realmente yo sé hacer buenos vinos; en cambio, sí estoy convencido de que sé juntarme con gente valiosa". ¶
Tras décadas de hablar con periodistas, críticos, clientes y pares profesionales, Daniel Pi venció su timidez inicial a costa de una risa franca y un discurso directo y frontal. "En mi vida nunca pude aburrirme; siempre aposté a más, trabajando de manera incansable. Cuando comencé en Trapiche, exportábamos 300 mil cajas y vendíamos otras 700 mil en el mercado doméstico. Hoy son más de 2 millones de cajas de exportación y duplicamos la venta local. Muchas cosas cambiaron de 2003 a la fecha. La compra en 2011 de Peñaflor por parte de la familia Bemberg fue muy importante. Es la sexta generación de la familia la que está a cargo, con un compromiso a largo plazo muy fuerte con la industria". ¶
Si plantar las bases de una gran bodega ya es un desafío enorme, Daniel Pi lo llevó al extremo: no solo fue parte del inicio de Las Moras, sino también de El Esteco, luego de la bodega de Trapiche en Chapadmalal, una de las pocas en Argentina definidas por un clima marítimo. Hoy le toca cambiar el rumbo, dejando su responsabilidad sobre esas bodegas para enfrentar un nuevo desafío junto a Bemberg Estate Wines, el proyecto que identifica a la familia. "Es una bodega muy nueva que diseñamos y que soñamos. Todavía está naciendo, arrancamos en 2019, y le estamos encontrando la identidad. Trabajamos de una manera honesta, sin uso de la tecnología, lo más natural posible, con fermentaciones espontáneas. Queremos comunicar el sitio, estamos entendiendo este viñedo que cada año nos sorprende, a veces con heladas y granizos, pero siempre mostrando un potencial altísimo. Los vinos que salgan de aquí van a estar definidos por una gran personalidad. Son vinos para jugar en las grandes ligas. Es un desafío, que me enorgullece y me entusiasma", reconoce. ¶
Más allá de haber coordinado producciones en todo el país, con miles de hectáreas de viñedos propios y comprando uva a productores independientes, Daniel Pi siempre fue un defensor de una enología respetuosa del terruño, afinando la mirada según el estilo de cada vino. "En la sala de barricas siempre mantuvimos todo separado, sabiendo qué era de cada productor, de qué parcela y finca provenía. Tener todo identificado nos permitió hacer vinificaciones muy pequeñas, con baches de 2000 o 2500 litros, guardando

en barricas de 300, de 500 litros. Hoy, cuando pienso en vinos tan especiales como los Bemberg, lo hago de manera cada vez más muy precisa, con conocimientos muy enfocados. La búsqueda siempre radica en que cada vino tenga identidad, eso es lo que me vuelve loco mentalmente. Claro que está el sabor de la casa, porque estamos todos los días probando vinos y sabemos qué nos gusta. Pero es importante desafiarnos a nosotros mismos, como equipo, para no dejar que la costumbre nos gane. Y esa diferencia solo te la da el terruño". ¶

En años normales, al menos tres meses de doce Daniel Pi está fuera de la Argentina, viajando por el mundo, representando al país y sus vinos en concursos internacionales, degustaciones privadas, charlas y conferencias. "No tengo un discurso armado, eso me parece una falta de respeto. Yo siempre digo lo que pienso, buscando generar empatía con quien tengo enfrente. A la mayoría de las personas les aburre si empiezo a hablar del pH, de los polifenoles, de aspectos técnicos de un vino. Lo que busco es dar a entender qué están tomando, sin que sea algo complicado. Sucede algo parecido cuando elaboro los vinos: es fantástico ser creativo, sacar cosas nuevas, extender las fronteras, pero en mi caso siempre intento no abrumar al consumidor. Por suerte, hoy hay mucho vino rico en Argentina. Y poder contarlo es siempre una buena noticia". ¶

En los últimos años, Daniel Pi presentó también su proyecto propio, la Bodega Tres 14, cuyo nombre juega con el símbolo matemático que representa su apellido. "Es mi sueño, un lugar donde expresarme en una escala cercana, algo que puedo manejar sin necesidad de delegar. Este será mi legado. Así como yo empecé buscando esas damajuanas para mi papá, creo que con esto les puedo dejar a mis hijos algo tangible, que trascienda mi persona. Espero llegar a hacerlo". ¶

JORGE
RICCITELLI

R

CORRÍAN LOS ÚLTIMOS MESES DEL AÑO 2012 CUANDO, de pronto, los teléfonos celulares de bodegueros, enólogos, periodistas especializados y amantes del vino comenzaron a sonar con insistencia. La noticia corrió rápido por las redes sociales con merecida euforia: por primera vez en la historia, un enólogo sudamericano obtenía el premio Winemaker of the Year (mejor enólogo del mundo durante ese año), según la influyente revista estadounidense *Wine Enthusiast*. Un reconocimiento a una persona, pero también a un país que, desde principios de siglo XXI, viene luchando por consolidar su nombre en los mercados del mundo. El ganador fue nada menos que Jorge Riccitelli, histórico enólogo de Bodega Norton, no solo un gran profesional, sino además uno de los más queridos por sus pares. Hombre de risa fácil y franca, de trato siempre respetuoso, conocedor de la tradición del vino nacional y abierto a los cambios, innovaciones y nuevos estilos que cada año exigen los mercados. "Mi padre era mecánico en Gargantini, una de esas bodegas inmensas que dominaban la producción de vinos en esa Argentina de antes. Gargantini era más que una bodega; era un pueblo donde más de dos mil empleados elaboraban 40 millones de litros. La propiedad contaba con casas donde vivían los empleados, había una maternidad, una sala de odontología, otra de primeros auxilios. Yo nací en 1949 en esa maternidad. Mi bisabuelo, mi abuelo, mi papá y yo fuimos empleados de Gargantini. 'Se respiraba cuando Gargantini pagaba', así se decía en esos tiempos", recuerda Jorge Riccitelli, privilegiado testigo de los grandes cambios que vivió el vino argentino en los últimos cincuenta años. ¶
Tras salir de un secundario especializado en vitivinicultura (el Don Bosco, en Rodeo del Medio), Jorge ya tenía trabajo asegurado en Gargantini, que se convirtió así en una continuación de la escuela: "Ahí hacían de todo: vinos comunes, vinos finos, grapa, espumantes. El que no aprendía era porque no quería hacerlo. Siete años estuve trabajando allí, como parte del grupo de enólogos de la bodega. Un día un amigo me contó que Arnaldo Etchart estaba buscando un enólogo para ir a Salta. En lo profesional, esa posibilidad significaba convertirme en enólogo principal, y acepté sin dudarlo. Esto pasó el 5 de enero de 1979, recuerdo la fecha exacta", dice. ¶
Para Jorge, Salta se convirtió en mucho más que un destino laboral. Durante catorce vendimias, el valle de Cafayate fue su hogar, con todo lo que implica esa enorme palabra. "Me enamoré no solo de la belleza del lugar, sino de la gente, de la forma de ser que tienen. Allí hice grandes amigos. Mi hijo Matías es cafayateño. Estando en el noroeste, tuve la oportunidad de conocer el mundo más allá de la Argentina. A partir de 1980, empezamos a salir para ver qué se consumía afuera, para entender qué pensaban y qué comían los posibles compradores de los vinos argentinos. Arnaldo era un gran empresario, un adelantado a su tiempo, con mucha visión. Él invertía en la gente. Junto con él, viajé a la feria Vinexpo, en Francia, y allí vimos que la figura de Michel Rolland estaba en todos lados. 'Ese va a ser tu asesor', me dijo. Y así fue: gracias a la gestión de Arnaldo, Michel vino por primera vez a la Argentina, y tuve la suerte de trabajar ocho años junto con él". ¶

Cuando Jorge creía que Salta iba a ser su destino de por vida, llegó un nuevo desafío. Por esos años su nombre circulaba entre las bodegas de todo el país, y fue así como Norton lo convocó para volver a Mendoza. "Me costó mucho dejar Etchart. Pero mis hijos ya eran grandes, querían estudiar en Mendoza y la posibilidad de seguir juntos era irnos todos para allá. Además, Norton estaba armando un equipo formidable, con un cuerpo técnico dirigido por el ingeniero agrónomo Carlos Tizio. Fue Carlos quien me buscó en Cafayate, y sumamos también a Horacio Bazán en viñedos. Creo que fuimos un trío que hizo historia en Mendoza; creo que hicimos las cosas lo suficientemente bien como para que nos recordaran con cariño". ¶

Durante veinticinco años, Jorge Riccitelli fue el rostro y la cabeza detrás de los vinos de Norton, en un proceso de modernización y expansión de la compañía en la búsqueda de mercados de exportación. "Nunca se trató de mí, sino siempre de equipos trabajando en conjunto. En Norton elaboramos 26 millones de botellas, incluyendo espumantes. Es un trabajo de muchos". Oficiando de embajador del vino argentino, y en particular de los vinos de su amada región de Luján de Cuyo, Jorge recorrió, junto con Michael Halstrick (CEO de Norton), países como España, Francia, EE. UU., llevando en su valija etiquetas que se convirtieron en emblemas, desde el malbec denominación de origen (nacido en 1994) hasta la línea de Single Vineyard Lote, pasando por los icónicos Privada y Gernot Langes, entre muchos otros. "En cada una de mis etapas, me identifiqué plenamente con la bodega donde trabajaba. Por quince años fui Etchart, y por veinticinco, Norton. Mi compromiso fue siempre total y disfruté cada momento. En Argentina tenemos buenos vinos desde hace más de un siglo. Pero, por supuesto, la competencia y la necesidad de salir al mundo lograron que seamos aún mejores. Cuando empezamos a viajar, a compararnos con lo que había afuera, entendimos que eran necesarios algunos cambios: en los tiempos de cosecha, en la tecnología de la bodega y de los viñedos. Por eso me gusta mucho mi trabajo: debés tener la cabeza abierta, no podés pensar que ya sabés todo". ¶

Tras dos décadas y media en una misma bodega, Jorge Riccitelli dio un paso al costado para encarar nuevos desafíos. Comenzó a trabajar como consultor en las Bodegas Colomé y Dante Robino. Y en una de esas vueltas paradójicas de la vida, hoy está también a las órdenes de su propio hijo, Matías Riccitelli. "La bodega es de Matías, yo ahí solo le tomo los vinos", dice con orgullosa sonrisa en el rostro. "Todos los enólogos, me incluyo en esto, soñamos con tener nuestra propia bodega, nuestro propio vino. En mi caso, no pude hacerlo, estuve siempre muy comprometido con las bodegas con las que trabajé; no tuve el tiempo, la cabeza y las ganas para encarar un proyecto paralelo. Y no me arrepiento: en realidad, logré lo que muchos hubieran querido, que sea mi hijo el sucesor. Si me hubiesen preguntado hace una década, nunca hubiera dicho que un apellido tan largo y difícil de escribir como Riccitelli podía estar impreso en una etiqueta. Y hoy representa vinos increíbles, que tengo la suerte de dar a conocer como embajador de marca. Y tengo también la suerte de poder hacer un vino en conjunto con Matías: un *blend*, que es el top de la línea. Ese vino, llamado Riccitelli and Father, es un corte de malbec y cabernet franc. 'Vos hacé el malbec –me dijo Matías–, que sabés hacerlo muy bien. Yo le pongo la sal y la pimienta con el cabernet franc'. Así nació este *blend*, que es como una coronación de todo. Un vino que elaboramos juntos". ¶

Familiero, alegre, directo, Jorge Riccitelli logró, en casi cincuenta años de carrera, convertirse en sinónimo del vino nacional; de esa bebida que es parte de una cultura, de una historia y de infinitas mesas compartidas. "Me gustan los vinos que me dicen algo, que me hacen soñar. Botellas que, cuando las descorchás y te servís una copa, te dan placer y querés seguir tomando. No soy de los que eligen botellas raras. No es necesario inventar nada extraño para que un vino te parezca rico. Siempre dije que los vinos que más gustan son los vinos alegres, como yo". ¶

Lo mejor del premio al mejor enólogo del mundo 2012, asegura Jorge, fue haber podido reunir a su familia en Nueva York para la gran gala de premiación. "Que estuvieran ellos ahí, viendo cómo homenajeaban a su padre, fue una experiencia muy linda. Fue un reconocimiento a un trabajo de muchos años, hecho con honestidad y con voluntad. Tuve suerte: mi profesión es fantástica. Hacer vinos es fantástico". ¶

PEDRO ROSELL

UN MAESTRO. Así se lo puede definir a Pedro Rosell. Uno de los grandes maestros champañeros de la Argentina, creador de varios de los mejores espumosos del país; y también un profesor apasionado, que dedicó años de su vida a la enseñanza. "De parte de mi padre provengo de una familia relacionada con el vino. Él mismo tenía una destilería, anexa a una bodega. Eran los años de 1930, había muchos italianos en el país y el consumo de la grapa era popular. Yo nací entre vinos, orujos y destilados. Así me enamoré de la química. De chico recuerdo que quería un juego de química y mi padre me compró en cambio un destilador de vidrio, uno de los buenos, para que haga mis experimentos. Con eso destilaba cáscaras de naranja y hacía un licor que bebíamos con mis amigos en dedales", cuenta con risa contenida. Ya de adolescente Pedro estudió en el Liceo Agrícola y Enológico Domingo Faustino Sarmiento, un bachillerato universitario con especializaciones como Enología, Industria Agrícola, Olivicultura y Poda. "Al terminar, estuve a punto de irme a estudiar Ingeniería Química a San Juan, pero fui a visitar la universidad y me pareció que era más interesante y completa la carrera de Ciencias Agrarias en Mendoza. Fue ahí también, en la facultad, donde empecé a trabajar como profesor titular y en el laboratorio de microbiología". ¶
La elaboración de un vino puede definirse en gran parte a través de los procesos químicos y biológicos que ocurren durante la fermentación del mosto. Así, el acercamiento de Pedro Rosell a la industria vínica estaba a un paso de distancia. Ese paso lo dio en Navarro Correas. "Mi mujer estaba vinculada familiarmente a esta bodega y así pude entrar. Comencé haciendo un riesling de tipo alemán, bien ácido y un poquito dulce. Luego en la universidad me dieron una beca para ir a estudiar a Francia, a Burdeos, en el año 1967 o 1968 y me fui con toda la familia. Tuve la suerte de tener como profesor a Émile Peynaud, uno de los precursores de la vitivinicultura moderna, un verdadero vanguardista. Cuando volví a la Argentina, a finales de los setenta, arranqué nuevamente en Navarro Correas, e iniciamos su proyecto de espumosos", cuenta. ¶
Desde entonces la vida de Pedro Rosell quedó marcada por las burbujas. "En 1982 salimos al mercado con nuestro primer espumoso comercial. Lo presentamos en el Museo de Arte Decorativo en Buenos Aires, estaba la Camerata Bariloche, fue un evento impresionante. Y ese espumoso recibió muy buenas calificaciones. No solo tenía mucha calidad, sino que además la manera de comunicarlo era nueva. La botella esmerilada, la etiqueta en el tercio superior que cruzaba hasta el cuello para que se reconozca la marca aun estando en una frapera, incluso el papel en el que venía envuelto estaba pensado para que haga mucho ruido al abrirlo, así todos sabían que lo que se estaba por descorchar era el espumoso de Navarro Correas". ¶
Con el reconocimiento adquirido, Pedro Rosell comenzó a deambular por distintos caminos del mundo espumoso. Fue asesor en Lagarde, siguió en la facultad y su apellido se hizo famoso como parte de Rosell Boher, hasta que se distanció de quienes eran en-

tonces sus socios. "De ahí me fui a Salentein, donde estuve poco más de un año, hasta que en 2004 aparece una gente de Chile que me ofrece comenzar con ellos una bodega nueva. Así le dimos vida a Cruzat, donde trabajé hasta el 2017. Ahora estoy –más o menos– retirado del día a día; la bodega sigue a cargo Lorena Mullet, una exalumna mía de gran capacidad". Con Cruzat, Pedro Rosell creó una de las pocas bodegas en Argentina dedicadas en exclusiva a elaborar espumosos, sin ninguna etiqueta de vino tranquilo en su porfolio. "Nuestro país tiene la capacidad de hacer muy buenos vinos. De mi lado nunca tuve secretos. Fui profesor, estoy acostumbrado a mostrar y a explicar lo que hago. Y no es por ingenuidad. Para que alguien como yo pueda hacer y vender un espumoso espectacular, de alto precio, de tiradas de 300 mil botellas al año (apenas una gota en el océano de los espumosos del mundo), le conviene que el resto de los productores también trabaje con calidad y seriedad. Entre todos debemos demostrar la capacidad que tenemos como país productor de espumosos. Si hay muchos buenos, la marca de Argentina será más conocida y así todos vamos a vender más. Esa fue siempre mi idea. Es muy importante desprenderse de esa viveza criolla que nos caracteriza. No somos tan vivos como creemos; debemos trabajar de manera profesional". ¶

Reconocido internacionalmente, los espumantes de Pedro Rosell destacaron en catas a ciegas junto a grandes Champagnes de Francia, lograron altos puntajes (como los 95 puntos con los que Tim Atkin valoró el Single Vineyard Finca Las Damas) y obtuvieron reconocimientos como el Trophy en el Concurso Decanter World Wine Awards 2014 para su Cuvée Rosé. También este enólogo revalorizó los espumantes dulces, que por muchos años habían sido maltratados por la industria, elaborando su Premier Dulce bajo el método tradicional de segunda fermentación en botella. "Aunque no quieran admitirlo, a los argentinos les gustan los espumosos más dulces. Incluso me atrevo a decir que esto se nota más en los hombres, mientras que las mujeres los prefieren más secos. Pero por mucho tiempo el vino que se utilizaba para hacer espumosos dulces era de mala calidad, con defectos que se intentaban tapar con azúcar. Nosotros nos propusimos demostrar que se puede apostar a lo dulce y a la calidad. El gusto es un tema cultural, eso nunca hay que olvidarlo". ¶

Más allá de que cada etiqueta tiene su ocasión de consumo, a la hora de elegir una botella favorita, Pedro Rosell se decanta por el Millésime 2014, un espumoso elaborado en una cosecha especialmente buena, tanto que vale la pena destacarla sobre el resto. "Me gusta todo lo que hacemos, cada cosa en su nivel. Pero con el Millésime me sucede algo a nivel personal. Hacía mucho tiempo que yo quería hacer un espumoso que muestre lo mejor de un año en particular, pero a las anteriores bodegas donde trabajé no les parecía una buena idea. En Cruzat enseguida me dijeron que sí. La verdad es que logramos un producto fantástico", dice. Y tiene una gran legión de consumidores fanáticos de la bodega para demostrarlo. ¶

ALEJANDRO SEJANOVICH

INABARCABLE. Así se lo podría definir a Alejandro "el Colo" Sejanovich, uno de los hacedores de vino más interesantes y prolíficos de la Argentina. Agrónomo y enólogo, en su día a día parece multiplicarse al infinito a través de la flamante bodega Mil Suelos que engloba distintos proyectos simultáneos, como Manos Negras, Zaha, Teho, Estancia Uspallata, Vivo o Muerto, Estancia Los Cardones y más, de donde salen vinos muy distintas, de diferentes regiones y terruños, del norte al sur del país e incluso de otras latitudes y geografías. Con una sonrisa que no esconde picardía, el Colo es un apasionado del trabajo: más allá de participar en catas y de tener que viajar por el mundo comunicando sus vinos, el lugar donde realmente se siente cómodo es en los viñedos, caminándolos, probando las uvas e imaginando qué más se puede hacer con ellas. Y a partir de esto, lejos de aferrarse a recetas preestablecidas, no duda en jugar y experimentar, elaborando desde un bonarda natural de Ugarteche (hecho con uvas literalmente pisadas) hasta tintos intensos de Salta pasando por vinos acerados de Mendoza y otros ligeros y frescos de la Patagonia. ¶

Su historia cuenta que cuando terminó la escuela secundaria Alejandro Sejanovich pensó primero en seguir el ejemplo paterno e inscribirse en Medicina, pero que en ese momento una fugaz visita a la Facultad de Ciencias Agrarias de la Universidad Nacional de Cuyo –con cata incluida– lo convenció de cambiar de rumbo y estudiar Vitivinicultura. Allí le fue muy bien: no solo se graduó con medalla de oro, sino que su formación continuó –con carta de recomendación de Roberto de la Mota mediante– con un máster en Enología en Montpellier (Francia). A su vuelta en el país comenzó a trabajar para Catena Zapata, donde pudo desarrollarse al lado de grandes nombres de la industria, como Pepe Galante y Paul Hobbs. Catena fue, de algún modo, una continuación de sus estudios, ya en una faceta de práctica y de experimentación. Allí llegó a ser director de Viñedos, y también allí conoció al estadounidense Jeff Mausbach, quien por ese entonces se desempeñaba promocionando a Catena en el exterior. Mausbach se convirtió en el socio necesario gracias al cual, en 2010, el Colo se animó a separarse y comenzar entre ambos sus primeros proyectos independientes: Teho y Manos Negras. ¶

A su modo, ya desde el nombre, Manos Negras presentó el camino filosófico de esta dupla que luego comenzó a entretejerse con la idea de la multiplicidad de regiones. "Los verdaderos hacedores de vino se ensucian las manos", explican, con las manos teñidas de manera profunda por las pieles de las uvas, pero también por escarbar la tierra. Desde entonces, como si fuera el aprendizaje de un idioma nuevo, Sejanovich comenzó a traducir todo su trabajo en función exclusiva del terruño, creando un lenguaje propio. "Los vinos –dijo en una entrevista– comienzan ya en la poda del viñedo, ahí es donde uno empieza a elaborar el vino que tiene en mente". A partir de esa decisión, de cuánto y cómo se poda la planta, comienza un efecto dominó que conducirá a la uva madura y, desde ahí, al vino. "La poda definirá la producción y el vigor", explica. Son todas acciones y decisiones que no se pueden sacar de un manual, sino que se toman de acuerdo a una ideología, a una búsqueda y a un suelo específico. En esa misma entrevista, publicada en el diario mendocino *Los Andes*, el Colo continúa: "Que un varietal esté en distintos lugares no quiere decir que todos van a ser grandes vinos. Hay que interpretar desde la viña cuál es la calidad que uno va a obtener. Después, trabajar los vinos en función de esa calidad o nivel de precio". ¶

Bajo esa misma idea de defender el terruño, Alejandro Sejanovich no dudó en subirse al auto, poner primera y transitar las rutas del país, buscando en cada provincia suelos con distintas expresiones, sea en el valle de Uco (en lugares como Los Chacayes, Pareditas, San Pablo y Paraje Altamira) o sacándole brillo al pinot noir en Río Negro o a la garnacha en los valles Calchaquíes. ¶

En las alturas de Salta nació así su segundo gran desafío, Estancia Los Cardones, una bodega nacida en Tolombón en conjunto con la familia Saavedra Azcona, donde Alejandro eligió como objetivo darles elegancia, frescura y tomabilidad a los vinos salteños. Es decir, pensarlos con una mirada moderna, pero sin por eso seguir modas. Esa misma mirada es la que luego extendió a proyectos tan personales como Buscado Vivo o Muerto, Tinto Negro y Estancia Uspallata. Y hay más: lejos de agotar su energía, en los últimos tiempos puso su mira también en la quebrada de Humahuaca, donde dio forma a Huichaira Vineyards (con viñedos a 2700 metros sobre el nivel del mar), presentando su primer vino jujeño, Cielo Arriba. Ese mismo norte lo inspiró para presentar Almacén de La Quebrada, con etiquetas basadas en viñedos muy pequeños de Cachi y Pucará. ¶

En 2019 la revista británica *Decanter* lo eligió entre los diez mejores enólogos de Sudamérica. En 2021 Tim Atkin lo nombró el mejor enólogo del año en Argentina. Pero no es necesario enumerar el itinerario de las muchas medallas de oro obtenidas o de los altos puntajes logrados para entender la seriedad y a la vez la inventiva constante que muestra Sejanovich en su trabajo diario: la mejor manera de conocerlo en profundidad es probando algunos de sus muchos vinos, desde los más jóvenes y diarios hasta los que están pensados para descansar por largos años en las cavas de los coleccionistas. Etiquetas que combinan una mirada ecléctica y siempre personal de este enólogo. Esa misma mirada que, como parte de una generación que mira al terruño como clave en la imagen de Argentina, promete seguir extendiendo las fronteras del vino nacional a través de todo el mundo. ¶

ALEJANDRO VIGIL

V

SI IMAGINAMOS A LOS ENÓLOGOS DE LA ARGENTINA como a una selección de fútbol, a Alejandro Vigil le caben dos puestos. Seguro, el del delantero, listo para ese tiro libre o jugada magistral. Cada vino nuevo que saca a la cancha, sea como enólogo principal de Catena Zapata o dentro de ese más pequeño proyecto que es Aleanna y los vinos de El Enemigo, genera los efectos de un gol. Sus chardonnay y sus cabernet franc, sus cortes y sus malbec, entre otros, son recibidos con expectativa y altos puntajes en medios internacionales. Pronto se convierten en objetos de estudio por otros enólogos y bodegas, sea para competirles o discutirlos. Pero lo interesante de Vigil es que no solo juega ahí adelante, sino que también está siempre fuera de la cancha, mirando con distancia, lápiz y papel en mano. Lejos de la figura pública y extrovertida que a veces parece ser, este enólogo es un estudioso de los vinos y de los suelos. Prefiere caminar las fincas a viajar por el mundo, y se apasiona comunicando lo que aprende en blogs, redes sociales, seminarios y sobremesas. "Nunca tuve un plan B. Desde que tengo uso de razón supe que lo mío era la agricultura. Y dentro de la agricultura, la vitivinicultura. Si me tocaba fracasar, iba a ser en esto", afirma. ¶

Alejandro Vigil creció entre las huertas y parrales de sus abuelos en San Juan. Su familia proviene de una cruza de inmigraciones, sirio-libaneses, florentinos sevillanos. "Arturo Ferrari, mi abuelo, era un enólogo reconocido, le decían 'el loco'. Hay una foto familiar muy divertida, están todos formales en la foto, y él sentado en un árbol tomando vino. En todo esto hay algo genético, que se transmite. Y que no es necesariamente hacer vinos, sino hacer algo que te dé felicidad. Mi familia fue feliz, con todo lo que significa ser de clase media-baja en Argentina", dice. Vigil terminó la secundaria como técnico químico, luego entró como operario en una bodega de vino trasladista, y de allí fue al Instituto Nacional de Tecnología Agropecuaria. "Estudié cinco años y medio, fui jefe de Riego, Suelo y Drenaje. Trabajé en distintos proyectos vitivinícolas, realicé cursos de posgrado en Montpellier, Francia. En 2002 entré en Catena Zapata, donde Laura Catena ya estaba con la idea de armar un instituto de investigación, lo que hoy es el Catena Institute of Wine, del que soy el director", resume. ¶

El sueño de Vigil, explica, es siempre el mismo: poner el paisaje en la botella. "Para lograrlo, tenés que entender en profundidad dónde está tu viñedo". En Catena empezaron a trabajar en la zonificación de viñedos, entendiendo que los orígenes aluvionales de los suelos de Mendoza generan una heterogeneidad muy grande. "Comprender esto fue un proceso evolutivo, dejando que cada viñedo se exprese a lo largo de los años". Su ascenso en Catena fue rápido: al poco tiempo de haber ingresado a la bodega, Nicolás Catena le pidió que elaborara un *blend*, que luego se convirtió en el Nicolás Catena Zapata 2001. "Lo probaron en una degustación a ciegas y ganó. Ahí me nombraron jefe de Vinos Prémium. En 2004 me sumaron otros vinos a mi responsabilidad; y en 2006 me ponen a cargo de los viñedos y de la bodega", cuenta. Hoy, con 47 años, sigue teniendo esa mirada juvenil y rebelde de sus inicios, esa potencia que lo hace ir siempre para adelante. Una mezcla de director técnico estratégico y goleador intuitivo.

"Al comenzar tenía a la ignorancia de la edad, con todo lo que implica: desconocer el miedo, no tomar conciencia de lo que está en juego. Esa actitud me permitió investigar, generar ideas y curiosidades, corriendo siempre la meta un poco más allá. La motivación inicial parte de las personas, y yo tengo a Laura y a Nicolás, que siempre me motivan a buscar, a moverme por espacios que no conozco. Mi formación se la debo a ellos. La vitivinicultura tiene tiempos distintos a los de cualquier otra actividad. Plantás un viñedo hoy y su verdadera expresión puede tardar quince o veinte años en revelarse. Es lo que hizo Nicolás Catena cuando plantó en Gualtallary. Y ese es mi incentivo a seguir acá, en la misma bodega por tantos años. Si me fuese a otro lado, no podría nunca entender el desarrollo de cada lugar, no podría entender cosas que demandan tiempo. Y yo quiero entenderlas".

Cuando Vigil habla de un lugar, suma siempre al individuo. "El terruño implica la experiencia centenaria de cultivar y elaborar vino en ese lugar. Por sí solo, el individuo no tiene un peso importante, pero es fundamental como parte de una cadena de transmisión de conocimiento. Lo que cada uno aporta tiene que ver con la evolución de lo que venía desde antes y lo que luego seguirá otro. Es un eslabón dentro de una línea de tiempo. Todo lo que una bodega o un enólogo hace hoy debe ser siempre leído desde una cultura y forma de vida previa y posterior, una toma y transmisión de conocimientos".

Se suele decir que no hay nada mejor que trabajar de lo que a uno le gusta. Para Vigil, esa frase es sagrada: "Vivo de lo que me hace feliz. Estoy todo el día pensando en mi trabajo. Cuando manejo por una ruta voy pensando: acá plantaría esto, allá tal otra cosa. Si veo una uva, estoy planificando cuándo la cosecharía, imaginando su sabor. Es como en el ajedrez: tenés un tablero, vas moviendo las piezas y ves a futuro, incluso antes de empezar el partido. Claro que hay jugadas que no podés prever. Y eso es lo lindo. Tal vez un 90 % de lo que planeo luego no se da como lo imaginé, sino de una manera distinta. Es parte de este gran rompecabezas que es vivir".

La imagen de un rompecabezas no es caprichosa: para Vigil, la vida es un *puzzle* que hay que estar todo el tiempo completando. "Música y literatura llenan ciertos lugares de mi *puzzle*. Me gusta Cortázar porque creo que *Historias de cronopios y de famas* te da una visión cercana de la vida real por el camino del absurdo y de lo humorístico. Pasa con Dolina en *Crónicas del Ángel Gris*, pero son solo ejemplos, hay muchos más. Podés moverte por la poesía, los cuentos, la novela. Y tenemos a Borges, que hay que nombrarlo miles de veces. O a Sábato, con esa fantástica energía del lado oscuro que tiene".

Optimista eterno, Vigil siempre avanza: "Lo hago creyendo que las cosas terminarán por alinearse y que así todo va a salir bien". La técnica le funciona: hoy tiene ocho espacios gastronómicos manejados en familia (junto con su mujer, sus hermanos varones y tres cuñados). También, con Adriana Catena son los creadores de Aleanna, una bodega de culto que elabora grandes vinos. "Con Adriana tenemos una política de nada de familia. No queremos condicionar a nadie. Para trabajar en el vino, lo tenés que amar, es una actividad muy demandante que exige ser sentida y vivida, si no la vas a sufrir. Todo el proyecto de El Enemigo siempre fue muy íntimo y divertido, lo pensamos así con Adriana, sin marketing, para crecer con el boca a boca. Cuando ella trajo la idea del nombre, yo al principio me resistí, me parecía un término negativo. Pero ella define el vino y la arquitectura del pensamiento del vino, explicando que al final del camino solo conocés una batalla, la que liberás con vos mismo. Es salir de tu zona de confort. El peor enemigo es eso, el miedo a tener curiosidad, a moverte del camino. Si algo extraño de la niñez es ese desparpajo que te permite salir airoso de todos lados, sin imaginar que algo puede salir mal". ¶

Mirando al futuro y sumado a que en 2022 fue elegido por sus pares como presidente de Wines of Argentina, Alejandro Vigil mantiene el optimismo que lo caracteriza. "Estamos en una etapa hermosa con un desarrollo fundamental de la mano del malbec. Dejamos de ser el país de moda, pero hemos logrado sostenernos. Ahora viene un crecimiento más prolijo, más ordenado, con más conocimiento y experiencia en los mercados. Si en los últimos veinte años hemos entrado al mundo, ahora hay que crecer a pie firme, manteniendo un objetivo claro: poner los paisajes en las botellas. El vino es algo único, un embajador permanente de su origen". ¶

En 2018, la revista *Wine Advocate* (una de las más influyentes del mundo, dirigida por Robert Parker) le dio por primera vez en su historia 100 puntos a un vino argentino. En realidad, fueron dos los vinos con el puntaje máximo: el Gran Enemigo Gualtallary Single Vineyard Cabernet Franc 2013 y el Catena Zapata Adriana Vineyard Riverstone Malbec 2016, ambos elaborados por Alejandro Vigil. "Me enteré manejando en la ruta junto a mi mujer. Detuve la camioneta, me apoyé en un alambrado y me puse a llorar", recuerda. "Claro que es un momento divino, pero no debés olvidar que los reconocimientos y puntajes no son individuales, sino que refieren a los cuatrocientos cincuenta años que tenemos como país haciendo vinos, a una región donde hemos trabajado como parte de nuestra vida. Solo Catena lleva cien años trabajando. Es una historia del vino, luego cada bodega le da el color que quiere. Realmente no me puedo imaginar haciendo vinos en soledad. Hoy nos juntamos con enólogos, charlamos, visualizamos, aprendemos. Por eso me encanta la comunicación, la política del vino. Y no me refiero a política partidaria, sino a dar a conocer tus pensamientos, discutirlos y ponerlos sobre la mesa, para que sean criticados por otros. Es el mismo ejemplo del ajedrez: hay movimientos que no estás viendo y que si los ponés en la mesa a la vista de todos, ahí aparecen esas cosas nuevas que te estás perdiendo". ¶

SEBASTIÁN ZUCCARDI

Z

UNA FAMILIA DEL VINO. Una historia, presente y futuro. En esa necesaria construcción de la vitivinicultura argentina, el apellido Zuccardi juega uno de los grandes papeles protagónicos. Como esas capas de materiales que construyen los cimientos de una casa destinada a durar, esta bodega se apoya en hacedores de vino que, generación tras generación, reescriben las reglas sin olvidar de dónde vienen. "Somos una familia del vino. En casa siempre se habló de vino, se tomó vino; nuestra vida giraba alrededor del viñedo y de la bodega. Mis recuerdos de chico están ligados a esto; incluso desde lo lúdico, tengo memoria de andar a caballo o jugar con amigos en la finca. Un poco más grande, también ayudando en algunas cosas en la bodega. Pero, a pesar de eso, nunca crecí con la presión de tener que dedicarme al vino, o al menos yo no la percibí. En casa no hubo mandatos. Siempre digo lo mismo: si cuando cumpla 70 años miro hacia atrás y veo que no fui feliz, no tengo a quién reclamarle. Estar acá fue una decisión que tomé por mi cuenta", asegura Sebastián Zuccardi, a cargo hoy del legado familiar que es la Bodega Zuccardi. ¶ Apasionado como pocos, hablar con Sebastián Zuccardi es escuchar el empuje de una generación de enólogos convencidos de que el vino argentino debe y merece estar en las vidrieras del mundo, representando su lugar de origen, su provincia, su finca y parcela; su gente y su cultura, su clima y el suelo que le da vida. Hijo mayor de tres hermanos (Miguel elabora algunos de los mejores aceites de oliva de la Argentina y Julia es responsable del área Turismo de las dos bodegas familiares, Santa Julia en Maipú y Zuccardi en el valle de Uco), Sebastián asegura que esa libertad de elegir fue decisiva en su vida. "Las empresas familiares pueden ser el cielo, pero también el infierno. Es una actividad dura, realizada al aire libre, que exige mucha dedicación. Si lo hacés por un mandato en lugar de por convicción o pasión, nunca podrás alcanzar el nivel más alto. A la vez, como bodega familiar tenemos una gran ventaja: no pensamos nuestro desarrollo con objetivos a tres o cuatro años, sino que nuestra mirada va mucho más lejos en el tiempo. Claro que debe ser un negocio, pero también es más que eso. Mi papá repite una frase: 'La rentabilidad es como la respiración: si no respirás, no podés vivir; pero no vivís para respirar'. En nuestro caso esto significa que podemos tomar decisiones que no tengan que ver exclusivamente con una tasa de retorno o un beneficio; que podemos darnos el tiempo para conocer una región, plantar un viñedo, esperarlo y comprenderlo. El vino exige tiempo y, como empresa familiar, podemos dárselo. Si algo tiene la familia es que es como un iceberg: de afuera se ve solo el 10 % de lo que realmente hay". ¶ Tras recibirse en un secundario con orientación enológica, Sebastián tomó su primera gran decisión, la que marcó su vida a partir de ese momento, y de la que nunca se arrepintió. "Dedicarme al vino se fue dando de manera natural. Me gustaba todo lo relacionado con el vino y me gustaba beberlo con amigos. De alguna manera, diría que funcioné con cierta inconsciencia. Pero sí hubo una definición que tomé de manera clara: al terminar el colegio, debía elegir entre estudiar Enología o Agronomía. Mi abuelo y mi papá siempre estuvieron más ligados al viñedo, y yo decidí hacer ese mismo recorrido. Empezar por el viñedo. Eso marcó todo lo que vino después. Para mí, tiene mucho más sentido ir del viñedo a la bodega que al revés, ese fue mi camino natural".

Más allá de una tradición y un apellido, la llegada de Sebastián a la bodega significó un gran cambio en la manera de pensar y de hacer vinos. Su función no fue mantener el *statu quo* de una empresa, sino revolucionarla. "Creo que los cambios generacionales exigen una refundación. En nuestro caso fue así. Yo no hago lo que hacía mi papá, y en su momento él no hizo lo que antes había hecho mi abuelo. Eso logra que cada uno de nosotros nos sintamos, a nuestra manera, fundadores de la empresa. Permitir esto, que una generación le pueda dar ese lugar a la siguiente, es una decisión muy importante".

El primer proyecto personal, enológico y comercial de Sebastián Zuccardi fue Alma 4, la bodega dedicada exclusivamente a espumantes creada junto con tres amigos. Fue su manera de marcar un rumbo propio más allá de la estructura familiar. "Le debo mucho a Alma 4. Nosotros creíamos que sabíamos mucho, pero nuestra primera toma de espuma nunca sucedió... Arrancamos con un fracaso importante, lo que, a su vez, fue un aprendizaje. Alma 4 me dio varias cosas: empezar con una categoría, los espumantes, que mi familia no hacía. Era algo nuevo, entonces no debía competir con nadie; también me permitió ser Sebastián Zuccardi de Alma 4, y no únicamente 'el hijo de'. Los espumantes me enseñaron mucho, sobre todo en la búsqueda de vinos más frescos. Nació como un proyecto del viñedo al mercado. Eso nos dio mucho valor".

Si estudiar Agronomía fue la primera gran definición a la que arribó Sebastián, la segunda fue viajar. "Durante siete años hice vendimias en Argentina y, en la contraestación, me iba a vendimiar en Francia, Portugal, Italia, EE. UU... Cada uno de esos viajes me rompió la cabeza, volvía como loco a Mendoza. La primera vez fui con una libreta para anotar lo que hacían en otros lados. Luego, con el tiempo entendí que no se trataba de eso, que no era ir a copiar cómo hacían un *pillage* o un *delestage*... Yo iba para ver experiencias, culturas; la filosofía detrás de cada etiqueta. Comprendí la importancia de sentarme a comer con los productores y compartir sus vinos. Algunas cosas las captaba de inmediato, eran más obvias; otras volvían conmigo en la piel y, recién dos o tres años más tarde, me daba cuenta de su real significado. Ese ir, trabajar afuera, volver, irme una vez más y así, fue una revolución. Cada vez que aterrizaba en Mendoza les quemaba la cabeza a todos: yo llegaba todo conflictuado, con miles de pensamientos. Era fantástico e imposible. Pero es así: soy un tomador antes que un hacedor. Siempre estoy pensando qué botella voy a abrir y con quién. El vino no es una actividad; es mi vida las veinticuatro horas del día".

El crecimiento de Sebastián Zuccardi dentro de la bodega familiar está íntimamente ligado con el crecimiento de la bodega en el valle de Uco, un proceso consciente y laborioso que incluyó una nueva bodega icónica inaugurada oficialmente en 2016, construida con las piernas en el viñedo. "No fueron decisiones solo mías, sino de todos nosotros, de un equipo de gente, de la familia. Nosotros estábamos en Maipú y en Santa Rosa; comenzar nuestra historia en el valle debía hacerse de manera lógica, coherente. Lo primero fue buscar productores, conocer los lugares, el clima, el suelo. Recién entonces, comprar viñedos –hoy tenemos ocho viñedos propios en el valle de Uco– y seguir aprendiendo e investigando. Abrir el sector de Investigación y Desarrollo en la bodega fue crucial en todo esto. Por otro lado, en mis viajes empecé a entender que lo importante era poner el lugar en el centro de cada vino. Y una vez que definimos hacer eso, había que respetarlo, por eso comenzamos a movernos hacia el concreto, a bajar el uso de madera. No hay una sola variable, fue un proceso que vivimos y que seguimos viviendo". Con esa nueva mirada, Sebastián comenzó a presentar vinos en el mercado que marcaron, con su personalidad y búsqueda, la escena vitivinícola nacional. "El Aluvional 2008 fue consecuencia de esto, de decidirnos a contar un lugar a través de una botella. Ese fue el cambio más filosófico. Luego vino el Concreto 2014, que muestra una manera de interpretar ese lugar, de vinos con más textura que dulzura, y que marcó una consolidación del estilo. Con Piedra Infinita empezamos a tener un nivel de precisión del lugar increíble. Y Fósil me cambió el modo de pensar los vinos blancos; ahí comprendí que en Argentina se pueden lograr blancos de enorme nivel". ¶

El vino, como parte de una cultura, es una actividad que atraviesa generaciones, y cada una coloca un ladrillo arriba del que antes había puesto la generación anterior. "Hoy estamos en un proceso de conocimiento del lugar. Y nuestra misión es contar todo eso. Soy un pastor del lugar donde vivo, entiendo que hay algo de evangelizador en lo que hago. Tal vez en unas generaciones esto ya no sea necesario, pero hoy todavía lo es. Cuando viajo, hablo de Argentina, de Mendoza, del valle de Uco. No solo hablo de mis vinos, sino de lo que está sucediendo en el país. Argentina no tiene nada que envidiar a otras regiones, pero todavía son muchísimos los que no nos conocen; no hay plena conciencia de lo que podemos ofrecer. Nuestra generación debe comunicar esto para poder así construir la referencia argentina en el mundo". ¶

Sebastián Zuccardi camina incansablemente los viñedos, bajo la sombra omnipresente de los Andes. Prefiere estar allí que viajando por el mundo. Lo suyo son los vinos de montaña, interpretados por una historia y por una familia. "No hay un camino único –advierte–; si tres productores elaboran vinos en un mismo terruño, los tres vinos serán distintos. Si un solo productor hace tres vinos en tres terruños, también saldrán vinos diferentes. E incluso cuando un productor hace tres vinos en un mismo lugar, pero en diferentes años, cada botella será distinta, porque cambia el clima y porque cambia la mirada del productor. Cuando imagino nuestro futuro como bodega, pienso que en los próximos años nuestro crecimiento apuntará más a la profundidad que a la expansión. Por suerte, ya nos liberamos de la supuesta búsqueda de la perfección; lo que hay son lugares que queremos expresar". ¶

HORACIO BIBILONI

UN VIAJE DE MENDOZA A LA PATAGONIA. El paso desde una casa histórica como Nieto Senetiner a Humberto Canale, bodega icónica de Río Negro con más de cien años de vida. En ese recorrido deben leerse los comienzos de la vida enológica de Horacio Bibiloni, nacido mendocino, pero radicado ya hace casi dos décadas en el Alto Valle. ¶ Horacio estudió Bromatología en la Universidad Nacional de Cuyo y Enología en la Escuela Vitivinícola Don Bosco. Su primer gran trabajo fue en Nieto Senetiner, donde se desempeñó por cinco largos años. De allí encaró un cambio de rumbo y una nueva vida, en el sur vitivinícola del país. Fue en 2003 cuando se sumó al equipo de Humberto Canale, y así se convirtió, a lo largo de los años, en parte de esta bodega y de lo que significa esta región para los vinos. ¶

Con heladas muchas veces tempranas, tanto en la primavera como en la cosecha, Bibiloni comenzó a trabajar de manera intensa con variedades de ciclo corto y medio, las que maduran más rápido y que se convirtieron en sinónimo de los vinos patagónicos. Ahí están sus pinot noir y merlot, como dos buenos ejemplos, también unos malbec deliciosos que muestran perfiles que van de la fruta fresca a las especias. ¶

Trabajar en una bodega centenaria implica asumir una responsabilidad con una tradición, que siempre está en movimiento, adaptándose y creando su propio presente y futuro. En Humberto Canale, Bibiloni puede aprovechar la calidad de vides antiguas, de más de cincuenta años de edad, de variedades emblemáticas como semillón, pinot noir, riesling y malbec. Y lograr con ellas vinos contemporáneos, frescos y expresivos, donde la madera –cuando está presente– solo aparece como un descriptor más, un delicado aporte de elegancia. ¶

Generoso y apasionado por el intercambio de ideas (supo trabajar con asesores como el danés Hans Vinding-Diers o la mendocina Susana Balbo), Bibiloni también se desempeña como docente en la cátedra de Vinos y Otras Bebidas de la Universidad Nacional del Comahue y en la cátedra de Análisis Sensorial de la Universidad Nacional de Río Negro. Una manera de comprometerse y demostrar que su pertenencia a esta región va mucho más allá de la botella de vino. ¶

FRANCISCO BUGALLO

CON BARBA RALA Y MIRADA APASIONADA, el ingeniero agrónomo Francisco "Pancho" Bugallo encontró en el valle de Calingasta, junto a las altas montañas de la cordillera sanjuanina, no solo su hogar, sino su filosofía de vida y, más aún, la filosofía que defiende respecto a los vinos que elabora. Allí, a través de la Bodega Cara Sur (en sociedad con otros tres amigos: Marce Manini, Nuria Añó y Seba Zuccardi), apuesta a una viticultura que honra la tradición propia de los pueblos de montaña como Barreal y Paraje Hilario. ¶ Para esto trabaja con viñedos viejos, en su mayoría parrales plantados hace más de cincuenta años, muchos abandonados por largas décadas y que hoy se están recuperando. "Interpretamos la historia del lugar, trabajando con las familias, con sus viñedos, con un patrimonio que es cultural", cuenta. Son palabras que se convierten en hechos; esta pequeña bodega encuentra su fortaleza en las variedades criollas, las que están desde siempre plantadas en los fondos, en los patios y en las pérgolas de las casas del pueblo, como la criolla chica, la cereza, la torrontés sanjuanino, la moscatel y otras. Vinos que pretenden ser transparentes, apostando siempre a la frescura, limpios y muy bebibles, trabajados con técnicas tradicionales con mirada contemporánea. Esa es la maestría de Pancho: desaparecer detrás de sus vinos, para contar la historia de un valle, de sus montañas y de su gente. Una historia que también es la suya. ¶

SERGIO CASÉ

PARA ALGUNOS ENÓLOGOS, el vino es mucho más que una simple profesión: es su vida e historia. Así le sucede a Sergio Casé, cuarta generación de una familia dedicada a la vitivinicultura, que marca así un destino a cumplir. A los 13 años Casé cuenta que elaboró su primer espumante, algo que hubiera enorgullecido a su bisabuelo, un inmigrante italiano que fundó en Argentina una bodega en la cual trabajó rodeado de sus nueve hijos. En 1991 Sergio ingresó en la carrera de Enología de la Universidad Juan Maza, después de pasar gran parte de su infancia y adolescencia acompañando a Mario Casé, su padre, quien durante veintiocho largos años fue el responsable de la línea Canciller de Bodegas Giol. De él, afirma, heredó la pasión por el cuidado de los frutos de la tierra, desde una uva pensada para vinos hasta las flores del jardín. ¶

Apenas egresado de la universidad, en el año 2000 Sergio se sumó al equipo de Trapiche, la emblemática bodega mendocina, de la cual ya nunca más se fue. Trabajando allí comenzó a ganar experiencia vitivinícola viajando por regiones como Pomerol, Burdeos y Châteauneuf-du-Pape (Francia), la Toscana (Italia) y el Napa Valley (Estados Unidos). No solo participó en vendimias y profundizó en diferentes filosofías productivas, sino que incluso investigó sobre tonelería, interiorizándose en la producción de roble en los estados estadounidenses de Misuri y Virginia. ¶

Efusivo y honesto, de risa contagiosa, pero siempre asumiendo la responsabilidad de representar la historia y el presente de Trapiche, Sergio se hizo además tiempo para dar vida a un pequeño proyecto propio: así nació Pajarito Amichu, la línea en la que el enólogo elabora vinos personales, jóvenes, de mucha frescura y perfil frutado, donde se permite un guiño a la tradición familiar con su barbera d'Asti, en homenaje a la uva favorita de su abuelo. ¶

La historia continúa su rueda: hoy Sergio es responsable de elaborar los vinos de Trapiche, de los más populares a esas etiquetas de alta gama pensadas de manera minuciosa, que representan el terruño que les da vida; líneas ya icónicas como Terroir Series y otras provenientes de microvinificaciones experimentales. Mientras tanto, puede estar tranquilo, sabe que pronto habrá una quinta generación de los Casé abocada a la pasión vitivinícola: su hija menor, Trinidad, está estudiando en la Escuela Vitivinícola Don Bosco y planea una carrera que siga los pasos de su padre. La tradición bien entendida. ¶

GABRIELA CELESTE

GABRIELA CELESTE COMENZÓ A ESTUDIAR AGRONOMÍA en la Universidad Nacional de Cuyo con la idea de dedicarse a los cultivos extensivos, pero mientras cursaba la materia de Enología descubrió que su pasión era la viticultura. Con el título todavía bajo el brazo, aprovechó una oferta laboral de Trapiche para la época de la vendimia y terminó quedándose allí durante tres temporadas. Pronto se dio cuenta de que lo que ella buscaba no era tanto estar dentro de la bodega, sino seguir de cerca los avatares de la cosecha, los cultivos y el cuidado de las vides. A mediados de los años noventa, cuando la viticultura era todavía un ámbito casi exclusivamente masculino, ocupar ese lugar no era fácil. La gran oportunidad llegó de la mano de Michel Rolland, el famoso *winemaker* y consultor global, que la invitó a fundar junto a Pascal Chatonnet la consultora Eno.Rolland, desde donde brindar soporte técnico y asesoramiento a bodegas y productores a nivel vitícola, enológico, analítico y logístico. Como actual directora, Celeste está a cargo del desarrollo de la estrategia y el seguimiento enológico y vitícola de bodegas muy reconocidas, como Piccolo Banfi, Carinae, Viñas del Perchel, Solandes, Familia Barbier, Mauricio Lorca, Bodega Lamadrid y Finca Flichman, entre otras. ¶
Educada en la escuela francesa, su forma de trabajo apunta al uso de materia prima de alta calidad, poniendo el foco en el trabajo de selección en los viñedos, dejando así brillar las cualidades originales de la fruta. ¶
A más de veinte años de haberse iniciado en el mundo del vino, a finales de 2015 Celeste cumplió el deseo íntimo de todo *winemaker*, y salió al mercado con Escarlata, una línea de vinos propia, caprichosa y muy personal. Allí da vida a partidas limitadas, siempre con potencial de guarda y etiquetas que cada año varían en composición, origen e incluso nombre, y así se convierten en objetos de colección, tan únicos como irrepetibles. Paralelamente, reforzando su gusto por la enseñanza, cofundó junto al también ingeniero agrónomo Marcelo Canatella el portal web Vanguarvid, un sitio imperdible destinado a técnicos, sommeliers, proveedores de la industria vitivinícola, periodistas, enoturistas y público en general, pensado como un espacio de intercambio y aprendizaje sobre temas vitícolas y enológicos. ¶

GERMÁN DI CESARE

NACIDO EN LA LOCALIDAD MENDOCINA DE GODOY CRUZ, los primeros pasos de Germán Di Cesare en el mundo del vino los hizo siendo apenas un joven de 19 años. Fue en 1999 que participó de su primera vendimia en Viniterra, en ese momento bajo el ala de Walter Bressia, uno de los grandes nombres del vino argentino. De aquella época recuerda todavía hoy esos primeros aromas del vino fresco, recién fermentado, también de la dulce vainilla de las barricas y, por sobre todo, de cómo los taninos suaves en el paladar se podían asociar a la elegancia. ¶

De la mano de Manuel González Bals, uno de los enólogos fundacionales de Trivento, llegó a esa bodega en el 2002, forjando no solo una gran relación profesional, sino también una amistad de por vida: Di Cesare se convirtió en el padrino de una de las hijas de su mentor. En esta bodega, propiedad del grupo chileno Concha y Toro, Germán construyó su carrera: primero tuvo a su cargo la elaboración de los vinos jóvenes, luego lideró la línea Trivento Reserve, que se convirtió en el emblema de la compañía. Más tarde, ya en 2010, se involucró en el desarrollo de los vinos de alta gama, y finalmente terminó desempeñándose como el gerente técnico enológico, puesto en el que no solo es responsable de llevar las riendas del estilo y la calidad de los vinos, sino también de decidir cómo comunicarlos al público. ¶

Este crecimiento no es casual: Di Cesare no solo es un gran enólogo, con sensibilidad y conocimiento, sino que también posee una personalidad abierta y carismática, que lo convierten en un embajador ideal de su trabajo. "Es un *bon vivant* criollo", lo definen en la propia Trivento, y la descripción no podría ser más adecuada: a su amor por el vino le suma su pasión por la música folklórica, que incluso recrea con pericia en la guitarra. Para relajarse, dice, le gusta tomar largas caminatas de montaña y se anima a aventuras como el cruce de los Andes a caballo. ¶

En esa unión de vuelo creativo y precisión, de trabajo arduo y constancia, está la clave de su mirada. Un enólogo que, tras veinte vendimias, hizo de una gran bodega su casa; y de un equipo de trabajo, su familia. ¶

PABLO Y HÉCTOR DURIGUTTI

HAY VECES QUE RESULTA DIFÍCIL ANTEPONER LOS NOMBRES DE PILA al apellido; eso sucede por ejemplo con los Durigutti, dos hacedores de vino que formaron juntos una bodega que los representa, incluso en sus diferentes modos de pensar cada elaboración y etiqueta. Héctor Durigutti es el hermano mayor: a los 15 años, mientras estudiaba en la Escuela Vitivinícola Don Bosco, ya entrenaba con prácticas de laboratorio en la Bodega Tittarelli, en su Rivadavia natal. Luego trabajó en la Bodega Nacarí de La Rioja, y más tarde en Chile y Brasil. De regreso a Mendoza, se unió al equipo de Altos Las Hormigas, donde ganó experiencia y comenzó a pulir un perfil particular que terminó de consolidarse en 2002, ya con el sueño de la bodega propia, junto a su hermano Pablo. Un proyecto de alta gama que desde entonces marca la escenografía del vino argentino. ¶

Casi como un símbolo de unión entre dos escuelas enológicas –la ortodoxa a la que adhiere Héctor y la marcada por las prácticas del Nuevo Mundo que le gusta a Pablo–, la bodega reúne equipamiento tecnológico de avanzada con tradicionales fudres y barricas de roble, mientras que las flamantes prensas hidráulicas y tanques de acero conviven con remontajes manuales, el *pisonage* y el uso de levaduras autóctonas. ¶

En la búsqueda de profundizar un porfolio de vinos variado, los hermanos Durigutti comenzaron a trabajar con viñedos antiguos, algunos con más de ochenta años de vida. En esa línea adquirieron 5 hectáreas de un viejo viñedo de malbec que sirvió de base inicial para su Proyecto Las Compuertas, a través del cual revalorizan las tradiciones de esa región emblemática de Mendoza. Algo similar están haciendo del otro lado del Atlántico, en Galicia (España), donde adquirieron un viñedo y una antigua bodega de piedra construida en el siglo XIX para dar inicio a Castrelo Das Pedras 1836, nombre con el cual producen bajo la denominación de origen Ribeiro vinos con cepas blancas autóctonas, como treixadura, albariño y godello. Si algo caracteriza a los Durigutti es que nunca se quedan quietos: varietales no tradicionales, recupero de tradiciones, vinos que van de potentes e intensos a otros mucho más ligeros y frescos. Sin provenir de una familia tradicional del vino, lograron que su apellido ya sea parte de la historia moderna de la gran bebida nacional. ¶

JULIA HALUPCZOK

MENDOCINA E INGENIERA AGRÓNOMA, Julia Halupczok comenzó a trabajar en el mundo del vino ya desde antes de recibir su título, donde entró por la puerta grande en Bodega Alta Vista, esa gran casa de tradición francesa, donde ganó experiencia y conocimientos. De allí el camino solo podía traer buenas noticias: así pasó a ser la *winemaker* y gerenta de producción de Finca Sophenia, donde se ganó la oportunidad de supervisar y diseñar la elaboración de los vinos desde el viñedo hasta la botella, planificando tanto el trabajo de finca como el de bodega. Fundada por Roberto Luka y Gustavo Benvenuto en 1997, en esa década que marcó el gran cambio del vino en Argentina, Finca Sophenia trabaja con uvas propias de una gran finca de 130 hectáreas ubicada en Gualtallary, al pie de los Andes. Un terruño excepcional que Julia conoció en detalle logrando vinos intensos pero a la vez elegantes, características que son parte de su firma personal. ¶
Con una mirada comprometida por la igualdad en las oportunidades laborales de las mujeres y una militancia feminista en un ambiente todavía dominado en su mayoría por hombres como lo es el del vino, en 2014 esta ingeniera agrónoma sumó un nuevo proyecto: Pulso Wines, vinos diseñados y compartidos junto a la enóloga Celina Fernández. Con uvas nacidas en una finca en Los Sauces, en el departamento de Tunuyán (en el valle de Uco mendocino), apuestan a pequeñas producciones con firma de autor, frescos y fáciles de beber, que expresen la identidad de sus creadoras. ¶
Actualmente Julia es gerenta general y enóloga en Casir Dos Santos, una joven bodega que ocupa un edificio del siglo XIX, que busca mostrar el potencial que tienen las distintas regiones de Mendoza. ¶

MARTÍN KAISER

K

MARTÍN KAISER CONTINÚA EL LINAJE DE UNA FAMILIA con larga tradición en la vitivinicultura. Su padre trabajó como viticultor en la Bodega González Videla de Las Heras, y de chico Martín solía acompañarlo en su recorrido por los viñedos, probando las uvas en el momento de su cosecha. Con esa soñada experiencia a sus espaldas, no debe extrañar que años más tarde eligiera seguir la carrera de Ingeniería Agronómica en la Universidad Nacional de Cuyo, donde además obtuvo el promedio más alto de su camada. Título en mano, partió a Francia para perfeccionarse en una maestría en Ciencias en Viticultura y Enología. Es que a Martín Kaiser le gusta estudiar, algo que desde esos primeros años nunca dejó de hacer. ¶

En 2006 Martín se unió a Doña Paula, donde encontró no solo un lugar donde desarrollarse profesionalmente, sino también el equipo con el cual investigar sobre la importancia que tiene el terruño sobre la cepa emblemática de la Argentina. Así fue como dio vida a Terroir in Focus, un programa a través del cual comenzó a trazar la influencia del clima y del suelo en el malbec mediante más de 700 calicatas y 200 microvinificaciones destinadas a encontrar la relación entre cada microterruño y las características del producto final. Se trató de un trabajo metódico y a conciencia, por el cual el reconocido crítico de vinos Tim Atkin lo eligió como viticultor del año en la edición 2020 de su Argentina Special Report. ¶

Lejos de quedarse tan solo en los viñedos, Kaiser es parte de esos ingenieros agrónomos que aman también entrar en la bodega y entender qué influencia tiene el trabajo en el campo con lo que sucede en los tanques y barricas. Hoy es responsable de los vinos de Doña Paula, y así se convirtió en un verdadero hacedor de vinos de ciclo completo, de la uva a la botella. ¶

Más allá de cierto perfil bajo que algunos confunden con timidez, la pasión por el estudio y por el conocimiento convirtió a Kaiser en un referente de su generación. En su cuenta de Instagram suele postear videos en los que cuenta sobre variedades, regiones y quehaceres de la vitivinicultura; también escribe artículos sobre clima, terruños e identidad de los vinos argentinos en el sitio web de Doña Paula. Incansable, lidera proyectos como "Caracterización de vinos argentinos" (llevado a cabo junto con otras dieciocho bodegas locales), en el cual –mediante una cata a cargo de un panel sincronizado de especialistas– se busca definir y caracterizar los descriptores organolépticos de vinos varietales provenientes de diferentes terruños del país. Kaiser sabe que la identidad del vino nacional está hoy en plena construcción, y que son ellos, los enólogos y los agrónomos, los responsables de comunicarlo y de mejorarlo. Una idea que expresa en cada una de las botellas que lanza al mercado. ¶

JAVIER LO FORTE

UNA VEZ MÁS, EL AMOR POR EL VINO llega como parte de una herencia. Hijo de un ingeniero agrónomo, Javier Lo Forte comenzó a recorrer fincas y viñedos desde que era muy pequeño, jugando entre las plantas y comiendo las uvas frescas, recién sacadas de la vid. Su padre, además, representaba a varias bodegas en el sector de la comercialización, y así terminó de marcar una vocación familiar ineludible. Después de recibirse en la Universidad Juan Agustín Maza, Lo Forte viajó para ganar experiencia en la región francesa de Burdeos, también en California, Brasil y la Patagonia argentina. De regreso a Mendoza, se sumó al gran equipo de Pulenta Estate (de una de esas familias que son parte de la historia y del futuro del vino argentino) en 2007, donde armó su hogar. Allí elabora vinos basados en los dos viñedos propios de la bodega: uno en las alturas de Tunuyán, otro en la profundidad de Agrelo, y de esa forma ganó dos perfiles de fruta distintos para armar su rompecabezas enológico.

A lo largo de los años, Lo Forte se dedicó a pulir un estilo elegante y propio, pero también accesible y respetando lo que dictan las añadas. Más allá del malbec, siempre presente con toda su diversidad y potencia, este *winemaker* logró producciones particularmente destacadas de variedades como cabernet franc, cabernet sauvignon, pinot gris y merlot, entre otras.

Como parte de una generación de *winemakers* con ideas nuevas en el vino nacional, Lo Forte inyectó aires renovados al perfil de Pulenta, experimentando con el cultivo en pequeñas parcelas de cepas poco convencionales en el país, como montepulciano, albariño, garnacha y nero d'Avola. Poco a poco, viró hacia cosechas más tempranas, con aportes de madera delicados y en equilibrio con lo que da la fruta.

Más allá de su tarea enológica, a Lo Forte le gusta mucho enseñar, transmitir ese conocimiento que él mismo empezó a aprehender cuando todavía era un niño correteando entre viñedos. "Solamente con educación haremos futuro", advierte. Es por esto titular en la cátedra de Química Enológica en la Facultad de Enología de la Universidad Juan Agustín Maza de Mendoza; también, docente en la Universidad Privada San Juan Bautista en Ica (Perú) y profesor de Tendencias Enológicas en el Centro Argentino de Vinos y Espirituosas (CAVE), en Buenos Aires. Además, algunos datos de color que hablan de una personalidad conectada con la naturaleza y con el prójimo: le gusta escalar ("un viejo amor"), también la pesca con mosca, el *windsurf* y es bombero voluntario en Mendoza.

MAURICIO LORCA

A PESAR DE HABER CRECIDO EN RIVADAVIA, MENDOZA, rodeado de viñedos y el aroma de las uvas maduras a punto de cosecharse, el adolescente Mauricio Lorca no pensaba en seguir una carrera relacionada con el mundo del vino. De hecho, a punto de terminar la secundaria aprobó el examen preuniversitario para entrar en Medicina, donde imaginaba su futuro. Pero todo cambió en un abrir y cerrar de ojos: "En una de las últimas semanas del colegio secundario fueron a darnos una charla alumnos de la Universidad Don Bosco sobre la carrera de Enología y para mí fue revelador", cuenta. Una vez obtenida su licenciatura en Enología, Lorca encontró su primer mentor en la figura de nada menos que Mariano Di Paola, quien lo llevó a trabajar en la Bodega La Antonia, perteneciente al grupo Catena. Luego sumó experiencias muy valiosas en Esmeralda, junto a José "Pepe" Galante (de quien, dice, incorporó la minuciosidad en la elaboración de los vinos) y al ingeniero Pedro Marchevsky (que le dio su mirada y consejos sobre el manejo de los viñedos).

Con apenas 24 años, Mauricio Lorca ocupó el puesto de primer enólogo en Luigi Bosca, donde se contagió de la visión basada en la calidad que llevaba adelante Alberto Arizu, propietario de la bodega. Cuatro años más tarde pasó a Finca La Celia, donde pudo también adentrarse en los aspectos comerciales del vino y las decisiones que se requieren para lograr una bodega rentable y eficiente. Con todo ese conocimiento ganado a sus espaldas, Lorca comenzó a construir una mirada propia y personal de lo que significa elaborar y vender un vino. A partir de 2002 se lanzó a la aventura propia: luego de encargarse de la enología y gerencia general de la Bodega Enrique Foster, fundó Bodega y Viñedos Mauricio Lorca. Hoy estas dos bodegas mantienen independencia, pero son a la vez parte de un mismo grupo, Foster-Lorca, que elabora sus vinos en Perdriel, en la tradicional zona de Luján de Cuyo).

Audaz y decidido, más allá de su sólida ética laboral, Mauricio Lorca no les teme a los cambios. Reconocido por sus pares y por la industria, es consultor y asesor de muchas bodegas a las que ayuda a encontrar el rumbo deseado. Ya en el lejano año 2003, cuando muchos de los vinos de Argentina abusaban del uso de la barrica, este enólogo presentó su revolucionaria línea de vinos Ópalo, que lo convirtió en un pionero al elaborar vinos de alta gama sin paso por madera. La experimentación, la prueba y el gusto por la aventura siguen siendo parte fundamental en su modo de recorrer la vida, sea decidiendo plantaciones de alta densidad en la finca de Vista Flores o practicando *mountain bike* por los senderos de montaña mendocinos.

FRANCISCO LAVAQUE

POR CINCO LARGAS GENERACIONES, la familia Lavaque ha estado unida al mundo del vino en el noroeste argentino. Todo comenzó con José Lavaque elaborando tintos y blancos a granel en Salta, luego su hijo Félix mantuvo la tradición y lo mismo hizo su nieto Gilberto. Eventualmente, Rodolfo, el bisnieto de José, dio una vuelta de timón y partió hacia Mendoza, pero el llamado del terruño terminó imponiéndose: no solo volvió a Cafayate, sino que allí adquirió la Bodega Michel Torino para convertirla en El Esteco; y lo mismo hizo con Finca El Recreo, hoy llamada Finca Quara. Pero aquí no estamos hablando de ellos, sino de Francisco Lavaque, conocido como "Pancho", tataranieto de José y parte de una nueva generación de enólogos que están cambiando el rostro y el perfil a los vinos del país. Pancho estudió en la Universidad de Davis en California (Estados Unidos), donde se formó en viticultura y en enología, y estuvo en contacto con las tendencias de producción y marketing de los vinos del Nuevo Mundo. Inspirándose en la imagen y el recorrido del vino australiano Yellow Tail, aconsejó a su padre en la renovación de la imagen de Quara, con las coloridas llamas que se volvieron el sello de esa marca. ¶

Pronto, Pancho decidió que era hora de encarar su propio proyecto, más allá de la familia. Así, se asoció con el enólogo inglés Hugh Ryman y juntos le dieron inicio a Vallisto, una bodega que se asienta en las uvas provenientes de una finca de la quebrada de San Luis (en la ladera oeste del valle de Cafayate), con malbec y torrontés a la cabeza. Poco a poco, Vallisto comenzó a incorporar una búsqueda muy personal: la de trabajar con viñas históricas. El primer hallazgo, en la quebrada de Hualfín (Catamarca) fue el de vides de criolla chica plantadas en 1898 que derivaron en el lanzamiento de la línea Vallisto Extremo. Pronto siguieron un *blend* de ugni blanc y riesling y producciones con tannat y barbera. Para explotar las bondades de esta uva, Lavaque viajó al Piamonte italiano y aprendió las particularidades de su crianza en roble usado. ¶

Lejos del estilo clásico de los valles Calchaquíes, con su intensidad y potencia, Pancho muestra un paladar joven que favorece sabores frescos y frutales, con cuerpos fluidos, pero siempre basado en la tradición vitivinícola. Esto es priorizar la menor intervención posible, recurriendo en ocasiones a métodos ancestrales como la crianza en vasijas de arcilla de la época colonial. Una búsqueda personal, para lograr vinos mundiales. ¶

ANTONIO MAS

ANTONIO MAS NO SOLO FUE UNO DE LOS PIONEROS de la enología moderna argentina, sino también precursor (con Finca La Anita, la bodega que durante años condujo junto a su hermano Manuel) en apostar a pequeñas producciones con alta calidad y una mirada propia. Todo esto en un mercado –a principios de la década de 1990– dominado por completo por grandes bodegas que elaboraban millones de litros al año. ¶
Mendocino, recibido de ingeniero agrónomo en 1968 en la Universidad Nacional de Cuyo, inició su camino profesional lejos de casa, en el Alto Valle del río Negro. Allí, se encontró con viñedos mixtos en los que uvas blancas y tintas convivían en las mismas hileras e incluso se vinificaban juntas, sin importar demasiado la variedad. Apasionado por la ampelografía, dedicó su tiempo y estudio al pulido genético de los viñedos, y así encontró variedades antiguas, algunas plantadas incluso por los primeros inmigrantes que llegaron a la zona. De esta manera, Mas fue parte de esa generación de hacedores de vino que reconstruyó las bases de la actual industria del vino en Río Negro, concentrándose en lograr una expresión regional tan genuina como distintiva. ¶
En 1992, ya de vuelta en su provincia natal, se puso al frente de la enología y la viticultura de Finca La Anita, una bodega que marcó la historia nacional con vinos de alta gama y consumidores realmente enamorados de sus etiquetas. Por aquellos años, el vino en Argentina no había recuperado su prestigio nacional; para la mayoría era tan solo una bebida cotidiana y simple, sin distinción varietal ni de origen. Las bodegas mantenían la misma tecnología de las décadas pasadas, y para Finca La Anita, Antonio debió crear y desarrollar su propia maquinaria, siempre con una idea en mente: alejarse de la producción industrial para acercarse al funcionamiento de un *château* francés. El foco estaba puesto en pequeñas producciones de alta gama y en la identificación de clones varietales de calidad, trabajando los vinos a partir de parcelas específicas. Así nacieron etiquetas emblemáticas, como su inolvidable merlot. ¶
Ya separado de Finca La Anita, en 2010 Antonio lanzó Finca Propia, un proyecto vitivinícola para que los propios consumidores puedan adquirir una pequeña porción de un viñedo compartido. Además, refleja sus cinco décadas de experiencia en Antonio Mas Wines, la bodega que lleva adelante junto a su hijo Manuel, donde trabaja con uvas provenientes de La Arboleda, un cuidado viñedo propio en las alturas de Tupungato. Apasionado investigador, participa y colabora además en distintos estudios junto al Instituto Nacional de Tecnología Agropecuaria (INTA) y la Universidad Agustín Maza. ¶

GERMÁN MASERA

NACIDO Y CRIADO EN MENDOZA, Germán Masera egresó de la Universidad Juan Agustín Maza y no paró de acumular experiencia a pasos rápidos y certeros. Participó en vendimias de bodegas como Paul Hobbs Winery (en California, Estados Unidos) y Quinta Sardonia (en Ribera del Duero, España). En Argentina formó parte de los equipos de Viña Cobos, la patagónica Noemía y Finca Sophenia, trabajó junto a Matías Michelini en su proyecto Passionate Wine y actualmente está a cargo de la enología de Viña Los Chocos, una bodega con viñedo en el Alto Gualtallary, creada por Rodrigo Reina (bisnieto de Felipe Rutini, el que supo ser fundador de la histórica Bodega La Rural en el año 1884). ¶

Con este bagaje a cuestas, Germán comenzó a recorrer un camino propio, y así fundó junto a su esposa Ayelén un proyecto familiar, Escala Humana, donde refleja el compromiso entre trabajadores, viñedo y modos de producción en etiquetas que priorizan la pureza. La primera tanda de sus vinos Livverá estuvo compuesta por un malbec de Gualtallary y un malvasía naranjo realizado a partir de un viejo viñedo que encontró en El Zampal, en Tupungato, del cual solo sobrevivían diecinueve hileras plantadas noventa años atrás. Para que le permitieran utilizar esta uva, el enólogo tuvo que llevar adelante una serie de estudios genéticos para presentar en el Instituto Nacional de Vitivinicultura, ya que hasta entonces estaba registrada como una variedad no vinífera. Además, trajo barricas de madera de acacia desde Friuli para criar esta malvasía de modo similar al que se hace en el norte italiano. Este rescate vinícola se convirtió a partir de entonces en una vocación para Masera, quien puso la mira en los viñedos de algunos pequeños productores que cultivan uvas traídas originalmente por sus antepasados europeos. Así eventualmente agregó a su porfolio el sangiovese y el bequignol (variedad originaria del sudoeste francés). También trabaja con bonarda y cabernet sauvignon, entre otras variedades, apuntando a vinos frescos y contemporáneos, de baja graduación alcohólica, criados en huevos de concreto o barricas viejas para mantener las características de la fruta. Las uvas se fermentan con levaduras indígenas, sin el uso de aditivos y embotella los vinos sin filtrar. Con pequeñas producciones, Escala Humana ya se hizo un nombre en el universo de los vinos argentinos, con una personalidad que los destaca y los diferencia. Dos características siempre bienvenidas, que le permitieron comenzar también con la exportación a países como México, Perú, Inglaterra y Brasil. ¶

ÁNGEL MENDOZA

LA CARRERA DE ÁNGEL MENDOZA COMENZÓ a construirse a finales de la década de 1960, mientras transitaba la secundaria en el colegio Don Bosco de la ciudad mendocina de Maipú. Allí nada menos que el propio cura salesiano Francisco Oreglia le enseñó las bases de la viticultura, la olivocultura y la enología. Enamorado de la tierra y los vinos, continuó con la carrera de Enología en la universidad, para luego comenzar a trabajar en el grupo Peñaflor como jefe de elaboración de vinos finos bajo la etiqueta de Trapiche. En aquel entonces, la industria del vino en Argentina atravesaba cambios cruciales: la primera generación de enólogos profesionales, a la que Mendoza pertenecía, comenzaba a prestarle atención a la producción del vino desde el viñedo, manteniendo la fabricación de volumen, pero enfocándose también en elevar los estándares de calidad, con la idea de pulir la tipicidad de cada varietal utilizado. Así por ejemplo, comienzan a surgir los primeros vinos con la palabra "malbec" en su etiqueta. ¶
Sin dudas, Ángel Mendoza fue uno de los grandes protagonista de esos años. Como enólogo principal de la emblemática Trapiche, su trabajo lo llevó a viajar y a conocer a muchos de los responsables de la vitivinicultura mundial, entre ellos, por ejemplo, a Michel Rolland (que para ese entonces ya asesoraba a la familia Etchart, en Salta). De ese encuentro nacería un cruce de ideas que se concretaría definitivamente en el histórico Iscay Merlot Malbec 1997, donde se unieron los conocimientos de Mendoza sobre el malbec con la experiencia de Rolland en el merlot. ¶
Por veinticinco largos años, Ángel Mendoza fue sinónimo de Trapiche, hasta que en el año 2003 decidió dar un paso al costado y dedicarse por completo a Domaine St. Diego, la bodega familiar creada en 1988 junto a su esposa Rosalía Pereyra y sus hijos Juan Manuel, Lucas y María Laura. Al día de hoy, allí siguen produciendo vinos y espumantes, siempre en partidas limitadas y con uvas de su propia viña. Aficionado al rock clásico, los tanques de fermentación están decorados con escenas de la película *Yellow Submarine* de los Beatles, y se dice que hace sonar música durante el proceso de vinificación, en un espectáculo digno de ver en vivo y en directo. Además, Mendoza produce en la bodega el aceite de oliva Almazara Bianca: un gesto y homenaje a esas primeras enseñanzas de Oreglia en el secundario. ¶

JUAN PABLO MICHELINI

EN APENAS UNOS POCOS AÑOS, este apellido se convirtió en uno de los lugares comunes dentro de los mejores vinos argentinos. En este caso, el apellido es llevado por Juan Pablo, uno de los hermanos de Matías Michelini (que comenzó la saga enológica familiar). Tras estudiar en la Escuela Vitivinícola Don Bosco, la más antigua de Mendoza, Juan Pablo inició su carrera profesional en la Bodega Doña Paula, acompañando a Matías. Allí ocupó el puesto de enólogo principal y aprovechaba la contraestación del hemisferio norte para viajar por la escena vitivinícola internacional, vendimiando en lugares como Sonoma (Estados Unidos) y Pomerol (Francia). ¶

Luego de un paso por las Bodegas Finca Quara y El Esteco, en los imponentes valle Calchaquíes, en 2008 Juan Pablo fundó Zorzal Wines, su bodega propia en Gualtallary, que pronto se convirtió en un gran éxito. Siempre en movimiento, unos años más tarde, se asoció a Daniel Kokogian para dar vida a Altar Uco, donde se permite experimentar sin presiones comerciales, se toma permisos y tiempos a gusto, dejando, por ejemplo, los vinos en reposo, sin siquiera tocarlos, por varios meses en piletas de cemento, barricas o fudres. Finalmente llegó un tercer emprendimiento, SuperUco, en el cual unió fuerzas con sus hermanos Matías, Gerardo y Gabriel (además de Daniel Sammartino como socio externo a la familia). Con esta bodega, apostando a una agricultura orgánica y biodinámica, obtuvieron nada menos que el primer premio mundial en la categoría Prácticas Sustentables del concurso Best of Wine Tourism 2021 organizado por Great Wine Capitals. ¶

Más allá de la interpretación de cada marca, la prioridad de Juan Pablo siempre es reflejar en el vino el lugar de donde proviene, por lo que evita el uso de maderas de tostado intenso o la fruta sobremadurada. Con la frescura y el carácter natural como base, apunta a expresar la montaña, el clima, los suelos y la altura. Una búsqueda que da vida a etiquetas maravillosas. ¶

CRISTIAN MOOR

MÁS ALLÁ DE CULTIVAR UN BAJO PERFIL, los premios, reconocimientos y altos puntajes obtenidos por sus vinos llevaron a que Cristian Moor se haya ganado el respeto y la admiración de sus colegas. No es para menos: este enólogo supo armar una carrera profesional en acenso, que incluye su paso por bodegas grandes –Trapiche y Finca Flichman, donde ganó experiencia y aprendió sobre diversidad de estilos y calidades–, para hoy ser gerente de Enología de Corazón del Sol, una pequeña y, a la vez, prestigiosa bodega dedicada exclusivamente a la alta calidad, con vinos nacidos de un viñedo de 7 hectáreas en Los Chacayes. Allí, donde Moor tiene libertad para la creación, presenta vinos de perfiles clásicos y otros innovadores, siempre expresando el costado intenso y particular de esa región mendocina. Para Moor, sin dudas, no solo se trata de malbec, sino también de variedades típicas del Ródano con cortes de garnacha, syrah y mourvèdre; también de garnacha blanca, marsanne y roussanne; además de cepas clásicas de Francia, como cabernet franc, cabernet sauvignon y merlot, entre otras. ¶ Pero hay más: en el ya lejano 2009, comenzó también un proyecto familiar junto con su pareja, la enóloga Teresita Barrio, al que apenas dos años más tarde le pusieron sus apellidos al frente: Moor Barrio Wines es lo que ellos llaman una bodega-bonsái. "Tiene todo lo que tiene una bodega grande, pero en miniatura", explican. Elegidos por World Association of Writers and Journalists of Wines and Spirits como mejor bodega garaje de la Argentina, en Moor Barrios, ambos winemakers elaboran solo pequeñas partidas de vinos nacidos en el valle de Uco, en regiones como Los Chacayes, Altamira y Gualtallary. ¶ Como última novedad, en 2022, Moor fue elegido presidente de la Asociación Civil de Productores de IG Los Chacayes, lo que confirma la pasión, la confianza y el compromiso a largo plazo que siente por esta joven indicación geográfica. ¶

ANDREA MUFATTO

HABLAR DE ANDREA MUFATTO es hablar también de Gerardo Michelini; y esto mismo podría decirse de otro modo: hablar de Gerardo es hoy hablar de Andrea. Es que ambos forman una pareja responsable de algunos de los vinos más interesantes de la Argentina (y del mundo). ¶

Andrea llegó tarde a la industria: estudió Enología luego del nacimiento de sus cuatro hijos. Aun así, desde 2008 logró desarrollar una carrera en la que el constante dinamismo y la voluntad de romper estructuras fueron sus brújulas principales. Primero colaboró con su marido Gerardo Michelini en la Bodega Zorzal, donde ella realizó su tesis de enología basada en la cofermentación de malbec y cabernet franc. Luego, nuevamente con Gerardo, fundaron SuperUco, bodega a la cual se sumaron más tarde los otros hermanos Michelini. "En 2013 fundamos Gen del Alma donde estuvimos hasta 2018", cuenta Andrea. Teniendo en cuenta la tesis con la que Andrea se había recibido en la universidad, no fue sorpresa que un gran éxito de aquella bodega haya sido Ji Ji Ji, un vino elaborado con la cofermentación de malbec y pinot noir. El nombre de ese vino (inspirado en una canción de los Redonditos de Ricota) refleja también el gusto de la enóloga y de Gerardo por el rock argentino: entre las etiquetas de Gen del Alma también hay nombres como Crua Chan (canción de Sumo) y Seminare (clásico de Serú Girán). ¶

Mientras estaban en Gen del Alma, esta dupla da nacimiento a nuevo proyecto, Michelini i Mufatto, con una base en Mendoza pero también en El Bierzo (España), acompañados por su hijo Manuel. El emprendimiento trabaja con tres perspectivas de vinos: de pueblo, que identifican fielmente su zona de origen; de finca, que reflejan la expresión de un viñedo elegido; y de lote, apoyados en microterruños. Finalmente, en 2020 Andrea y Gerardo se instalan el Pueblo Garzón, en Uruguay, como base desde donde viajar para pasar el año en ese círculo estacional definido por las vendimias, instalándose en cada momento en el lugar donde la uva esté lista para ser disfrutada y vivida. ¶

JUAN PABLO MURGIA

NACIDO EN LA MENDOCINA REGIÓN DE LUJÁN DE CUYO, criado entre viñedos y el aroma de las botellas descorchándose, Juan Pablo Murgia vivió siempre rodeado de tradición vitivinícola. Sus abuelos cuidaban fincas y trabajaban en bodegas, y el vino en su casa era moneda corriente. A los 21 años, tras lograr títulos en Enología y Agronomía, Juan Pablo dio sus primeros pasos laborales en Vistalba, la bodega fundada por Carlos Pulenta, uno de los grandes apellidos vitivinícolas de la Argentina. De ahí en más no dejó de crecer: ya dentro del grupo Avinea –dirigido por el propio Pulenta junto al empresario Alejandro Bulgheroni–, es hoy enólogo principal de Argento en Mendoza y de Otronia en Chubut, aunando dos miradas bien distintas sobre lo que es el vino argentino. De un lado, una gran bodega que produce vinos para todo el planeta; del otro, un pequeño y experimental proyecto todavía en nacimiento ubicado en los fríos del sur patagónico. ¶
Juan Pablo Murgia tiene material para investigar; distintos suelos y zonas que le permiten ir siempre un paso más allá de su zona de confort. Un día está estudiando los suelos y microterruños de la principal finca de Argento en Alto Agrelo, con más de 200 hectáreas cultivadas de manera orgánica a unos 1000 metros de altura sobre el nivel del mar; y al otro día se encuentra cosechando un riesling en el clima extremo de Chubut, antes de que comiencen las heladas. Todo lo hace bajo el paradigma de la sustentabilidad, una bandera que levanta en alto más allá de las modas y las tendencias comerciales. En la mirada de Murgia, solo el trabajo natural y de baja intervención sobre lo suelos y viñedos puede lograr vinos que realmente traduzcan en la copa el lugar de donde provienen. ¶
Otronia es un proyecto soñado que hoy Murgia está convirtiendo en realidad: 50 hectáreas en una de las zonas vitivinícolas más australes del mundo, con condiciones únicas que incluyen temperaturas de hasta 20 grados bajo cero en invierno y heladas durante todo el año. Esas adversidades y dificultades son, por su parte, las que generan tanto interés, y así dan vida a vinos que no se parecen a ningún otro. Murgia sabe las posibilidades que dan estos suelos, trabaja con variedades de ciclo corto para presentar etiquetas que muestran una expresión de la fruta marcada y particular. Vinos tranquilos y espumantes con la acidez marcada y un perfil filoso y mineral que se convirtió en la firma de la casa. ¶
Todavía sin cumplir sus primeros 40 años de vida, de la mano de un grupo de bodegas con la capacidad de influir en el mapa del vino nacional, Juan Pablo Murgia fue destacado en 2021 por Tim Atkin como el enólogo joven del año. Un reconocimiento merecido que anticipa muchos otros por venir. ¶

KARIM MUSSI

SOBRAN LOS EJEMPLOS: LA GRAN MAYORÍA DE LOS ENÓLOGOS Y AGRÓNOMOS argentinos provienen de familias italianas y españolas, de aquellos inmigrantes que trajeron la cultura del vino desde el otro lado del Atlántico. Pero el caso de Karim Mussi es distinto: descendiente de libaneses, le gusta definirse a sí mismo como un mendocino nacido en Chile. "Mi padre era comerciante y se fue a vivir diez años a Chile, donde representaba a empresas mendocinas", cuenta. Ya con la familia de vuelta en la Argentina, Mussi cursó la escuela secundaria en el Liceo Agrícola y Enológico Domingo Faustino Sarmiento, luego estudió Ingeniería y se graduó en Administración de Empresas. Un panorama completo que le permitió encarar rápidamente un camino recorrido, el mismo que lo convirtió en una de las referencias obligadas del vino nacional. ¶
Su primer gran paso lo dio en 1999, al dar vida a Altocedro, una bodega propia en La Consulta, en el valle de Uco. Mussi se convirtió en el mejor embajador posible para esta zona, luchando desde el principio por establecer la indicación geográfica La Consulta. Más de una década después, sumó Alandes, una antigua bodega en Maipú que le permitió elaborar cortes de vino de estilo bordelés, con uvas de distintas regiones mendocinas. Y como bien dice el refrán, no hay dos sin tres: también es el creador de Abras, en Cafayate, donde utiliza uvas de viñedos de más de treinta años de edad. "Prefiero tener varias bodegas chicas que una grande", confesó una vez en una entrevista. Y advierte: "Me gustaría también hacer vinos en el valle de Pedernal, San Juan, y en la Patagonia". ¶
Mussi no se queda quieto: más allá de su bajo perfil mediático, tiene una personalidad potente que luego traduce en vinos de culto. Su trabajo se apoya en tres grandes pilares: la innovación, el terruño y la sustentabilidad. Es también un melómano reconocido y gran lector: incluso tiene etiquetas como Los Poetas, donde homenajea a escritores de la talla de William Shakespeare, Edgar Allan Poe, Jorge Luis Borges y Walt Whitman. ¶
Le dicen "el turco", tiene una frondosa barba y un bigote que le enmarcan el rostro. Sus ojos son vivaces y anticipan largas y acaloradas discusiones alrededor de la mesa. Un hacedor de vinos incansable que no deja de sorprender. ¶

ALEJANDRO PEPA

CON SANGRE ITALIANA (del lado paterno) y francesa (del materno) corriendo por sus venas, el buen comer y beber fueron siempre parte de la vida de Alejandro Pepa, enólogo mendocino que hoy es uno de los grandes representantes de los vinos calchaquíes. Entre sus recuerdos de la infancia, se ve a sí mismo pegando etiquetas en las botellas de los vinos familiares nacidos en las fincas que tenía su abuelo, o buscando un vino para su padre en el sótano de la casa, donde, junto a las damajuanas, colgaban además jamones y chorizos secos esperando su mejor momento. ¶

Pepa estudió en la Facultad de Enología de la Universidad Juan Agustín Maza. Ya desde antes de culminar la carrera, comenzó a trabajar en el laboratorio de enología del Instituto Libertador de San Martín. Pero su vida profesional tomó un rumbo definitivo en el año 2000, cuando se mudó a Salta convocado por el grupo Peñaflor para ingresar a Michel Torino en Cafayate, bodega que luego fue reconvertida como El Esteco, con el propio Pepa como jefe de Enología. Su misión allí fue convertir a una bodega de altos rendimientos en una de vinos prémium, y demostrar que el noroeste argentino era capaz de elaborar algunos de los mejores vinos del país. Fue así que nació el primer Altimus, vino ícono de El Esteco, que se convirtió en uno de los faros para iluminar a los cada vez mejores vinos de la región. ¶

La altura, la gran amplitud térmica, los días de sol poderoso y las noches frías sumado a las escasas precipitaciones, todo esto junto con suelos arenosos y pedregosos, conforman el escenario de los valles Calchaquíes. Un lugar que enamoró a Alejandro Pepa, decidido a mostrar un nuevo perfil de los vinos de altura, con colores brillantes, estructura y un abanico de aromas florales, frutados y especiados que nunca pasan desapercibidos. ¶

Aprovechando la relevancia de El Esteco, Pepa invierte tiempo, conocimiento y recursos en mejorar el rendimiento y la calidad de la elaboración a través de controles y experimentaciones tanto en el viñedo como en el laboratorio. En los últimos años sumó a la bodega huevos de cemento y barricas de diferentes tamaños e incorporó también tecnología, siempre con una idea en mente: modernizar y diversificar los procesos de vinificación para lograr vinos contemporáneos nacidos en la tradición regional. Un buen ejemplo es la línea Old Vines, basada en viñedos históricos, algunos de ellos con más de un siglo de vida. ¶

Alejandro Pepa se guarda un as en la manga, un vino propio, elaborado en muy pequeñas cantidades, bajo el nombre A. Pepa. Casi un juego familiar: "Por iniciativa de mi hijo Ramiro más la ayuda de las pequeñas manitos de mi hija María Trinidad, comenzamos con esta linda idea pensando en que desde chicos ingresen a este apasionante mundo de los viñedos, uvas y vinos", explicó en una entrevista. Trabajando con uvas de proveedores amigos de los valles cercanos, es un corte que apuesta a la concentración como modo de expresar en la copa todo lo que significa el potente paisaje del norte argentino. ¶

FRANCISCO PUGA

EL NOMBRE COMPLETO de "Paco" Puga es Francisco Pablo Puga Albarracín, casi idéntico al de su abuelo de origen español, que en el siglo pasado se estableció en San Juan para continuar con el legado familiar de la viticultura. Nacido y criado en la provincia cuyana, Paco se recibió de viticultor enólogo en la Escuela de Viticultura y Enología. Para su primera vendimia en 1998, cruzó el Atlántico y se fue a trabajar durante un mes y medio a la Borgoña (Francia) gracias a una beca obtenida de la Alianza Francesa. Ese viaje, asegura, definió su modo de pensar el vino y la profesión. Ya de vuelta en Argentina, el cambio de escenografía siguió marcando su rumbo profesional: en lugar de afincarse en su ciudad natal, se mudó al noroeste, a los valles Calchaquíes, donde trabajó para el Instituto Nacional de Vitivinicultura estudiando los suelos de la región. De 2004 en adelante se convirtió en un auténtico explorador de las alturas de la mano de experiencias en algunas de las bodegas emblemáticas de Salta: primero como parte del equipo de El Esteco, luego trabajando dos años en Colomé y cinco en Amalaya, para, finalmente, en 2016 ingresar a El Porvenir, donde tiene a su cargo el manejo enológico de la bodega. ¶ Con tanto recorrido a cuestas, Puga se convirtió en una de las personas que mejor conoce el terruño calchaquí, al ser uno de los responsables de modernizar los vinos de la zona, sin dejar nunca de lado el carácter robusto que los caracteriza, al que considera una marca distintiva propia de la región. ¶

Con la curiosidad intacta, poco a poco también comenzó a generar pequeños proyectos paralelos que ganaron prestigio y fieles consumidores: Tordos (junto con el viñatero Diego Goico y Máximo Lichtschein) nació revalorizando variedades blancas no tradicionales de Cafayate (como viognier, chenin y riesling) y sumando tintas como cabernet sauvignon y malbec; Mugrón se define como un *blend* de enólogos cafayateños que incluye a amigos de Paco (Rafa Domingo, Mariano Quiroga y Claudio Maza); y L'Amitie es su emprendimiento familiar con el que homenajea aquel viaje iniciático a la Borgoña. Un hacedor de vinos inquieto que encontró en el paisaje extremo de los valles Calchaquíes el lugar soñado. ¶

LAURA PRINCIPIANO

NACIÓ EN MAIPÚ, UNA DE LAS GRANDES CUNAS HISTÓRICAS DEL VINO ARGENTINO. Apenas llegaron de Italia, sus abuelos plantaron viñedos; luego su padre continuó esa herencia agrícola trabajando la tierra con distintos frutales. Crecida entre esos árboles y aromas, a lo largo de su vida, Laura hizo de esta historia la suya propia: estudió Ingeniería Agronómica, y ya en la misma universidad se enamoró del vino. En 2009 entró a Familia Zuccardi, su primer trabajo, del cual nunca se fue. ¶
Comenzó en Investigación y Desarrollo; hoy no solo lidera esa área, sino que es también la responsable de los grandes vinos que elabora junto a Sebastián Zuccardi en las alturas del valle de Uco. "I+D fue y sigue siendo clave para lo que hoy somos. En un año podemos hacer más de 200 ensayos distintos, microvinificaciones de 500 a 1000 kilos, ensayando riegos, manejos de canopia, fermentaciones, maceraciones distintas, buscando siempre expandir los límites, romper los prejuicios que rodean al vino", cuenta Laura. En estos más de diez años, Laura fue así una de las protagonistas de la revolución personal que vivió esta bodega mendocina, traducida en etiquetas como Polígonos, Concreto, Finca, Parcela, los Aluvional, entre otros. Y lo hizo siempre con una mirada rectora, el gran objetivo en mente. En sus palabras, "conocer realmente las diferencias de cada lugar, de sus suelos y de su clima, conocer también las grandes diferencias que hay incluso dentro de una misma finca, para luego, en de la bodega, aprender a interpretar todo esto". ¶

ROGELIO RABINO

CON LOS PIES EN LA TIERRA. ASÍ SE LO PUEDE DESCRIBIR al joven Rogelio Rabino, que desde 2021 está a cargo de la enología y los viñedos de Finca Flichman, una bodega icónica con más de cien años de historia a sus espaldas. Lo de los pies en la tierra es, primero, literal: tras estudiar Agronomía en la Facultad de Ciencias Agrarias de la Universidad Nacional de Cuyo, luego de realizar posgrados y cosechas en Francia (junto a Michel Rolland), Rabino se calzó las botas y caminó incansablemente por viñedos en Luján de Cuyo y en el valle de Uco, primero para Finca Sophenia y luego como principal responsable de los vinos de Kaiken. Siete años estuvo en la primera bodega, siete más en la segunda, y logró en ambas un merecido reconocimiento y altos puntajes en medios internacionales. ¶
Pero su cercanía a la tierra es también simbólica: con la mirada puesta en el terruño, Rabino insiste en pensar a los vinos sumando variables tan distintas como la demanda y la necesidad de los consumidores, la historia y la personalidad de la bodega donde está y, más aún, la búsqueda de la constancia. Para él, un buen vino nunca es un hecho aislado, sino que se inscribe en una lógica de calidad que debe atravesar los límites del tiempo. De eso se trata su desembarco en Flichman (que desde 1998 es propiedad del grupo portugués Sogrape, uno de los principales productores de vino en el mundo): heredar una tradición vitivinícola comenzada y mantenida por enólogos como Raúl de la Mota, Juan Carlos "el Pulqui" Rodríguez, Luis Cabral de Almeida y Germán Berra, aportando además su mirada joven para ganar modernidad y actualidad, imaginando nuevos varietales y vinos nacidos en los viñedos propios que esta casa tiene en Barrancas y en Tupungato. ¶
Amante de vinos blancos y de tintos por igual, hoy custodia además la preciada cava de Flichman, donde descansan los grandes vinos históricos de esta bodega. "Quiero cuidar y seguir sumando nuevos vinos a esa cava, lo mejor que hagamos cada año. No cualquiera puede ofrecer una vertical completa desde el año 1974 hasta la fecha. Nosotros sí podemos hacerlo. Es nuestra gran biblioteca", cuenta con indisimulable orgullo en una entrevista. Cerca de cumplir sus 40 años de vida, Rogelio Rabino tiene con qué brindar para ese festejo redondo. ¶

MATÍAS RICCITELLI

HIJO DEL HISTÓRICO ENÓLOGO DE NORTON Jorge Riccitelli, y nacido en las alturas de Cafayate (Salta), Matías Riccitelli tenía marcado su destino vitivinícola casi desde la cuna. Además de tener cerca el ejemplo paterno, se formó estudiando Enología, vendimiando luego en países como Austria, Australia, Nueva Zelanda y Estados Unidos. Durante una década trabajó para la Bodega Fabre Montmayou, a la que aún asesora. Y en 2009 dio el gran salto al fundar un proyecto propio, Riccitelli Wines, una de las bodegas jóvenes e independientes más prestigiosas e innovadoras del país. Con 20 hectáreas de viejos viñedos de pie franco, Riccitelli Wines está ubicada en Las Compuertas, en la zona más alta de Luján de Cuyo. También suma el trabajo de pequeños productores de los mejores terruños al pie de la cordillera de Los Andes, como Gualtallary, Los Chacayes, Altamira y La Carrera. En esa zona mendocina generó ya más de treinta etiquetas distintas, donde las diferentes expresiones del malbec se llevan una buena parte del catálogo, pero donde también juega con novedades y experimentaciones como su muy exitoso espumante pét-nat. ¶

Riccitelli es un gran ejemplo de cómo una generación joven y actual gana fortaleza mirando también hacia atrás, reconociendo la tradición con vinos que incluyen claras referencias al legado de su padre y de su abuelo, también enólogo. En 2015 comenzó a revalorizar viñedos patagónicos viejos, plantados originalmente en los años sesenta, y así creó la línea Old Vines, con variedades como semillón, chenin blanc, torrontés, merlot y malbec. ¶

Con una imagen descontracturada y contemporánea, y representando una filosofía de baja intervención en la bodega, Riccitelli busca que cada uno de sus vinos cuente una historia, que refleje el lugar del que proviene y el trabajo de quienes lo elaboran. Frescura y complejidad, intensidad aromática y facilidad de beber –sin descuidar el potencial de guarda– son parte de su impronta, que lo llevó a obtener no solo altísimos puntajes y premios, sino también el respeto y admiración de sus pares. Y, como suele repetir en muchas de las entrevistas que le hicieron, a pesar de su profundo amor por el malbec, Matías está convencido de que la Argentina es mucho más que una única cepa. ¶

JUAN ROBY

NACIDO EN LA LOCALIDAD MENDOCINA DE CHACRAS DE CORIA, los primeros recuerdos de Juan Roby en relación con el vino tienen que ver con oler, junto a sus hermanos, los restos de esta bebida que los adultos de la familia dejaban en el vaso en reuniones familiares. De su infancia heredó también otra costumbre derivada de sus viajes a Bariloche: la pesca con mosca, uno de los placeres que cultiva cotidianamente junto con los cigarros y, por supuesto, el vino. ¶

Roby se recibió de ingeniero agrónomo en la Facultad de Ciencias Agrarias de la Universidad Nacional de Cuyo; luego cursó un posgrado en Enología y Viticultura dictado por la Universidad de Montpellier y la UNC y completó su formación con estudios y trabajos realizados en Italia y giras técnicas por Estados Unidos y Chile. En 1999, ingresó a Lagarde como director de Fincas, y cuatro años después quedó a cargo además de la dirección de Producción y Enología. Desde entonces, esta bodega nacida originalmente en 1897 (y adquirida en 1969 por la familia Pescarmona) es el hogar de Juan Roby, que en su trabajo junto a Lucía y Sofía Pescarmona logra combinar la tradición de una marca centenaria con las búsquedas contemporáneas de las nuevas generaciones. En palabras del enólogo, al ingresar a la bodega, más de la mitad de los vinos de Lagarde se hacían en toneles y cubas viejas, proceso que poco a poco modernizó sumando nuevas técnicas –como el uso de esferas de hormigón para fermentación y guarda– y agregando su toque personal. También trabaja con ímpetu en la agricultura orgánica (con el objetivo de lograr que todos los viñedos de Lagarde sean orgánicos en el mediano plazo), las prácticas sustentables y la vinificación de baja intervención. ¶

Apasionado por el trabajo y la investigación, desde 2010 Roby viene realizando junto a su equipo un exhaustivo estudio de suelos en las distintas fincas de Lagarde, segmentando parcelas e identificando sectores de cada viñedo para vinificar por separado. Los más de veinte años transcurridos en una misma bodega, en un trabajo codo a codo con un equipo que ya es más que eso, que se convirtió en una familia, le permiten a Juan Roby profundizar en la búsqueda de vinos con personalidad y complejidad, jugando a la experimentación en algunas líneas y a la tradición en otras. Un hacedor de vinos comprometido que enfrenta cada día con alegría y convicción. ¶

ALEJANDRO MARTÍNEZ ROSELL

ALEJANDRO MARTÍNEZ ROSELL, CONOCIDO POR TODOS en la propia industria vitivinícola por su apodo "Pepe", creció en contacto directo con la herencia bodeguera familiar iniciada por su abuelo Bernardo Martínez más de un siglo atrás. Estudió en el Liceo Agrícola y Enológico Domingo Faustino Sarmiento y se recibió de ingeniero agrónomo en la Universidad de Cuyo. Luego de un paso por Termas Villavicencio, se sumergió definitivamente en las vides y las bodegas, y se convirtió eventualmente en uno de los más prestigiosos y experimentados creadores de vinos espumantes del país. ¶ Mientras trabajaba en Navarro Correas, le llegó la oportunidad de adquirir y renovar, en sociedad con Antonio Nicolás Carrasco, las antiguas instalaciones de la bodega construida por su abuelo en Chacras de Coria, las cuales estaban al borde de la demolición. De ahí en adelante, bajo el nombre Cavas Rosell Boher (primero junto a Pedro Rosell, en una sociedad que luego se disolvió), dio paso a la elaboración de emblemáticos espumantes a través del método tradicional, pero también de vinos tranquilos bajo la etiqueta Casa Boher. ¶
Para los espumantes, Pepe se decanta por la tradición francesa, utilizando uvas chardonnay y pinot noir provenientes de vides plantadas en la primera finca de la bodega, en Los Árboles (valle de Uco), a 1250 metros sobre el nivel del mar. La bodega también posee una finca en Alto Agrelo a 1100 metros sobre el nivel del mar y frente al Cordón del Plata, de donde provienen, por ejemplo, sus malbec y cabernet franc. ¶
En su trabajo Rosell recupera una escuela tradicional de raigambre europea con una preferencia por los vinos frutados que evitan el uso intensivo de la madera, haciendo especial hincapié en la elección del terruño y de la variedad que mejor se da en cada lugar. En el caso de los espumantes, les suma su preferencia por crianzas largas en contacto con lías, en la búsqueda de burbujas que hablen de un país y de un estilo de bodega. ¶

RODOLFO SADLER

EL ABUELO DE RODOLFO "OPI" SADLER ERA AUSTRÍACO Y, a fines del siglo XIX, se dedicaba a plantar y cuidar hortalizas y vides en las montañas ubicadas en lo que hoy es el norte de Italia. Tiempo después migró a la Argentina, trajo sus esquejes bajo el brazo, y se estableció en Mendoza, donde le heredó a su hijo la pasión por la tierra y la vitivinicultura. Ambos incluso adquirieron una pequeña bodega, donde Rodolfo jugaba cuando era niño. Tanto es así que, según cuenta, a los inocentes 10 años hizo ya su primer vino dentro de una barrica. ¶

Con una historia así, su destino estaba asegurado: terminado el secundario estudió Enología y comenzó su carrera profesional a fines de la década de 1980 en la Bodega Santa Ana, en aquel entonces propiedad de la familia Basso Tonnelier. Cuando la marca fue adquirida por el grupo Peñaflor, Sadler comenzó a encarar para la compañía varias actividades en diferentes regiones del país. Hasta que, a principios del año 2000, se puso al frente de un proyecto hecho a su medida dentro del grupo: La Mascota. El primer paso fue a través de una finca en Cruz de Piedra (Maipú), en la cual Sadler se puso como meta encontrar y desarrollar los mejores varietales en un viñedo de suelos profundos y pedregosos cercanos al río Mendoza. Allí notó que no solo el malbec daba buenos resultados, sino que también podía darle forma a un sobresaliente cabernet sauvignon, que apenas nacido comenzó a competir con los mejores del mundo. En una segunda etapa, La Mascota sumó una línea de vinos de uvas provenientes del valle de Uco. ¶

Hablar de Opi Sadler es hablar de La Mascota. Y hablar de La Mascota es hablar de una de las bodegas que marcan el acento argentino en el mundo. Gran porcentaje de lo que elaboran se vende en el exterior, en destinos como Inglaterra, Estados Unidos, Dinamarca, Suecia, Suiza y China, y así ganaron premios y reconocimientos. En 2014 la bodega fue elegida como el mejor productor de vinos de Argentina en la International Wine & Spirits Competition (IWSC), mientras que La Mascota Cabernet Sauvignon 2016 fue distinguido como el mejor tinto en la edición 2018 del concurso global Vinalies Internationales. ¶

Su sobrenombre, Opi –con el que lo conocen todos y con el que incluso firma sus etiquetas–, es el diminutivo de *opa*, la forma coloquial de decir "abuelo" en alemán. Un homenaje más que Rodolfo Sadler hace a sus ancestros, a aquellos que le enseñaron a amar y respetar el vino. Y que, de algún modo, lo condujeron a ser hoy uno de los grandes hacedores de vino de la Argentina. ¶

JUAN FACUNDO SUÁREZ LASTRA

S

EL INGENIERO ENOTÉCNICO LEOPOLDO SUÁREZ ZAPATA fue pionero a principios del siglo XX en plantar viñedos en la zona mendocina de Altamira, mientras se dedicaba a escribir en un lejano 1911 el libro *Contribución a los estudios ampelográficos en Mendoza,* dedicado a clasificar las variedades de vid plantadas en la provincia y ofrecer consejos para su vinificación. Después de una reconversión a la producción de frutales –a causa de los bajos rendimientos de las uvas de la zona durante los años setenta, cuando el consumo demandaba fabricación de vinos a granel–, la finca renació como productora vitivinícola en 1998 de la mano de Facundo Suárez Lastra, nieto de Leopoldo. Hoy, esas mismas tierras son la base y espíritu de la actual Bodega Finca Suárez. ¶ A cargo está Juan Facundo Suárez, conocido como "Juanfa", ya la cuarta generación familiar a cargo de la finca. Si bien estudió música, ganó conocimiento enológico tanto en las vendimias mendocinas como en viajes por tierras europeas. Y como le gusta decir, a su juicio, la mejor manera de hacer un vino de manera integral es reuniendo experiencias en campos diversos, no solo en agricultura y enología, sino también en biología, química, física y geología. La receta le funciona: bajo su dirección, Finca Suárez se convirtió en una bodega de prestigio e innovación, que apunta siempre a reflejar el terruño apostando a las prácticas agrícolas sustentables. ¶
Las uvas que Juanfa Suárez utiliza para sus vinos provienen de dos viñedos propios: el más antiguo cuenta con 50 hectáreas plantadas con malbec, cabernet sauvignon, merlot, chardonnay y semillón; mientras que el más nuevo, ubicado a 1100 metros sobre el nivel del mar en el pedemonte mendocino, tiene plantas de malbec, pinot noir y chardonnay. Paralelamente, junto a su mujer Cecilia Durán, Suárez lleva adelante Rocamadre, un pequeño proyecto muy personal de vinos artesanales de montaña que respetan al máximo los procesos naturales y el medioambiente, y que nace también en las uvas de la finca familiar de Altamira. Un hacedor de vinos que se debe a su tierra. ¶

NOELIA TORRES

LA CALIDAD ANTE TODO: esa es la búsqueda y el aprendizaje que realizó Noelia Torres desde que arrancó en el competitivo el mundo del vino. Comenzó muy joven, en el año 2003, como una veinteañera que aportó una mirada fresca y trabajo incesante a Viña Cobos, la bodega creada por tres grandes nombres del vino argentino: Andrea Marchiori, Luis Barraud y el estadounidense Paul Hobbs. Una década y media trabajó allí, donde fue nombrada como gerente de Enología de la casa, y elaboró vinos de culto que hicieron historia en el país y el mundo. Elegida por sus pares en 2017 como segunda mejor enóloga sub 40 de la Argentina, un año más tarde sintió que era hora de cambiar de rumbo, y así se convirtió en la responsable de los vinos de Ruca Malen. Se trata de una bodega con veinte años de historia que eligió a Noelia para conducir profundos cambios en estilo y personalidad, apostando a una nueva generación de consumidores jóvenes. "Mi primer trabajo fue Viña Cobos; me inicié directamente en los vinos de alta gama. En un momento sentí que debía afrontar nuevos desafíos, incluso para probarme a mí misma. Me considero una persona inquieta, aun siendo estructurada", confiesa Torres. ¶

Ya pasada la vendimia de 2020, con esa experiencia ganada, Noelia volvió a juntarse con sus dos grandes mentores, y ahora se sumó como socia de la bodega familiar Marchiori & Barraud, creada en 2016: una bodega pequeña y exclusiva que elabora no más de 100 000 botellas al año, con vinos superprémium nacidos de viñedos propios en Perdriel, Agrelo y Tunuyán. "Es un proyecto y personas que quiero mucho. Queremos volver a hacer lo que era antes: divertirnos mientras trabajamos y hacer cosas que valgan la pena", explicó esta enóloga en una entrevista que dio a un medio mendocino. Un reencuentro esperado que promete crecer y sumar grandes vinos en el horizonte. ¶

ANDRÉS VIGNONI

A LOS TIERNOS 11 AÑOS DE EDAD, luego de crecer en una familia con varias generaciones dedicadas al universo del vino, Andrés Vignoni ya sabía qué quería ser de grande: enólogo. Años más tarde cumplió ese destino y, apenas logrado el título en la Universidad Católica de Cuyo, viajó como mochilero por el mundo trabajando en distintos viñedos, sumando experiencias, como su trabajo en la bodega neozelandesa Giesen y en la casa italiana del grupo Kendall-Jackson Wine Estates, en las bellas laderas de la Toscana. Ya de regreso en Mendoza, pasó por el equipo de Los Haroldos y aterrizó en 2015 en Viña Cobos, la muy influyente bodega nacida en 1997 de la mano del estadounidense Paul Hobbs. ¶
En Viña Cobos, Andrés encontró un hogar donde crecer profesionalmente. Con varias fincas a su disposición, distribuidas entre Luján de Cuyo y las alturas del valle de Uco, contó con mucho material para jugar y experimentar, incluso dentro de un mismo varietal. El trabajo hecho en los últimos años apuesta a una viticultura de máxima precisión, trabajando en pequeñas áreas dentro de una misma parcela y resaltando luego el potencial de esos sectores a través de la vinificación. "Descubrí el malbec y me enamoré", dijo alguna vez Paul Hobbs. Y los malbec siguieron siendo la insignia en la bodega manejada por Vignoni: una etiqueta que así lo demuestra es el Viña Cobos de la cosecha 2017, que logró nada menos que puntuación perfecta (100 sobre 100) en el reporte 2020 del crítico James Suckling. Claro que hay más: Andrés se manejó a la perfección con los dos grandes varietales mundiales, el chardonnay y el cabernet sauvignon, y puso especial atención a sus pinot noir, y de esta forma logró ocupar ese lugar considerado de culto en el segmento de la alta gama. Su influencia, además, se hizo sentir fuera de Argentina: de la mano de Hobbs, colaboró en proyectos más allá del océano Atlántico, como en España y en Francia. En 2022, tras siete años de trabajo constante, el joven "Mono" Vignoni se desvinculó de Viñas Cobos para continuar con proyectos personales, como el vino Tan Solo, que realiza con Ciro Martínez de Ciro y los Persas y sus múltiples consultorías. ¶

EL CONOCIMIENTO
QUE VINO DE AFUERA

CORRÍA EL AÑO 1988 cuando un enólogo francés visitó una bodega ubicada en un pequeño pueblo en las alturas de Salta para generar desde allí una verdadera revolución en los vinos de la Argentina. Ese francés era Michel Rolland, el pueblo era Cafayate y la bodega era Etchart. "Recuerdo perfectamente el día en que recibí una llamada telefónica procedente de España, de un argentino (el propio Arnaldo Etchart), dueño de una bodega, quien no hablaba más francés que yo castellano, y me pedía mediante una operadora que por favor lo asistiera", recuerda Rolland. ¶

Michel Rolland es parte, así, de un puñado de nombres –entre ellos se encuentran los de Alberto Antonini, Paul Hobbs, Attilio Pagli, Hans Vinding-Diers, Roberto Cipresso, François y Jacques Lurton– que ayudaron a modernizar el vino de la Argentina en un momento clave de la industria, la decisiva década de 1990. "Por esos años la reputación de los vinos argentinos en Estados Unidos era muy mala. Pero yo no sabía que eran tan malos hasta que los probé...", cuenta de manera fulminante el estadounidense Paul Hobbs en una entrevista publicada por el diario *La Nación* en julio de 2022. "Lo que vi aquí fue un gran *terroir*. Y lo único que se necesita para hacer vino es buena fruta; el resto, el equipamiento, se puede comprar. Además, acá el *background* de las personas era una muy buena educación y una gran cultura del vino", continúa. ¶

Todos estos consultores coinciden en ofrecer una misma mirada sobre lo que sucedía con la vitivinicultura hace apenas tres décadas en la Argentina: la búsqueda de altos rendimientos y volúmenes en las viñas, la falta de tecnología en las bodegas y, lo más importante, la elaboración de un estilo que, ya por ese entonces, era obsoleto en el mundo, con vinos, en su mayoría, oxidados y sin presencia aromática de la fruta. ¶

Tras la llegada de Rolland, en 1989 fue el turno de Paul Hobbs, quien trabajó junto a la Bodega Catena. En 1992 esta misma bodega convocó a los hermanos François y Jacques Lurton; y en 1993 llamó al italiano Attilio Pagli. "La verdad es que en esa época el malbec no le gustaba a nadie; lo cortaban o hacían blanco con él. A mí me gustó mucho por su fruta, el aroma y el color, por sus taninos interesantes... En ese momento, el mundo buscaba ese tipo de vino, redondo, siempre fácil de beber", recuerda el enólogo nacido en la Toscana. ¶

Lejos de contentarse con ser tan solo consultores –muchas veces llamados con cierta ironía *flying winemakers*, por esa condición ubicua de estar el año entero viajando por distintas regiones productoras del mundo–, estos enólogos realmente se enamoraron de la Argentina, compraron tierras y crearon sus propias bodegas en el país. El italiano Alberto Antonini, por ejemplo, visitó la Argentina por primera vez en 1995, y ese mismo año, junto al también italiano Antonio Morescalchi, comenzó a dar forma a la Bodega Altos Las Hormigas. Paul Hobbs creó Viña Cobos (asociado a los locales Andrea Marchiori y Luis Barraud), mientras que François Lurton fundó la actual Bodega Piedra Negra, con 200 hectáreas de viñedos en Los Chacayes (valle de Uco). ¶

A fines de siglo XX el italiano Roberto Cipresso –junto con Santiago Achával y Manuel Ferrer– logró que la Bodega Achaval Ferrer se convirtiera en un ícono de la alta gama en el país. Y hoy, el mismo Cipresso sigue trabajando junto a Santiago; ambos los fundadores de la prestigiosa Matervini. Michel Rolland fue incluso más allá, al convocar a varios amigos franceses para el proyecto Clos de los Siete, en Vista Flores, donde hoy conviven las bodegas Diamandes (de la familia Bonnie), Monteviejo (de la familia Péré Vergé-Parent), Cuvelier Los Andes (de la familia Cuvelier) y la propia Bodega Rolland. Y si bien cada una trabaja de manera independiente, todas ceden uvas para el corte insignia del grupo, presentado con la etiqueta Clos de los Siete. ¶
Sin embargo, los aportes de grandes enólogos internacionales en la Argentina van más allá de estos nombres. Es posible encontrar personajes pioneros, como lo fueron Robert-Jean de Vogüé y Renaud Poirier: por ellos Mendoza fue elegida, en 1959, por la champañera Moët & Chandon para elaborar por primera vez espumantes fuera de Francia. La lista debe sumar también a Patrick Suarez d'Aulan, de una aristocrática familia. del vino en Francia, que en 1999 fundó la Bodega Altavista, un *"assemblage* de dos culturas: la francesa y la argentina". En la Patagonia, es necesario destacar el trabajo de Hans Vinding-Diers con su Bodega Noemía. Hans, de nacionalidad danesa, nacido en Sudáfrica y criado en Burdeos, fue convocado como consultor en 1998 por la histórica Bodega Canale, en el valle del río Negro. Allí, en sociedad con la condesa Noemi Marone Cinzano, compró una pequeña y muy antigua viña de malbec en la zona de Mainqué, donde al día de hoy elabora algunos de los mejores vinos del país. Como vecina de Noemía, se encuentra también Bodega Chacra, creación de Piero Incisa della Rocchetta, parte de una de las grandes estirpes bodegueras italianas (creadores del icónico Sassicaia). ¶
Convocado originalmente por su amigo Hans, Piero da vida en las tierras del sur argentino a algunos de los mejores pinot noir del país. Y a esta aventura se sumó nada menos que Jean-Marc Roulot, un muy reconocido productor de chardonnay en Borgoña, para elaborar en Chacra su versión de chardonnay con impronta patagónica. ¶

Se suman ejemplos como el francés Thibaut Delmotte: enamorado de Salta, donde vive desde hace casi veinte años, este enólogo es responsable de las etiquetas de la histórica Bodega Colomé, con la que marcó nuevos rumbos para el torrontés riojano, investigando, además, en alturas extremas poco transitadas. También el enólogo suizo Hubert Weber que, a sus 27 años, llegó a la Argentina para hacer una breve pasantía en la Bodega Weinert y ya nunca más se fue de allí, como garantía del estilo de vinos que imaginó Bernardo Weinert junto a Raúl de la Mota. O el italiano Giuseppe Franceschini, un hacedor de vinos ecléctico y personal que renovó la escena con Giostra del Vino, proyecto que cruza Argentina con Italia a través de los vinos Bacán y Saltimbanco. Y que también conduce junto al reconocido agrónomo Juan Pablo Calandria el proyecto Piedra Líquida, con vinos que logran combinar el mejor varietal para cada terruño. ¶
No se trata de una competencia entre locales y extranjeros, sino de una mirada conjunta. Ninguno de estos consultores podría haber ayudado a generar los cambios que vivió la industria del vino sin el día a día constante de los profesionales locales. En ese trabajo codo a codo, añada tras añada, la vitivinicultura argentina logró enfrentar con éxito los desafíos que exigía competir en el mundo, a partir de vinos y viñedos de alta calidad. ¶

ENOTURISMO

Paisajes deslumbrantes, una gastronomía deliciosa, la arquitectura de lujo y los aromas del vino como el gran hilo conductor que teje una propuesta única. En la Argentina, el enoturismo creció en la última década como nunca antes en su historia, multiplicando opciones a través de distintas provincias. Un viaje por las alturas del norte andino, los bosques patagónicos, el mar Atlántico, las sierras y la cordillera de los Andes, siempre con hoteles y restaurantes ubicados al pie de los viñedos, con las uvas al alcance de la mano. El mejor modo de entender y disfrutar el origen de esos vinos que tanto amamos beber.

A lo largo del año, los países vitivinícolas del mundo, Argentina incluida, honran a sus vendimias y a sus vinos con decenas de fiestas y celebraciones convertidas en una atracción turística. Lejos de ser un capricho del marketing, estos encuentros tienen raíces profundas hundidas en la historia de esta bebida. Miles de años antes de que se entendiesen los fenómenos de la fermentación y las levaduras, la alquimia de transformar uvas en un vino delicioso supo estar rodeada de cierta aura mágica. Era un regalo de los dioses: no sorprende entonces que esta bebida haya estado desde sus inicios unida al misticismo, la religión y las ceremonias. ¶

Los primeros usos del vino en festejos religiosos datan del antiguo Egipto. Los viñateros le rendían culto a Renenutet, diosa de la cosecha, con altares colocados cerca de las prensas utilizadas para obtener el jugo de las uvas. Hathor, diosa de la fertilidad, también estaba asociada al vino: en sus rituales se mezclaba la bebida con la música y el canto. Ya en la cultura griega, y con el vino ocupando un lugar preponderante en la vida cotidiana y cultural del pueblo, la vitivinicultura tuvo a su dios propio, Dionisio, con una nutrida lista de fiestas dedicadas a su culto. ¶

El vino, las vides y las uvas eran considerados no solo un regalo de la divinidad, sino su encarnación en la tierra. Más que estar relacionado con la embriaguez y el desenfreno, el culto a Dionisio elogiaba el consumo como una vía para alejarse de las tristezas terrenales y elevarse así hacia la felicidad. Además de la bebida, en las celebraciones dedicadas a este dios, cumplía un papel muy importante el teatro, del que también se lo consideraba patrono. En las llamadas Grandes Dionisíacas, que se celebraban en el año 500 a. C. en las ciudades griegas más populosas, tanto dramaturgos como actores competían entre sí para obtener premios y reconocimientos. La más famosa de estas reuniones masivas era la Antesteria, un festival que tenía lugar en Atenas al comienzo de cada primavera. El inicio estaba marcado por la apertura de las vasijas de vino nuevo, que era mezclado con agua y servido a los visitantes. El segundo día un solemne ritual rendía honores a Dionisio, mientras que el tercero y último día se dedicaba a los muertos, para recordarlos no con dolor, sino con alegría, sirviendo comida y bebida en sus tumbas. Con espíritu popular, durante la Antesteria, se invitaba a sirvientes y esclavos a compartir las celebraciones codo a codo con sus amos. ¶

ENOTURISMO

En la antigua Roma, Dionisio devino en Baco y en sus grandes bacanales, esas pantagruélicas celebraciones cuya fama traspasó la frontera de los tiempos. Parte del culto se realizaba en secreto, lo cual despertó, en su momento, conjeturas de todo tipo, desde la naturaleza sexual hasta la existencia de actos criminales en el marco de las celebraciones. La heterogeneidad de estas congregaciones, que democratizaban diferencias entre clases, incorporaban a extranjeros y ponían a las mujeres en un lugar protagónico, hizo que muchos de los integrantes del poder vieran a las bacanales como una posible amenaza a la estabilidad del imperio. ¶

A lo largo del tiempo, el vino mantuvo su presencia estelar, particularmente en el judaísmo y el cristianismo, con múltiples menciones y alegorías en la Biblia: desde Noé que planta una vid para comenzar a recuperar la vida en la Tierra tras el diluvio universal hasta Jesús que transforma el agua en vino en una boda. La presencia del vino en los ritos religiosos fue, de hecho, responsable de que esta bebida se mantuviera viva durante la Edad Media y también de que llegase a América de la mano de la Iglesia. Milagro, regalo divino, símbolo de la resurrección de la primavera y de la cosecha, algo está claro: el vino merece ser celebrado. ¶

LA FIESTA NACIONAL DE LA VENDIMIA

En Argentina la gran fiesta del vino se lleva a cabo cada fin de verano en Mendoza, la principal región productora del país. Es la llamada Fiesta Nacional de la Vendimia, un encuentro de representantes del Estado y de la Iglesia, de bodegueros, viñateros, vecinos y turistas, todos celebrando la gran bebida de la patria. En el marco de esta fiesta, uno de los actos centrales es la bendición de los frutos, el momento en que se agradece a Dios por la cosecha, con la Virgen de la Carrodilla como protagonista principal. Durante el ritual, un marco construido con madera de arado sostiene una reja que es golpeada por el gobernador provincial, repitiendo la manera en la que se llamaba al descanso –al mediodía y al finalizar la tarde– en la jornada de trabajo campestre. Luego, la ceremonia religiosa es oficiada por el arzobispo de Mendoza. ¶

Si bien recién terminaría de establecerse como celebración nacional décadas después, la Fiesta de la Vendimia en Mendoza encuentra sus primeros antecedentes en un desfile ocurrido en 1913 como corolario de un congreso de la industria y el comercio del vino. Esta fue la primera iniciativa oficial que se sumaba así a los festejos populares realizados por los propios trabajadores de la vid al final de cada cosecha, en encuentros informales que sumaban largos asados alimentados con la madera de las vides y aún más largas veladas de canto y baile, y culminaban con la coronación de alguna joven vendimiadora como reina. Años más tarde, en 1936, un decreto impulsado por los funcionarios provinciales Guillermo Cano y Frank Romero Day institucionalizó la primera fiesta vendimial mendocina, cuya edición inaugural reunió a nada menos que veinticinco mil personas, que

ENOTURISMO

ENOTURISMO

mostraban la pasión e influencia que el vino y su producción generaban en la provincia. La elección de la reina de la vendimia (que en las primeras épocas abría el evento y luego pasó a cerrarlo) se instituyó originalmente como un homenaje a la labor femenina en las cosechas, recordando a aquellas vendimiadoras que eran coronadas por sus pares. Luego se le sumó una función estratégica, convirtiendo a esa reina en una embajadora de Mendoza, difundiendo a través de actos y viajes las virtudes y atractivos de la provincia. ¶

En la actualidad, la Fiesta Nacional de la Vendimia se convirtió en uno de los grandes eventos anuales que se realizan en Argentina, que recibe a turistas al por mayor. En el año 2020, más allá de los propios mendocinos presentes, se contabilizaron más de 70 000 turistas llegados en su mayoría de Buenos Aires, Córdoba, Santa Fe, Chile y Brasil. Considerada la segunda fiesta de la cosecha más grande del mundo, el acto demanda un gran despliegue que se traduce en un escenario de 3000 metros cuadrados, 25 000 luminarias, 4000 trajes para bailarines, actores y figurantes, 500 kilos de fuegos de artificio y un *staff* de producción de más de 1000 personas. ¶

Su fecha fija es el primer sábado de marzo, en plena época de vendimia (que suele comenzar ya en enero con las uvas de los espumantes), con el Teatro Griego Frank Romero Day como punto neurálgico de los espectáculos, al pie del cerro de la Gloria, en el parque General San Martín. La puesta en marcha arranca el viernes anterior, cuando las reinas de los distintos departamentos de Mendoza protagonizan la Vía Blanca, desfilando en carros alegóricos por las calles céntricas mendocinas; y continúa a la mañana siguiente con el Carrusel, un evento durante el cual carruajes y carretas tiradas por bueyes y caballos recorren la ciudad junto con agrupaciones gauchas con sus miembros vestidos a la manera tradicional. Al atardecer comienza la puesta en escena artística central de la fiesta, donde se pone de relieve la cultura autóctona y el amor por los productos de la tierra, a través del despliegue de cientos de bailarines y actores. Es una noche en la que se reúnen artistas de todo el país, y los festejos culminan con la elección de la reina y un gran show de fuegos artificiales. ¶

UN PAÍS CELEBRANDO AL VINO

Si bien la Fiesta Nacional se lleva muchos de los grandes focos de atención, el vino suma muchas celebraciones, tanto en la propia Mendoza como en el resto del país. Un ejemplo es la Vendimia para Todos, un encuentro que nació en 1996 como una broma paródica a la Fiesta Nacional y que, a lo largo de los años, se convirtió en una de las celebraciones más importantes del mundo de la comunidad LGTB. Este evento comenzó por fuera de toda pretensión oficial, en los márgenes de la vendimia, con sus propios espectáculos artísticos. Pero, gracias su crecimiento e importancia, terminó siendo sumado a la Fiesta Nacional. ¶

Más allá de Mendoza, pero aún en la región de Cuyo, San Juan celebra la Fiesta Nacional de la Uva y el Vino de Caucete, una tradición que comenzó en el año 1980 a modo de reconocimiento para la actividad vitivinícola provincial. Organizada también en el mes de marzo, en sus primeras épocas, el encuentro giraba alrededor de los tradicionales asados de finalización del trabajo en la cosecha. Si bien con el tiempo sus organizadores fueron expandiendo las actividades, un cúmulo de problemas económicos y organizativos impidieron su realización permanente, hasta llegar a interrumpirse por siete largos años. Por suerte, el crecimiento productivo experimentado por la industria vitivinícola de San Juan determinó su regreso, con una grilla de artistas más extensa y un renovado interés por parte de los propios habitantes del valle de Caucete. Actualmente, los festejos tienen lugar en el predio municipal de la ciudad sanjuanina luego de la bendición de los frutos en el atrio de la iglesia Cristo Rey. Además de números musicales y de danza, la fiesta incluye una feria agroindustrial, una feria artesanal, una demostración del hilado de lana de vicuña y un patio de comidas donde se pueden probar delicias, como el imperdible quesillo de cabra acompañado por vino patero. ¶

Camino al norte, los festejos ganan aroma a uva fresca y deliciosa. En el valle de Chilecito (La Rioja), el torrontés tiene su propio festejo a fines de noviembre. Allí, bodegueros, artistas, artesanos y emprendedores turísticos se unen en la zona que concentra el 75 % de las bodegas de la provincia. Organizada por la municipalidad de Chilecito junto a los principales productores regionales, la Fiesta Nacional del Torrontés Riojano nació en 2009 con el Club Atlético Independiente de Chilecito (fundado en 1943) como sede elegida. Durante el evento, una serie de stands promocionan a la cepa emblemática de la zona, además de otros productos como grapas, frutos secos y aceites de oliva, mientras diversos artistas del folklore argentino animan a la concurrencia junto a grupos locales de danza. ¶

También el torrontés es la cepa elegida para celebrar en Salta en la cada vez más prestigiosa Semana del Torrontés de Altura, que tiene a Cafayate y a Cachi como ejes principales. Este evento se realiza en la segunda semana de octubre, por iniciativa de Museo de la Vid y el Vino ubicado en Cafayate, y nació por iniciativa del Museo de la Vid y el Vino ubicado en Cafayate. Su objetivo es turístico, pero también va más allá, con el objetivo final de posicionar al torrontés como cepa emblema de la provincia. Organizada por el Gobierno provincial junto a varias bodegas de la zona, como Domingo Hermanos, Finca Quara, Piattelli, El Porvenir, Bodega Nanni, Vasija Secreta, El Esteco, Etchart, Finca Las Nubes y Colomé, la Semana del Torrontés incluye espectáculos, degustaciones de vinos y gastronomía, clases maestras y capacitaciones especializadas para el personal gastronómico. Y suma también actividades y ofertas relativas al torrontés en todo el país. ¶

En Córdoba, durante la primera quincena del mes de julio, la ciudad de Colonia Caroya conmemora el final de la cosecha de la uva. Esta Fiesta Provincial de la Vendimia cuenta con muchos años de tradición: nació allá lejos en 1970, como herencia de los inmigrantes que llegaron desde Friuli (Italia) y, usualmente, se celebra en conjunto con la Fiesta Nacional de la Frutihorticultura. Aquí el festejo incluye un desfile de carrozas por la avenida principal de Colonia Caroya, junto con una serie de espectáculos musicales al aire libre, un homenaje al vino a cargo de grupos culturales, musicales y de danzas de la ciudad y, finalmente, la elección de la reina de la vendimia. ¶

La Patagonia no podía estar ausente de estas celebraciones. Desde el año 1973, durante el mes de marzo, Villa Regina (Río Negro) es el hogar de la Fiesta Provincial de la Vendimia, un encuentro que mantiene un esquema similar a la mendocina, con bendición de frutos, desfile de carrozas por la ciudad y elección de la reina. Como en todo evento popular, no faltan los shows musicales de artistas nacionales y regionales, además de la degustación de productos locales. A esto se suma una actividad deportiva, el Triatlón de la Vendimia, que se realiza una semana más tarde y une las disciplinas de natación, *mountain bike* y pedestrismo. ¶

La última novedad también proviene del sur patagónico: en 2021 nació la Vendimia Neuquina, una idea generada desde el Municipio de San Patricio del Chañar en conjunto con algunas de las bodegas de la zona, como Del Fin del Mundo, Malma, Familia Schroeder, grupo Peñaflor y Secreto Patagónico. Con alrededor de 1350 hectáreas de viñedos en total, estas bodegas producen y comercializan alrededor de 13 000 000 de litros de vino por año, pero, al ser una de las regiones del vino más nuevas del país, no contaban todavía con un festejo propio. De esto se trata la Vendimia Neuquina, un encuentro que busca visibilizar la producción vitivinícola de la región y su idiosincrasia, apoyándose en otros productos característicos de la provincia de Neuquén, como las conservas, los aceites de oliva y los quesos. ¶

TURISMO DEL VINO: VIAJAR DETRÁS DE UNA COPA

Una postal idílica, perfecta, que seduce al mundo entero: las viñas con sus hojas de color verde intenso en verano, de ocres dorados en otoño; las bodegas tradicionales con sus paredes de adobe o las de arquitectura supermoderna; la recorrida por las salas de barricas, el aroma de los tanques de fermentación. Paisajes, cultura, patrimonio, sabor, historia, presente; de eso se trata el enoturismo. De la posibilidad de probar un vino que representa su tierra en el mismo lugar donde se elabora, guiados por expertos, conociendo sobre las variedades y las características de cada lugar. ¶

A lo largo de las últimas décadas, el turismo relacionado al vino creció como nunca antes, generó recorridas y rutas propias en todos los países productores, multiplicó propuestas y atrajo a millones de turistas. En palabras de la Organización Mundial de Turismo (OMT), "a medida que crece el turismo mundial y aumenta la competencia entre destinos, el patrimonio cultural inmaterial, local y regional se convierte cada vez más en el factor diferenciador para atraer a los turistas. Para muchos destinos, la preparación culinaria y la elaboración de vinos forman parte integral de su historia e identidad y se han convertido en el elemento clave de la imagen de marca de la nación". ¶

En su libro *Turismo del vino*, Gabriel Fidel asegura que el siglo XXI registra una tendencia en la que "del dominio del turismo de sol y playa se va pasando progresivamente a un conjunto heterogéneo de alternativas y motivaciones de viaje en los que la diversión, las visitas y las estancias con amigos, la atracción de diversos eventos, la búsqueda de experiencias amorosas, el deseo de acción, la atracción de la gastronomía o la simple búsqueda de relajación son algunos ejemplos". Es decir, ya no alcanza con la playa y la sombrilla, tampoco con la nieve y el esquí: a los paisajes y deportes es cada día más necesario agregar aspectos culturales y simbólicos, que den valor agregado al viaje. El enoturismo es un gran ejemplo, que se asocia además a otras motivaciones turísticas, como el *slow travel* (emparentado con el movimiento *slow food*), el turismo rural (en contraste con el urbano) y el turismo ambiental, donde la sustentabilidad, la conciencia y el cuidado del entorno ganan protagonismo. ¶

Como uno de los principales productores y consumidores de vino del mundo, Argentina es uno de esos grandes destinos a los que se refiere la OMT, con Mendoza compitiendo de igual a igual con regiones de renombre como La Rioja en España, Burdeos en Francia, La Toscana en Italia o Napa Valley en Estados Unidos. Pero no solo se trata de las regiones más grandes, sino que el turismo del vino se diversifica, busca conocer lugares pequeños y alternativos, lo que en Argentina se traduce en el crecimiento de opciones como los valles Calchaquíes y la Patagonia. Incluso, hablar de turismo de vino no excluye a otros tipos de turismo, ya que es posible –y de hecho sucede todo el tiempo– que muchos elijan, por ejemplo, la costa atlántica marplatense por sus playas, pero también aprovechen para conocer una bodega en Chapadmalal. O van a hacer *rafting* en San Ra-

fael y de tarde beben una copa de espumante en alguna de las productoras de la zona. O se asombran con el Valle de la Luna en San Juan para luego visitar el museo del vino de Graffigna. O hacen *trekking* en Catamarca y conocen una pequeña bodega artesanal de paredes centenarias.

A lo largo de la última década, el enoturismo creció en toda Argentina de manera constante gracias al trabajo de entidades nacionales, provinciales y municipales, y aún más, con propuestas privadas, a partir de aperturas de restaurantes y hoteles, la generación de rutas específicas y la presentación de actividades originales, desde recorridas en bicicleta y globo aerostático hasta recitales, exhibiciones artísticas, pícnics y actividades para toda la familia, entre muchas más ideas.

Si bien el turismo del vino existe en el país desde hace varias décadas, su gran evolución ocurrió a partir del cambio de siglo, de manera simultánea a los propios cambios que vivió la industria del vino con sus nuevos estilos y la apertura a mercados internacionales. De poco más de 100 bodegas abiertas a recibir turistas en 2006, según datos del Observatorio de Turismo del Vino de Bodegas de Argentina, ya en 2013 ese número se había duplicado, hasta alcanzar las 200 bodegas (el 62 % en Mendoza), que recibían casi un millón y medio de visitas anuales. Cuatro años más tarde, como parte del plan estratégico nacional "Argentina Tierra de Vinos", estos números siguieron creciendo de manera considerable, ya con 245 bodegas que contaban con opciones turísticas y al menos 50 de ellas con restaurante propio. Y más allá del golpe que significó al turismo en general la pandemia nacida a principios de 2020, el futuro promete más crecimiento, para todos los gustos y posibilidades.

La gastronomía y el vino son hoy parte esencial de la experiencia turística. No es extraño, incluso, que muchos decidan el destino de su viaje de acuerdo a la comida y a la bebida de cada región. Argentina cuenta, en ese sentido, con características propias que la hacen sobresalir en un mapa global. A lo largo de sus más de 4000 kilómetros de longitud, más de 330 bodegas se distribuyen en al menos 16 provincias, desde la dominante Mendoza hasta la cálida Entre Ríos, pasando en ese camino por lugares tan distintos como La Rioja, Buenos Aires, Salta, San Juan, Catamarca, Jujuy, Córdoba, Tucumán, Santiago del Estero, Río Negro, Neuquén, Chubut, San Luis y La Pampa. Cada uno de estos lugares no solo ofrece sus vinos, sino también un ecosistema atractivo y particular, compuesto por paisajes, músicas, gastronomía y cultura.

CAFAYATE Y LOS VALLES CALCHAQUÍES

Los valles Calchaquíes no solo son origen de algunos de los mejores vinos de la Argentina, sino que dan vida además a uno de los grandes destinos turísticos nacionales. Conformada por una sucesión de valles y montañas, de cardones y cielos despejados, esta zona se extiende de norte a sur atravesando la provincia de Salta, pero también el extremo oeste de Tucumán y el noreste de Catamarca. Allí están los ríos Calchaquí y Santa María, que juntos forman el río de las Conchas, que da vida a cultivos rodeados de cumbres que llegan a los 6300 metros sobre el nivel del mar. Hablar aquí de turismo es, siempre, hablar de vinos, pero también de paisajes deslumbrantes, de esos que cortan la respiración con arrebatos místicos. Una de las bellezas naturales más visitadas es la Reserva Natural Quebrada de las Conchas, con monumentales formaciones rocosas rojizas producto de la erosión y los movimientos tectónicos ocurridos a lo largo de millones de años. Declarada reserva natural en 1995, es también un importante yacimiento paleontológico del período Cretácico. ¶

Dentro de la quebrada, el imponente cañón de la Garganta del Diablo exhibe en todo su esplendor la inmensidad de la naturaleza, mientras que el Anfiteatro, un escenario caprichoso de paredes rocosas con excelente acústica, supo aprovecharse para alojar varios espectáculos musicales. Conexión entre las costas del Pacífico y el interior del continente, en recientes investigaciones se descubrió que, en la quebrada, a pocos metros de la actual ruta 68, pasaba la traza del antiguo Camino del Inca. En las inmediaciones de Cafayate también puede visitarse otro punto de enorme importancia histórica y cultural, las Ruinas del Divisadero, antiguo asentamiento alguna vez habitado por los diaguitas y actualmente objeto de estudio de arqueólogos de todo el mundo. Allí pueden encontrarse morteros, restos de vasijas, pircas y apachetas decoradas con pinturas rupestres de figuras animales y cósmicas, algunas incluso realizadas en épocas precristianas. También a pocos kilómetros del ingreso a Cafayate se encuentra Los Médanos, lugar elegido para caminatas, cabalgatas y fogones nocturnos. Estos montículos de arena blanca, que pueden alcanzar los 30 metros de altura, se formaron por la acumulación de las arenas del río Santa María transportadas por el viento. ¶

La parte salteña de los valles Calchaquíes incluye diversos pueblos que comparten orígenes y estructuras coloniales, como Payogasta, Cachi, Molinos, San Carlos y Cafayate, entre otros, con viñedos considerados entre los más altos de mundo (junto con los de la quebrada de Humahuaca). Se suman paisajes únicos, de esos que funcionan como postales icónicas y fáciles de reconocer: un buen ejemplo es el Parque Nacional Los Cardones, el sitio con mayor diversidad de cactus del país. Cercana a Cachi, esta reserva fue creada en 1996, y abarca en su extensión distintas alturas y ecorregiones, desde los Andes hasta las sierras, pasando por quebradas e, incluso, yungas. En invierno es posible encontrar allí lagunas congeladas formadas por el agua de lluvia (esto es común en la parte del Valle Encantado), mientras se escucha el canto inconfundible del yasto (también llamado carpintero andino). Pero claro que la firma registrada de este parque son sus enormes cardones, que llegan a los 15 metros de altura, levantándose solitarios como sombras filosas que dan respiro en el paisaje. ¶

Entre los distintos pueblos y localidades que se distribuyen en los valles Calchaquíes, Cafayate es el principal polo vitivinícola, que agrupa a muchas de las grandes bodegas tradicionales de la región. Una ciudad pequeña, con una arquitectura baja, calles sinuosas y fachadas de adobe. Se destacan la catedral Nuestra Señora del Rosario construida en 1885 y el molino de maíz que los jesuitas levantaron en el siglo XVIII y que aún funciona. A eso se suman las ferias en las que artesanos locales ofrecen sus productos al público y el Museo Regional y Arqueológico, donde se exhiben piezas cerámicas, textiles y metálicas que tuvieron usos religiosos y funerarios. Todas fueron descubiertas a través de trabajos de excavación, clasificación y restauración realizados a lo largo de más de seis décadas por el investigador Rodolfo Bravo. Para completar la experiencia, vale la pena visitar el Museo de la Vid y el Vino, que presenta una muestra dinámica e interactiva sobre la historia y las características de los viñedos en los valles Calchaquíes. Inaugurado en 2011, los distintos contenidos se presentan a través de puestas escénicas, programas multimedia y presentaciones audiovisuales que combinan diseño, creatividad, arquitectura y tecnología. ¶

No es necesario salir del centro de Cafayate para comenzar ya el recorrido por sus vinos. En la propia ciudad se ubica, por ejemplo, la centenaria construcción de la actual Bodega El Porvenir, adquirida a fines de la década de 1990 por la familia Romero Marcuzzi, para luego ser reconstruida y remodelada. Allí se pueden degustar almuerzos regionales, armar pícnics en los viñedos y tomar clases de armado de empanada, guiados por una verdadera "empanadera" tradicional, de esas mujeres que poseen el repulgue ya grabado en la memoria de sus manos. La bodega posee, además, un alojamiento a pocas cuadras de la plaza principal, rodeado de viñedos, y cuenta con una gran piscina. ¶

También muy cerca de la plaza, el enólogo Agustín Lanús y su socio David Galland llevan adelante Bad Brothers Wine Experience, un espacio gastronómico que ofrece degustaciones de sus vinos y un menú de tapas para maridar. Otras históricas bodegas que constituyen importantes puntos turísticos dentro de Cafayate son Nanni, Domingo Hermanos y Vasija Secreta, la cual ocupa una antigua estancia del siglo XIX ubicada en la entrada a la ciudad y posee el Resto Wine, con un menú que fusiona la cocina regional con la de autor. ¶

En las inmediaciones, Bodega Etchart –ubicada al pie de los Andes– se convierte en una visita ineludible. Nacida en 1850, se trata del establecimiento vitivinícola más antiguo en funcionamiento en los valles Calchaquíes, uno de esos nombres que todo amante de los vinos relaciona directamente a esta zona y, también, a los aromáticos torrontés que

nacen en los viñedos de altura. Mientras, la cercana Finca Quara aporta su propia mirada de la historia y de familia, ocupando una preciosa bodega inspirada en el estilo renacentista que el arquitecto italiano Andrea Palladio impuso en la época del cinquecento, en la que constituye una de las construcciones más antiguas y mejor conservadas de la región. Visitando estos lugares no quedan dudas de la importancia que la región tuvo en el entramado político y social que fue parte de la construcción de la incipiente Argentina del siglo XIX. ¶

Otro tesoro arquitectónico de la zona es la Bodega El Esteco, en este caso de estilo colonial vallisto español, con espaciosas galerías y patios internos. Con más de un siglo de historia, el edificio contrasta con las vasijas de concreto y los tanques de acero inoxidable de alta tecnología utilizados para la vinificación, todo en medio de jardines y viñedos que brillan bajo el omnipresente sol calchaquí, entre parrales, espaldares e, incluso, sistemas de tipo gobelet, como parte de la continua investigación sobre suelos y modos de cultivo. En el predio de la bodega se alza, además, el hotel Patios de Cafayate, que ocupa el casco de una finca originalmente fundada en 1892 e incluye el restaurante La Rosa, con cocina de producto alimentada por su propia huerta. ¶

Ya los 1700 metros sobre el nivel del mar parecen inalcanzables, pero los valles siguen subiendo, ganando altura y potencia. En esa cuesta aparece, por ejemplo, Piattelli Vineyards, con una bodega preciosa que recorta perfecta sobre los cerros, entre jardines floridos y glorietas románticas, y que suma además uno de los mejores restaurantes de la zona. Por allí comienza el paraje de Yacochuya, donde se encuentra la icónica Bodega Domingo Molina –a 2000 metros sobre el nivel del mar–, que aprovecha los niveles del terreno en función del efecto de la fuerza de gravedad, para evitar así el uso de bombas hidráulicas. Muy cerca está otra de esas casas cuyo nombre suena en los oídos de todo amante de los vinos, San Pedro de Yacochuya, en este caso con una vista memorable del paisaje, de la mano de su ubicación a 2035 metros sobre el nivel del mar en la precordillera. ¶

Como sucede en gran parte de los valles vitivinícolas andinos de Argentina, la ruta 40 funciona como un hilo resistente que enhebra historias y bodegas. Saliendo desde Cafayate al norte, hacia Molinos y Cachi, cada curva del camino despierta suspiros y fotografías. Llegando a Angastaco, en el departamento de San Carlos, está la quebrada de las Flechas, un paisaje lunar de enormes formaciones rocosas que invita a bajar del vehículo. Se llama así porque las piedras simulan puntas de flechas que apuntan al cielo, de colores que van de un rojizo claro a un gris ceniza. Ideal para recorrerla entre el otoño y la primavera (en verano son comunes las fuertes lluvias que dificultan el camino), la mirada cambia según la hora del día, con distintos juegos de sol y sombra a medida que el sol desciende en el horizonte. Con sectores bien diferenciados, la quebrada de las Flechas alberga incluso viñedos como Rupestre, de Domingo Hermanos. Ubicado a 2200 metros sobre el nivel del mar, en medio de un paisaje desértico que contrasta con el verde intenso de las vides, allí esta bodega cultiva variedades como malbec, cabernet sauvignon, tannat, bonarda, merlot y syrah. ¶

A mitad del trayecto entre Cafayate y Cachi, Colomé es otro de los puntos turísticos ineludibles, con sus viñedos cultivados a más de 2300 metros sobre el nivel del mar, casi entre las nubes. Un lugar recóndito pero ideal para quedarse al menos por una noche, durmiendo en el precioso hotel *boutique* Estancia Colomé, con vista a los viñedos y jardines de lavandas. Allí es posible comer también en su restaurante, probando delicias como las hojas tiernas del torrontés preparadas en tempura y visitar luego un museo único en el mundo, tanto por ubicación como por la propuesta: está dedicado íntegramente a la obra del artista contemporáneo James Turrell, que ofrece una interacción entre espacio, luz y tiempo, y da pie a una experiencia interactiva que nunca se olvidará. ¶

Es necesario entender el esfuerzo, la voluntad y también y la visión que significa elaborar vinos en lugares tan remotos, aislados del mundo conocido, por caminos difíciles de transitar, en climas duros y secos. En Tacuil esto se percibe a flor de piel, en una bodega que se define a sí misma en base a una palabra: "recóndito". Enclavada en Molinos, este proyecto de la reconocida familia Dávalos (con varias generaciones de viticultores a sus espaldas) da vida a vinos tan extremos como lo es su paisaje, vinos que esquivan la madera para potenciar toda su expresión frutal. La misma sensación de "perdido en el mundo" se tiene al conocer las bodegas de Cachi, siguiendo la ruta 40 al norte, en lugares como Miraluna, que recibe con cabañas propias y degustaciones de sus vinos. O la Bodega Isasmendi (otro apellido que es parte de la historia del vino en Argentina), con viñedos ubicados a 2500 metros sobre el nivel del mar, al pie del Nevado de Cachi. Viñedos que están entre los más altos de los valles Calchaquíes y, como bien remarcan en esta casa, entre los más altos del mundo. ¶

Resulta imposible resumir las opciones turísticas que ofrecen los valles Calchaquíes, sea durmiendo en hoteles como el lujoso Grace (dentro del barrio La Estancia de Cafayate), en Altalaluna, el precioso hospedaje de Bodega Tukma, o probando los vinos de Finca Las Nubes, con sus viñedos ideales para recorrer en bicicleta. Alejándose de Cafayate, de Cachi –a nada menos que 3000 metros sobre el nivel del mar– hasta San Carlos (donde se pueden probar los quesos de cabra del pueblo de Amblayo), las posibilidades siguen multiplicándose al infinito. En Angastaco, en el kilómetro 4421 de la icónica ruta 40, sorprende la Bodega El Cese, que se levanta con firmeza en medio de un paisaje desértico. ¶

En la localidad de Tolombón, una parada necesaria es la Bodega Estancia Los Cardones, que se alza en lo alto de la pendiente oriental de los valles Calchaquíes. Inaugurada a principios de 2017, esta casa fue construida con piedra extraída de las canteras de la misma finca, para reflejar así en las paredes el suelo que conforma el viñedo. Y hay más: una opción es ir hacia el sur de Cafayate, cruzar, por ejemplo, a Catamarca y visitar la ciudad de Santa María. O seguir el camino que va a Tucumán, llegando al pueblo Amaicha del Valle, otro punto turístico ya muy reconocido. Allí se puede recorrer lugares como su Museo de la Pachamama, diseñado por entero por Héctor Cruz, una mezcla autodidacta de pintor, escultor y artesano que armó un espacio que es mágico. Y también acercarse a Colalao del Valle para visitar la pequeña Bodega Chico Zossi, considerada la más antigua de Tucumán. Esta bodega se creó originalmente en 1910 y siguió elaborando vinos hasta la década de 1960, cuando cerró sus puertas. Y con nuevas generaciones a cargo, hoy vuelve a estar de pie, mostrando que los valles Calchaquíes tienen todavía muchas sorpresas bajo su manga. ¶

Empanadas al por mayor –dentro de los propios valles se pueden comparar las de Salta con las de Tucumán y Catamarca–, vinos maravillosos, caminos de tierra, grandes alturas y hoteles lujosos, cielos inmensos y quebradas abruptas, bodegas centenarias y otras pequeñas y artesanales, tradición y juventud. Así son los valles Calchaquíes. ¶

LA CORDILLERA COMO TELÓN DE FONDO

Como principal elaboradora de vinos del país, Mendoza es también la provincia que más opciones presenta a la hora de definir un viaje a través de sus vinos y protagonistas. La oferta es tan inmensa que requiere pensar las rutas de acuerdo a los distintos departamentos y regiones que conforman la provincia. Sin dudas, las áreas de Maipú y Luján de Cuyo cotizan fuerte en materia turística, en parte por su cercanía con la capital mendocina (a no más de treinta minutos en auto), pero además porque allí se congregan muchas de las grandes bodegas del país, las que dieron y siguen dando forma al vino argentino en el mundo.

Maipú, ubicada unos kilómetros más al sur de la capital mendocina, al este de la ruta nacional 40, se define a sí misma como la cuna del vino y el olivo; una referencia a aquellos antiguos cultivos que comenzaron a poblar esta zona allá por el siglo XVI. "Fue el destino elegido por los europeos que pretendían conservar una de sus tradiciones familiares", explican desde el municipio. Una primera parada podría ser el Museo del Vino de la Bodega La Rural, que se ubica en la que fuera la casa familiar de Felipe Rutini, fundador de esta bodega en 1885. Tanto en sus jardines exteriores como en salas dispuestas especialmente, este museo cuenta con una de las colecciones más completas del mundo, con herramientas, utensilios y maquinarias que fueron parte de la elaboración del vino en Argentina en los últimos dos siglos. Son en total más de 4500 piezas originales, que incluyen carruajes, lagares, prensas, herramientas de tonelero, cubas de madera gigantescas, recipientes de barro cocido de la época colonial, vasijas de roble, bombas y moledoras, libros, catálogos enológicos, elementos de laboratorio, botellas y más objetos. Cada uno de ellos conforma, a modo de un enorme rompecabezas, una imagen certera que cuenta la historia del vino en Argentina y en Latinoamérica, con esos saberes llegados en los barcos transatlánticos de la mano de inmigrantes que encontraron en estas tierras su modo de desarrollarse. Una historia antigua que nos habla del presente.

Maipú reúne bodegas que ya no requieren presentación. Entre ellas, la emblemática Trapiche, que ocupa un gran edificio de estilo renacentista, originalmente de 1912, al que se lo considera un ícono arquitectónico de Mendoza. Ubicado al costado de la vía ferroviaria, esa misma vía que llevaba los vinos de Mendoza a Buenos Aires, dentro no solo funciona la bodega que recibe y procesa uvas de cada rincón de Mendoza, sino que además se suman dos ofertas gastronómicas. Por un lado, el restaurante Espacio Trapiche, premiado con medalla de oro en Great Wine Capitals, con un menú pensado desde el concepto de "kilómetro cero" por el chef Lucas Bustos; por el otro, Estación 83, un antiguo vagón de tren reacondicionado como *wine bar* ubicado al aire libre, un lugar ideal para beber un vino al atardecer bajo la sombra de los olivares.

No lejos de allí está la centenaria Bodega López, otro nombre propio del vino nacional, y una de las pocas casas elaboradoras que continúa utilizando grandes toneles de roble para dar vida y tiempo a sus mejores vinos. Con museo incluido, es posible recorrer allí mismo los ciento veinte años de vida de la bodega, realizar catas a ciegas o degustaciones en los jardines. ¶

La Casa del Visitante, la opción turística ofrecida por la familia Zuccardi en Maipú, es otra parada obligatoria. Allí también las opciones se multiplican: por un lado, cuentan con un restaurante muy reconocido (imperdible probar las famosas empanadas de "la Chacha", ya reconocidas en Argentina); por el otro, está el relajado espacio Pan y Oliva, combinación de restaurante y almacén basado en los premiados aceites de oliva Zuccardi. La oferta de actividades de La Casa del Visitante se distingue por su creatividad y diversidad, con planes pensados para todos los gustos y edades, desde recorrer los viñedos en bicicleta hasta participar de la vendimia pasando por pícnics en los jardines, poda de viñedos o ver la finca desde el aire a bordo de un globo aerostático. ¶

Hay mucho más para hacer en esta zona: en Maipú se ubican bodegas grandes y pequeñas, históricas y contemporáneas. Allí está Carinae, la casa de una pareja francesa que creó esta bodega en 2003 que lleva el nombre de una constelación; y también la Bodega Cecchin con sus viñedos 100 % orgánicos. La Casa El Enemigo ubicada en Chachingo es, desde su apertura, uno de los puntos fuertes de la zona, donde se recibe en un entorno en el que se unen vinos y literatura (otra de las pasiones del enólogo Alejandro Vigil), mientras que en la Bodega Antigal es posible recorrer cavas subterráneas creadas originalmente en 1897. Más información: http://maipucunadelvino.com. ¶

LUJÁN DE CUYO

Siguiendo hacia el sur por esa ruta 40 que cruza el país entero, pero mirando ahora hacia la precordillera de los Andes, está Luján de Cuyo, joya vitivinícola de la Argentina. Unas 100 bodegas se asientan en zonas de gran prestigio y calidad, como Agrelo, Las Compuertas, Perdriel, Ugarteche y Vistalba, entre otras. Algunas elaboran millones de litros al año, otras apenas alcanzan unos pocos miles de botellas. Este departamento es considerado todavía parte del Gran Mendoza, y esa cercanía con la ciudad posibilita que muchas bodegas abran al turismo durante todo el día, incluso para las cenas, algo que resulta mucho menos usual en zonas más alejadas como lo es el valle de Uco. Allí está también la localidad de Chacras de Coria, convertido en un pequeño barrio urbano de quintas y preciosas casas con jardines cuidados, donde abundan pequeños hoteles, casas de campo y deliciosos restaurantes. ¶

Luján es tradición, pero también modernidad. Se mezclan nombres centenarios con bodegas nacidas a partir del cambio de siglo. Hay lugares lujosos y otros más modestos, desde la alta gastronomía hasta los asados criollos, desde hoteles cinco estrellas hasta *lodges* e, incluso, hospedajes económicos. El paisaje está dominado por la precordillera y una urbanización creciente que va ocupando espacios que antes eran exclusivos del universo del vino. ¶

Por suerte, sobran las opciones para comer y beber bien en Luján de Cuyo. El restaurante La Vid (de Bodega Norton, en Perdriel) es de los destinos más reconocidos y visitados incluso por los propios mendocinos. En la cercana Casarena ofrecen menús muy trabajados y delicados, en un espacio que cuenta con una vista preciosa a los viñedos. La renovada Bodega Lagarde, en Drummond, utiliza para su restaurante los productos de la huerta propia, cuidada en persona por Sofía Pescarmona, parte de la familia propietaria. Entre las novedades se destaca 5 Suelos, el restaurante de la bodega Durigutti manejado por la reconocida Patricia Courtois, y Angélica Cocina Maestra, la apuesta gastronómica de la bodega Catena Zapata. Quien ame las burbujas puede elegir la recorrida guiada por Cruzat, y quien quiera una zambullida en los sabores patrios tendrá los asados a la cruz de los domingos en Finca La Anita. Entrar a Luigi Bosca en Godoy Cruz implica abrir las puertas de la historia probando algunos de los vinos más prestigiosos del país, mientras que la joven Kaiken (fundada en 2001 en Vistalba) tiene al chef Francis Mallmann en el diseño de la cocina de su restaurante Ramos Generales. Sin alejarnos de Vistalba, brilla otro gran nombre del vino argentino, Nieto Senetiner, que en 2021 estrenó una nueva oferta turística con más gastronomía y actividades. Ya la fachada de esta bodega permite entrever los ciento treinta años de historia del tradicional edificio fundado en 1888, mientras que la cava vidriada de 13 metros de extensión y 1000 botellas de capacidad atrae la mirada. Su restaurante apuesta a una cocina "hogareña", basada en esos platos caseros que son parte del gran recetario argentino, con calidad y sabor. ¶

En Agrelo brillan algunos de los principales destinos del enoturismo mendocino. Sobre la calle Cobos, se impone con su presencia y reconocimiento la famosa pirámide de la Bodega Catena Zapata. Es una estructura inspirada en la tradición maya, construida por el arquitecto Pablo Sánchez Elía en 2001 bajo idea del propio Nicolás Catena. En su momento, cuenta Nicolás, él había imaginado arquitecturas de estilo italiano, también francés, pero luego entendió que Catena Zapata debía representar al Nuevo Mundo, al choque de dos culturas, a esta América transatlántica a la cual llegaron esos mismos italianos, franceses y españoles con sus vides bajo el brazo. De paredes construidas con la ayuda de piedras de los Andes mendocinos y con grandes puertas madera de árboles autóctonos (álamos, lapachos, sauces, vides), en el mismo centro de la pirámide, una escalera circular y una claraboya cónica de vidrio permiten que la luz ilumine el interior de manera natural. ¶

Otro punto fuerte en la parte más alta de Agrelo es Rosell Boher Lodge, uno de los hospedajes más premiados en el mundo: fue elegido como Mejor Restaurante de Bodegas del Mundo en 2020, obtuvo también el Oro en Arquitectura y Paisajes de Mendoza en

2019 y logró otro Oro en Alojamiento de Mendoza en 2017, todo otorgado por Great Wine Capitals. Cuenta con una suite de lujo y once villas privadas, cada una con fogón en sus terrazas, cava privada y jacuzzi, dentro de 820 hectáreas de viñedos ubicadas entre los 1050 y los 1200 metros de altura sobre el nivel del mar. Uno de esos paraísos terrestres, que mejoran aún más con una copa de espumante en mano. ¶
Las opciones se abren en decenas de caminos y rutas apuntando a otras tantas bodegas, cada una con su personalidad y sus vinos, ofreciendo catas, degustaciones, recorridos. La historia y la alta calidad se hacen presentes en lugares como Bodega Benegas (de uno de los apellidos ilustres del vino argentino) y Cavas de Weinert (responsable con Weinert Estrella 1977 de elaborar uno de los malbec antiguos más buscados por los coleccionistas). Ruca Malen ofrece juventud y modernidad, tanto en sus vinos como en su restaurante (que en 2013 fue elegido como "Mejor experiencia en restaurante de bodega del mundo"), mientras que Viña Cobos permite probar las creaciones elaboradas bajo la mirada del estadounidense Paul Hobbs, referente del vino en el mundo. ¶
Hay mucho más: de la bodega de estilo español de cien años de antigüedad de Terrazas de los Andes en el corazón de Perdriel (con una preciosa casa de huéspedes y restaurante dentro) a la modernidad arquitectónica de Bodega Séptima, también con su casa y restaurante en Agrelo; de Achaval Ferrer, con sus vinos ya icónicos, al hotel y restaurante Club Tapiz, con su huerta y cocina dirigida por Soledad Nardelli; o la Bodega Renacer, con una cocina típica argentina y un paisaje deslumbrante: vale la pena reservar una mesa en la terraza, junto al lago, para luego cabalgar entre los viñedos. Más información: https://lujandecuyo.gob.ar. ¶

VALLE DE UCO

Desde que llegó el riego por goteo a la industria del vino en Argentina, las fronteras vitivinícolas se fueron corriendo empujadas por los productores, fueron ampliando y ganando hectáreas sobre las mismas laderas de los Andes. Esto permitió hacer crecer de manera exponencial los viñedos en el valle de Uco, con nuevas zonas que ganaron fama y prestigio. Lugares anteriormente en muchos casos vírgenes, de montes autóctonos, desiertos ásperos con paisajes deslumbrantes ubicados al pie de las montañas de nieve eterna. Una breve mirada al mapa satelital muestra los extremos de este valle, el cordón montañoso, los oasis de color verde, los ríos y caminos. De pronto, los amantes del vino escucharon hablar de Gualtallary, de Altamira, de El Peral, de Los Chacayes, de Vista Flores, de Pampa El Cepillo, entre otros nombres distribuidos a lo largo de la ruta nacional 40, de las rutas provinciales 86, 89, 92, 96, entre los departamentos de Tupungato, San Carlos y Tunuyán. Caminos de asfalto y otros de ripio, que atraviesan manzanares y nogales, cultivos de cerezas y de ajo y, principalmente, los viñedos cercados con altos y delgados álamos plateados a modo de efectivas cortinas de viento. ¶

Las grandes inversiones vinícolas de las últimas tres décadas, aceleradas en esos primeros años del siglo XXI, eligieron el valle de Uco para instalar sus bodegas, seducidas por la amplitud y disponibilidad de las tierras y la calidad de sus uvas. Y con estas nuevas bodegas, nacieron también rutas turísticas del vino, con una característica especial: al estar a casi dos horas de distancia en auto de la capital mendocina (mucho más lejos que las de Luján de Cuyo y Maipú), surgieron propuestas completas y autosuficientes, que es común que sumen en un mismo lugar hotelería, bodega, restaurante, actividades, aprovechando los paisajes de la región, su clima seco y un cielo que de noche se abre a infinitas estrellas. Una invitación a quedarse allí al menos dos, tres o más días, para respirar esa bocanada de aire fresco que en apenas veinte años revolucionó por completo la idea del turismo de vinos en Argentina. ¶

TUNUYÁN

A 80 kilómetros al sur de la capital mendocina, aparece Tunuyán, el departamento cabecera del valle de Uco. Una región ligada a la historia de la Argentina y de Sudamérica, de su lucha por la independencia y del tránsito entre las costas del Pacífico y el continente. Allí, en el cruce de las rutas provinciales 89 y 94 está la Reserva Natural Manzano Histórico, donde se dice que descansó el general José de San Martín cuando volvía de la gesta libertadora. Hoy el lugar sigue siendo un punto atractivo, con *campings* y despensas, desde donde muchos parten a caballo o a pie con la intención de repetir aquel mítico cruce de los Andes. Zona de extremos y de altura, es el centro de actividades ligadas al turismo aventura como senderismo, *trekking*, escalada, *mountain bike* y otras. Pero ahí nomás aparece el vino para ganar protagonismo, a través de una cantidad importante de bodegas que van desde las más imponentes –en arquitectura e inversión– hasta las más pequeñas y despojadas. ¶

Resulta imposible hablar de Tunuyán sin hablar de Salentein (casi en el límite con Tupungato), la bodega que hizo del valle de Uco su lugar en el mundo. Ubicada a 1200 metros sobre el nivel del mar, en el centro de viñedos y flora autóctona, Salentein fue pionera en imaginar un recorrido turístico completo, que incluye no solo la visita a la bodega ubicada en la localidad de Los Árboles, sino que también sumaron posada, restaurante e incluso un museo precioso bajo el lema de "el vino, el arte y la gastronomía" unidos. Con apenas dieciséis habitaciones distribuidas en tres casas, que replican ese aire algo bucólico de estancia típica mendocina, la posada es el mejor lugar donde pasar la noche para luego visitar las exposiciones en la galería Killka, recorrer viñedos y culminar con un almuerzo de pasos en el restaurante, acompañados de los mejores vinos de esta casa. ¶

Con casi 700 hectáreas, The Vines es visita obligada cuando se pasa por Los Chacayes. Se trata de un gran predio que congrega no solo un resort de lujo (con un restaurante, Siete Fuegos, comandado por Francis Mallmann), sino también un pequeño grupo de

bodegas de gran personalidad y prestigio. Una de ellas es Solo Contigo, con una casa abierta a huéspedes, repleta de color e intimidad, que ganó grandes premios por su arquitectura y paisajes. El lugar cuenta con un restaurante especializado en cocción a las brasas, pero también es posible aprovechar el buen clima veraniego para realizar un pícnic junto a los viñedos. ¶

También en The Vines se encuentran las bodegas Giménez Riili, Corazón del Sol y Super Uco, esta última creada por los cuatro hermanos Michelini junto a Daniel Sanmartino, donde dan rienda suelta a una filosofía basada en la sustentabilidad y la experimentación. No lejos está Piedra Negra, bodega rodeada de fincas orgánicas y con una historia ligada a los mejores vinos de Francia a través de su fundador François Lurton. Y como dato extra, un hotel imperdible a un par de kilómetros de distancia es Casa de Uco, no solo de los más exclusivos de la región, sino que además cuenta con viñedos, bodega y vino propio. ¶

Vista Flores fue el lugar elegido por Michel Rolland para armar ese ambicioso proyecto llamado Clos de los Siete, una idea nacida en la imaginación de este enólogo y consultor francés enamorado de la Argentina. Michel convenció a un grupo de amigos bodegueros de larga tradición, y en un gran predio de 800 hectáreas dieron vida a las bodegas Monteviejo, Cuvelier Los Andes, Diamandes y Bodega Rolland. Vale la pena tomarse un día completo, recorrerlas una a una, probar sus vinos y comer en sus respectivos restaurantes para entender así las miradas y visiones personales de cada productor. Y también, darse un tiempo para visitar Flecha de los Andes, ese millonario emprendimiento creado en conjunto por Benjamin de Rothschild y Laurent Dassault, bajo la sombra de los eternos picos nevados. ¶

TUPUNGATO

Los huarpes lo llamaban *tupun-catu*, "mirador de estrellas", en obvia referencia al imponente volcán que se ve desde el valle, una presencia tan poderosa como ineludible. Debajo se extiende el departamento que tiene mismo nombre, Tupungato, ubicado a 30 kilómetros de Tunuyán, y convertido en los últimos años en uno de los grandes destinos turísticos del vino argentino. Con distritos como Gualtallary, El Peral y Eugenio Bustos, con desniveles y pendientes, con algunos zorritos que pueden verse a lo lejos y unos cóndores que surcan el cielo, quien visite estas zonas encontrará grandes malbec y fresquísimos chardonnay, marcados por ese telón de fondo que es el Cordón del Plata, una de las vistas más espectaculares que ofrecen los Andes. ¶

Atamisque es un buen ejemplo de todo lo dicho. Ubicada en San José, esta bodega está sobre la ruta provincial 86 (llamada también como "el camino de los cerrillos"), marcando un recorrido que viene desde Ugarteche, y que permite no solo obtener vistas grandiosas del valle de Tupungato, sino también pasar por el Cristo Rey del Valle, esa imponente estatua religiosa de 28 metros de altura). Atamisque es un destino en sí mismo: en más de 100 hectáreas, reúne un restaurante, un *lodge*, un golf de nueve hoyos profesional rodeado de viejos árboles e, incluso, un criadero de truchas arcoíris de muy alta calidad que abastece a restaurantes de la zona. ¶

En el centro de Gualtallary, y con el río Las Tunas corriendo sobre esos suelos pedregosos plenos de carbonato de calcio, Zorzal apuesta a vinos modernos vinificados en recipientes de concreto (fue de las primeras bodegas en experimentar con los huevos de cemento), buscando siempre expresar la región en cada botella. Y una buena manera de conocer esto de primera mano es quedándose a dormir en la finca, en un pequeño departamento privado, para luego hacer una degustación de los vinos de la casa y terminar con un almuerzo de campo, con empanadas y asado. ¶

También en Gualtallary, es posible visitar Huentala, una bodega nacida en el cambio de siglo, que no solo cuenta con hotel y restaurante, sino además con el primer parque de esculturas en viñedos, donde pueden verse desde la obra *Tres zorros* (realizada por el mendocino Orlando Leytes), de 15 metros de largo por 7 metros de alto y 120 toneladas de peso, hasta una superhormiga de hierro y chapa de 9 toneladas que vigila entre las vides. O, también dentro de Gualtallary, vale la pena ir a comer a la Bodega Altus, a su restaurante La Tupiña (el nombre representa a la olla de hierro de donde salen muchas de las preparaciones de este gran lugar) para salir luego a cabalgar en alguno de los más de cien caballos criollos que tienen en la Cabaña Gualtallary o pasar la noche en el *lodge* de la bodega, con una pileta rodeada de un cerco de cantos rodados y la montaña en la línea del horizonte. ¶

La ruta provincial 89 enhebra propuestas repletas de personalidad y grandes vinos. Ahí está, por ejemplo, Andeluna, con uno de los mejores restaurantes de la región, provisto por su propia huerta, con actividades que incluyen una copa y unas tapas mientras se mira el atardecer desde unos sillones en la terraza o se toman unas clases de cocina criolla para aprender a hacer empanadas. No lejos (son necesarios apenas unos minutos en auto), y con un sólido compromiso con la agricultura orgánica, Domaine Bousquet abre el juego con su Experiencia Gaia, propuesta que suma un moderno *wine lodge* de siete habitaciones (con terrazas propias donde mirar ese cordón montañoso ubicado casi al alcance de los dedos) y un restaurante que se hace eco del compromiso por evitar todo tipo de agroquímicos, con platos de estación en los que se utilizan ingredientes de la huerta de la bodega. Y hay más: lugares como el hotel Tupungato Divino, uno de los pioneros de la región, con una cava especializada en vinos de bodegas cercanas; o la Bodega Azul, con un restaurante propio y una confortable casa de huéspedes. ¶

SAN CARLOS

Con sus llamados senderos sancarlinos (perfectos para hacer *trekking,* pero también para recorrer en bicicletas, motos o caballos), San Carlos se extiende al sur del valle de Uco, ofreciendo "mil paisajes en un solo lugar", desde el desierto de las Huayquerías hasta la laguna del Diamante, una reserva natural protegida, con un espejo de aguas cristalinas al pie del volcán Maipo (el nombre "Diamante" es por el dibujo que se forma con el reflejo del volcán en el agua). ¶

San Carlos cuenta con una larga tradición vitivinícola, con viñedos de más de cien años (que hace un siglo supieron ser los más lejanos a la ciudad capital de la provincia mendocina), y hoy posee viñedos y bodegas que se distribuyen en regiones como Pampa El Cepillo, Eugenio Bustos, La Consulta y Paraje Altamira (que en realidad es una parte de La Consulta, pero que por su importancia y características diferenciales logró obtener su propia indicación geográfica). ¶

Allí mismo, en Paraje Altamira, uno de las paradas ineludibles para recorrer la zona es Zuccardi Valle de Uco, la bodega que esta reconocida familia mendocina levantó en un terreno cubierto de grandes rocas, priorizando una arquitectura nacida de materiales y lógicas propias del lugar. El resultado es fantástico: elegida por tres años consecutivos (2019, 2020 y 2021) como "Mejor Bodega del Mundo" por The World's Best Vineyards, Zuccardi Valle de Uco permite no solo entender la potencia del terruño donde se ubica (a través de sus modos de vinificación y participando de degustaciones guiadas), sino que además invita a almorzar en su restaurante Piedra Infinita, con menús en los que los vinos son siempre protagonistas. Otra opción es comer en Cundo Altamira, un pequeño restaurante dirigido por el chef Sebastián Juez, con un menú por pasos basado en productos de estación y con una gran selección de vinos locales. ¶

En Eugenio Bustos, la posada de Finca La Celia Posada aprovecha una antigua casona del año 1931 (declarada con la bodega y el viñedo como patrimonio histórico cultural de la vitivinicultura argentina) para ofrecer cinco habitaciones en un ambiente de campo relajado con una vista insuperable. Allí es posible utilizar las bicicletas de la casa para recorrer la zona, también darse un masaje entre los viñedos o participar de actividades de cosecha y poda. Y a unos pocos kilómetros de distancia, avanzando por la calle Los Indios, sorprende la imponencia de la Bodega Alfa Crux, emplazada en medio de una gran finca a 1200 metros sobre el nivel del mar. Su arquitectura contemporánea, basada en una lógica de procesos para trasladar los vinos por gravedad –además de tener uno de los mejores restaurantes de la región con vista a su propio reservorio de agua–, la convierte en otra de las visitas recomendadas de la zona. ¶

SAN RAFAEL

Alejándonos hacia el sur, a unos 250 kilómetros de la capital mendocina, San Rafael es literalmente uno de esos oasis que florecen en el desierto gracias al riego de los ríos Diamante y Atuel, también gracias al refugio que ofrece la Sierra Pintada ante los vientos fríos. Estas condiciones le permitieron convertirse hace casi dos siglos en una zona dedicada primero a la elaboración de vinos en grandes volúmenes, que luego, poco a poco, comenzó a afinar la puntería en calidad y derivó –ya hace varias décadas– en la producción de etiquetas de alta gama. ¶

Muy elegida por el turismo, San Rafael logra conjugar como pocas la industria del vino con los atractivos naturales que dan vida a paisajes y actividades propias, donde el agua de sus ríos es protagonista. Los embalses y diques del río Diamante –Los Reyunos, Agua del Toro, Galileo Vitali y El Tigre– atraen a fanáticos de la pesca, mientras que en el cercano parque Mariano Moreno puede visitarse el Museo de Historia Natural de San Rafael, con colecciones en antropología, arqueología, mineralogía y paleontología. En los alrededores también se encuentra Villa 25 de Mayo, que alberga las ruinas del Fuerte San Rafael del Diamante, un monumento histórico nacional construido en 1805 por orden del virrey Sobremonte. Frente a él, el Museo Histórico Narciso Morales exhibe más piezas que datan de aquella época colonial. Hay mucho más: el formidable Cañón del Atuel es escenario ideal para el *rafting*, el kayakismo, el *windsurf* y la motonáutica. En el cercano parque Las Tinajas pueden admirarse antiguas pinturas rupestres en las paredes de la Gruta del Indio. No lejos, se suman otros destinos muy importantes y convocantes, como el centro de esquí Las Leñas o la localidad de Malargüe, con sus deliciosos chivitos, considerados entre los más ricos del país. ¶

Pero todas estas propuestas están dentro del marco de pertenecer a una región de vinos, con una cultura y una economía que se basan en la gran bebida nacional. Reconocida como denominación de origen controlada (DOC), en 2007, San Rafael nació directamente emparentada con la producción vitivinícola: el fundador de la ciudad, Rodolfo Iselin, es también quien puso la piedra fundacional de la Bodega La Abeja, construida en 1883. Su casco es el punto de partida histórico de la ciudad y el establecimiento –completamente restaurado en 2004– puede conocerse a través de visitas guiadas gratuitas. ¶

ROCK Y VINO

Entre los muchos eventos y festejos que el vino genera a lo largo y ancho de la Argentina, el Wine Rock (en Instagram: @winerock) sobresale con brillo propio. Nacido en 2010 como una idea del enólogo (y guitarrista) Marcelo Pelleriti, su objetivo inicial no era más que juntar a un grupo de amigos y músicos en los jardines de la Bodega Monteviejo para festejar a puros acordes de guitarra (y un merecido asado) el final de la cosecha en el valle de Uco. Esa primera edición, pequeña y modesta, comenzó a crecer a través de los años, hasta convertirse en uno de los principales festivales de Mendoza, con una gran convocatoria de bandas reconocidas. A lo largo de la última década, por su escenario pasaron artistas y grupos de la talla de Los Enanitos Verdes, Pedro Aznar, Kevin Johansen, Los Pericos, Leo García, Catupecu Machu y muchos más, y, además, bandas emergentes de la escena rockera de todo el país. Vinos, rock y montaña marcan la identidad de este festival que suma ediciones porteñas y apuesta a demostrar que el vino es, también, parte de la cultura argentina.

En Las Paredes –a 10 kilómetros de la ciudad, sobre la ruta 143– se alza otro hito de la zona, con historia y con presente: Bodegas Bianchi. Esta casa, hoy sinónimo de la región, comenzó a funcionar en la zona céntrica de San Rafael en 1928 de la mano del inmigrante italiano Valentín Bianchi, quien la fundó originalmente bajo el nombre El Chiche. Aquel legado continúa en el nuevo edificio bajo el cuidado de sus descendientes, con vinos como Don Valentín Lacrado, Bianchi Particular, Enzo Bianchi y Famiglia Bianchi, convertidos en clásicos inoxidables de las mesas argentinas. Además de contar con degustaciones y la posibilidad de que el visitante pueda hacer su propio *blend*, los viñedos de Bianchi pueden recorrerse tanto a caballo como en bicicleta, para darle un aire distinto al tradicional paseo. ¶

Siguiendo por la misma zona, la Bodega Iaccarini da cuenta de la larga tradición sanrafaelina: fundada nada menos que en 1903 por Pascual Iaccarini, desde 2009 fue comprada y restaurada por la familia Méndez Collado; actualmente cuenta con modernas instalaciones de vinificación y 25 hectáreas de viñedos propios. Y sumando aromas de herencia suiza entre tantos aires italianos que marcan el espíritu de San Rafael, también en Las Paredes, Otto Suter bautizó con su apellido a la bodega que creó en 1900. A lo largo de más de un siglo, la labor se fue transmitiendo de padres a hijos con vinos y espumantes de etiquetas que son instantáneamente reconocibles, de esas que se ven fácilmente en toda góndola. Las instalaciones, al igual que la cava subterránea, están hoy abiertas al público. ¶

Alejándose un poco más de la ciudad, aparecen más bodegas notables que redondean el atractivo turístico de la zona. En Cañada Seca –a 15 kilómetros de San Rafael– es imposible no pasar por la Bodega Alfredo Roca, asentada sobre cuatro generaciones al cuidado de sus viñedos. El enólogo Alfredo Roca se hizo cargo de la dirección en 1976 junto a sus hijos Graciela, Alejandro y Carolina, que manejan un establecimiento originalmente construido en 1905. La estructura principal de esta casa y la arquitectura de dos naves datan de aquellas primeras épocas, más allá de que más tarde se amplió respetando siempre el mismo estilo. Los *tours* incluyen una reseña sobre la historia de la bodega y un recorrido por la elaboración del vino, a veces con la presencia de don Alfredo o su hijo Alejandro. Se suman degustaciones dirigidas, banquetes con carnes asadas o clases de yoga entre los viñedos. ¶

A 20 kilómetros de San Rafael, en Cuadro Benegas, se encuentra Algodón Wine Estates, un lujoso complejo de 1675 hectáreas con bodega de vinos de alta gama, hotel y loteo inmobiliario, que se convirtió en una de las apuestas más potentes y nuevas a nivel turístico en la región. Basándose en viñas de 1946, el proyecto nació en 2002 con el nombre de Viñas del Golf y se amplió en 2007 con la compra de más tierras. Hoy, la bodega suma 87 hectáreas de viñedos junto a un hotel construido al estilo de las antiguas estancias de la zona e incluye restaurante, cancha de golf, piscina y canchas de tenis. ¶

La recorrida puede seguir llegando a Villa Atuel, donde está otro de los grandes nombres sanrafaelinos, la Bodega Goyenechea, fundada en 1868 por los hermanos españoles Santiago y Narciso Goyenechea. Alguna vez propietaria junto a la familia Arizu del viñedo más grande del mundo, la bodega contaba en sus primeras épocas con instalaciones auxiliares de carpintería, fraccionamiento y turbinas para autoabastecimiento de materiales y energía. La estructura original es de 1905 y aún conserva una antigua capilla que habla sobre un país y una inmigración. Y si bien la producción es menor en litros que la de aquellos años iniciales dedicados a la producción a granel, hoy Goyenechea posee un porfolio diverso y de calidad, además de haber sumado la fabricación de aceite de oliva. ¶
Deportes, paisajes, los ríos como protagonistas, tanto de los vinos como del aire que se respira. Como parte de las rutas vitivinícolas argentinas más visitadas, San Rafael se levanta con orgullo en el sur de la provincia de Mendoza. ¶

SAN JUAN

Una provincia con historia colonial, pero de cuyos vestigios queda poco y nada. Fundada por los españoles en el siglo XVI, la ciudad de San Juan vivió en 1944 uno de los terremotos más duros de la Argentina, lo que obligó a una reconstrucción cuidadosa con la colaboración de expertos nacionales e internacionales. Parte de ese proceso que aún perdura en la memoria de algunos (y en las narraciones orales y escritas sobre el tema) puede conocerse en su Museo de la Historia Urbana. Así, por ejemplo, la catedral San Juan Bautista –frente a la plaza 25 de Mayo– se reconstruyó en el mismo lugar y con la misma orientación que tenía antes del sismo. La obra, realizada por el arquitecto Ramos Correa, presenta una arquitectura moderna que rompe con los esquemas tradicionales de los templos religiosos y que la hace única en el país, además de contar con la cripta donde descansan los restos de Fray Justo Santa María de Oro. La casa natal de Domingo Faustino Sarmiento es uno de los pocos edificios antiguos que sobrevivieron al derrumbe. Declarada Primer Monumento Histórico Nacional, fue construida en 1811, y cuenta con la famosa higuera bajo la cual reposaba doña Paula Albarracín, madre de Sarmiento, durante sus sesiones de tejido. ¶
Pero San Juan es mucho más que historia y reconstrucciones. Es la segunda productora de vinos de todo el país, forma parte de ese saber cuyano nacido de la inmigración que encontró en los valles sanjuaninos su lugar de pertenencia. Parte de esa tradición puede verse en la misma ciudad, al visitar el Museo del Vino, que es parte de las instalaciones de la Bodega Graffigna, con sus enormes toneles y antiguas herramientas que se muestran junto a los modernos tanques de acero y la tecnología contemporánea. ¶
El valle de Tulum, a tan solo treinta minutos de la capital, es la principal zona de producción de vinos de la provincia. Allí brilla otro apellido ilustre de la zona, la Bodega Augusto Pulenta, que reúne como pocas esa carga de tradición y experiencia. Esta bodega familiar

comenzó a construirse en 1901 con paredes de adobe y techos de caña y barro; en lo que fue su primitivo galpón de 40 000 litros de capacidad, actualmente pueden producirse 2 000 000 de litros, y cuentan con modernas instalaciones de frío, lagares y tanques de acero inoxidable, prensas neumáticas y sistemas automáticos de control de temperatura. Vale la pena pasar por allí y degustar los vinos que elaboran. ¶

No lejos está Callia, con unas instalaciones que se levantaron respetando el patrimonio histórico y paisajístico del valle, que suman además las necesarias técnicas antisísmicas. Además de las usuales visitas y degustaciones, sus instalaciones pueden ser alquiladas para fiestas y eventos. En la localidad de Pocito, la champañera Miguel Más conjuga la tradición familiar de elaborar vinos y espumantes artesanales con los preceptos de la agricultura orgánica. Sus viñedos y bodegas están abiertos al público, y el establecimiento tiene un menú de almuerzos y pícnics. ¶

Ullum y Zonda son dos valles contiguos ubicados al este de la ciudad, donde están abiertas al turismo bodegas como Apotema (con posada propia) y Finca Sierras Azules, al pie de la formación geológica que le da nombre, a 780 metros de altura sobre el nivel del mar. Por allí está también la quebrada de Zonda, uno de los destinos más elegidos para sumar al vino actividades como *trekking*, paseos en bicicleta y cabalgatas. En el cercano dique de Ullum se practica *windsurf*, kayakismo, *stand up paddle* y *kitesurf*, lo mismo que sucede en el dique Punta Negra. ¶

Hacia el sudoeste sanjuanino, el valle de Pedernal fue bendecido con suelos calcáreos y un clima fresco que lo convirtieron en una de las zonas vitivinícolas más codiciadas de la Argentina. La icónica familia Graffigna supo ser pionera de la región, compró hace más de un siglo tierras donde hoy se alza la Bodega Graffigna Yanzón. Este es uno de los pocos establecimientos de elaboración de vino en la provincia que también posee alojamiento hotelero, con una cálida posada de piedra y madera decorada con muebles antiguos, donde disfrutar de almuerzos y meriendas. ¶

Junto con el vino, San Juan se posiciona como una provincia turística de renombre nacional e internacional, con destinos ya conocidos para el mundo. Sin moverse de Barreal, una de las vistas más célebres del valle es la que se logra desde el cerro Mercedario con sus 6770 metros de altura. O también se puede visitar el cerro Alcázar, escenario en abril del Concierto de las Américas. ¶

La actividad emblemática de este valle es el carrovelismo, con vehículos a vela impulsados por el viento. La postal es icónica: los corredores vuelan sobre la Pampa del Leoncito, un desierto que también atrae a turistas y aficionados por las impactantes vistas del cielo estrellado que llegan con la caída de la noche. No es casualidad que la zona albergue dos observatorios abiertos a las visitas: el Complejo Astronómico El Leoncito (más conocido como CASLEO) y el Observatorio Carlos Urrico Cesco. ¶

Tal vez, la imagen más conocida de San Juan sea la que ofrece el Parque Natural Provincial Ischigualasto, emplazado en el nordeste de la provincia, a 330 kilómetros de la ciudad capital. Popularmente conocido como "Valle de la Luna", el parque ocupa 62 000 hectáreas y es Patrimonio de la Humanidad, ya que cuenta con importantes hallazgos paleontológicos. En su ingreso, el Centro de Interpretación montado por el Museo de Ciencias Naturales de San Juan exhibe réplicas de los fósiles más importantes encontrados en el lugar. Por esos suelos caminaron los dinosaurios hace ciento ochenta millones de años, entre paisajes singulares caracterizados por geoformas esculpidas por el agua, el sol y el viento sobre las rocas eternas. Y si bien el Valle de la Luna está a unas cuatro horas desde los valles vitivinícolas, vale la pena ir a recorrerlos llevando consigo una canasta de pícnic que incluya alguno los grandes vinos sanjuaninos que son parte de la identidad nacional. ¶

PATAGONIA

Pocos nombres son tan poderosos en el mundo como el de la Patagonia. Tan solo nombrarla y ya es fácil comenzar a imaginar paisajes deslumbrantes, tierras áridas y anchas que culminan en altas montañas, con picos nevados y lagos idílicos. Pero hay más: hay costas eternas y salvajes de acantilados que reciben las rompientes; hay pueblos históricos y tenaces que conformaron una cultura y una gastronomía. Hay huellas de dinosaurios y de pueblos originarios. Es la Patagonia argentina, esa región interminable que ecológicamente comienza por debajo del río Colorado, con sus valles productivos que generan paraísos de color verde en medio de poderosos vientos que doblan los árboles. En materia vitivinícola, esas condiciones hostiles (el viento, los fríos de primavera, las tierras áridas) dan vida a una historia de vinos que comienza hace más de cien años, y que a partir del último cambio de siglo, ganó en extensión y producción. Desde el mar hasta la montaña, pasando por las provincias de La Pampa, Neuquén, Río Negro y Chubut, la Patagonia abre el juego a variedades y estilos de vino, y así da forma a diferentes rutas turísticas en pleno crecimiento. ¶

Si bien ya era un importante polo frutihortícola, la localidad neuquina de San Patricio del Chañar recién comenzó a ver crecer las vides a principios del siglo XXI, de la mano del estímulo provincial para la inversión privada en riego presurizado por goteo y desarrollos vitivinícolas. Así, se instalaron seis plantas para bombear el agua equivalente a la demanda de una ciudad de 200 000 habitantes a través de una red de 400 kilómetros de acueductos subterráneos y un total de 9000 kilómetros de mangueras de goteo. Con más de 4500 hectáreas de viñedos, San Patricio del Chañar se diferencia de otras regiones del vino por sus bodegas de carácter moderno, construidas todas en los últimos veinte años. Es una zona que todavía tiene mucho por crecer en materia turística: ubicada a una hora de la capital de Neuquén, es una posible parada en viajes a lugares emblemáticos como Bariloche, con bodegas que ofrecen degustaciones y restaurantes de alta calidad.

Entre los pioneros, allí está Julio Viola, un empresario clave en el desarrollo de la zona, que fundó en 2001 la Bodega Malma. Su arquitectura busca sintetizar la tecnología de avanzada y el paisaje patagónico, integrándose al paisaje a través de taludes que se mimetizan con las bardas, esas antiguas elevaciones rocosas que contenían a los ríos millones de años atrás. Además de visitas guiadas y degustaciones, Malma completa su propuesta con un restaurante al mando del chef Francisco Fernández, encargado de una carta elaborada con productos patagónicos de estación.

También pionera en la zona es Bodega Del Fin del Mundo, con un nombre que remite a ese simbolismo que genera la Patagonia. Creado por la familia Eurnekian, este proyecto se asienta en uno de los primeros viñedos plantados en San Patricio del Chañar a fines de los años noventa, donde comenzó su camino con nada menos que Michel Rolland en el rol de consultor. El establecimiento recibe al turismo con visitas guiadas que recorren el playón de vendimia, la sala de barricas, los balcones con vistas a los viñedos y una pasarela aérea que permite apreciar el trabajo de los operarios y los procesos de vinificación.

La trilogía que dio forma a San Patricio del Chañar culmina con Herman Heinz Teodoro Schroeder, hijo de inmigrantes alemanes, quien por esa misma época puso la piedra fundamental de Familia Schroeder. Además de la producción de vinos, el establecimiento se dedica al cultivo de fruta fina –especialmente cerezas– para exportación. La bodega aprovechó el contexto natural construyendo su edificio contra la ladera del valle, con una organización en cinco niveles para utilizar la fuerza de gravedad en el proceso de vinificación a través de un sistema que evita casi totalmente el uso de bombas y disminuye así la posible oxidación de la uva. Durante la construcción, el proceso fue frenado temporalmente por el hallazgo de una gran sorpresa: el esqueleto de un dinosaurio herbívoro de setenta y cinco millones de años de antigüedad que hoy puede ser admirado por los visitantes en una cava especial y que, además, dio nombre a Saurus, una de las líneas de los vinos de esta casa. También bautizado como Saurus, el restaurante de la bodega ofrece platos con productos frescos de la zona creados por el chef Ezequiel González, mientras que la sala Rosa de los Vientos, dentro de la bodega, presenta exposiciones itinerantes de arte abiertas al público.

La paleontología es también eje de otro de los principales atractivos de San Patricio del Chañar: allí está el Centro Paleontológico Lago Barreales, donde se pueden observar fósiles de dinosaurios y más animales prehistóricos. En el camino al museo vale la pena hacer una parada en las playas del lago Mari Menucó, ideal para la práctica de deportes acuáticos.

RÍO NEGRO

En el Alto Valle del río Negro, donde nace el río más caudaloso de la Patagonia, la tradición frutihortícola, que incluye la producción de vinos, es centenaria. Esa tradición se ve y se palpa en la historia de muchas de las bodegas que siguen produciendo, pero a la vez está revitalizada por una nueva camada de proyectos que dan mucho que hablar. En Cipolletti, la Bodega Museo La Falda dio sus primeros pasos en 1910 de la mano del inmigrante alemán Bernardo Herzig, cuyo nieto Jorge sigue hoy al frente. Ahí es posible ver parte de la estructura original de esta casa, además de maquinaria alemana de inicios del siglo XX, junto con toneles, cubas, foudres, piletas de fermentación y la cava original. ¶

En General Roca sobresale enseguida el nombre de Humberto Canale, una de las bodegas icónicas de la provincia. Fundada en 1909, el ingeniero que le dio el nombre llegó a la zona junto con funcionarios de Obras Públicas del gobierno del general Julio Argentino Roca para implementar los sistemas de irrigación de la región. Esta bodega tuvo así un papel fundamental en el desarrollo de la vitivinicultura de la región patagónica y continúa hoy en manos de su familia fundadora, ahora en su quinta generación. Con una producción que alcanza los 2 000 000 de botellas anuales, Canale ofrece visitas guiadas y actividades de aventura como *trekking* en los viñedos, paseos en bicicleta y recorridos en gomón por el río Negro. ¶

En la cercana Mainqué, ubicada unos kilómetros al este de General Roca, Aniello se asienta sobre una edificación de 1927, originalmente construida por la Bodega Podlesch. La renovación tuvo lugar en 2013 aprovechando la hectárea de antiguos viñedos plantados en 1932, a la que sumaron otras 4 hectáreas sembradas en 1947. De esas viejas viñas obtienen, por ejemplo, la variedad trousseau, cepa que es parte de la tradición vitivinícola de Río Negro. Yendo hacia el otro lado, hacia el oeste de General Roca, se encuentra la localidad de Fernández Oro, donde Marcelo Miras produce sus vinos. Marcelo es uno de los enólogos más reconocidos de la Patagonia (y del país), y allí trabaja con uvas de viñas viejas recolectadas en distintos lugares de la provincia, priorizando la calidad y el potencial de guarda. Es una bodega pequeña, manejada íntegramente por la familia Miras, que también se encarga de la atención al turista con visitas guiadas y degustaciones. ¶

El Alto Valle del río Negro es escenario de varias actividades que sirven para complementar la estricta ruta del vino. En Cipolletti se encuentra el Área Natural Protegida Provincial Parque Cretácico, con importantes recursos paleontológicos, arqueológicos y geológicos. En la zona conocida como El Anfiteatro se pueden observar indicios del período Cretácico, con troncos petrificados y geoformas que son resultado de la erosión; en Los Gigantes es imposible no admirar esas enormes rocas de hasta 70 metros de alto que surgen de las aguas. ¶

Cada febrero General Roca celebra la Fiesta Nacional de la Manzana (esta zona es una de las principales productoras de manzanas y peras en el mundo), con espectáculos musicales, danzas y comidas típicas. En la ciudad también se puede recorrer el circuito histórico productivo, que incluye chacras, galpones de empaque, bodegas y sidreras que se alimentan de la frutal local.

El viaje puede seguir hacia el sur, a las frías tierras de Chubut. Allí está el valle de Trevelin, que de a poco está ganando nombre en el mundo del vino gracias a proyectos de personalidad y espíritu innovador, como las bodegas Casa Yagüe, Viñas del Nant y Fall y Contra Corriente. Esa última es la más cercana a la ciudad de Trevelin, y se apoya en un viñedo de 3 hectáreas. Su *wine lodge* es uno de los alojamientos más codiciados de la zona: cuenta con doce habitaciones, spa con vista a los viñedos, sala de estar con mesa de *pool* y un bar completamente equipado con salida al *deck* exterior.

Sobre la ruta 259, Viñas del Nant y Fall fue la primera bodega en plantar viñedos en la zona. El lugar ofrece la posibilidad de alojarse en el refugio Antihel, con habitaciones, sala de estar y biblioteca; en el *camping boutique* Suelo Franco o en el estacionamiento de *motorhomes* Latitud Brix, ambos con servicios de primer nivel. La bodega también invita a disfrutar de delicias como cordero al asador, raviolones de trucha y tablas de ahumados en su restaurante Sangre Tinta.

En la misma ruta, Casa Yagüe es dirigida por sus fundadores, Marcelo Yagüe, su esposa Patricia Ferrari y sus hijas. Inaugurada en 2014 a metros del río Futaleufú con viñedos de pie franco cultivados de manera orgánica, la bodega ofrece alojarse en amplias casas campestres, para luego almorzar en plena naturaleza. La sala de degustaciones tiene una hermosa vista panorámica de los prados y montañas que están alrededor del establecimiento.

Trevelin cuenta con ventajas propias a la hora del turismo, con una belleza y variedad de paisajes y actividades únicas. El río Nant y Fall posee siete cascadas, de las cuales tres pueden observarse en una caminata a través de puentes y pasarelas especialmente construidos. El lago Bagillt es perfecto para el *trekking* y el avistaje de aves en el bosque de ñires y lengas que lo rodea. Octubre es buen momento de visita, cuando florecen los tulipanes que son ya una postal de Trevelin, con los colores enmarcados por los picos nevados de la cordillera.

Por último, esta localidad es la puerta de entrada al Parque Nacional Los Alerces, con sus 263 000 hectáreas, en las que se distribuyen más de una decena de ríos y lagos. Allí hay árboles de más de 70 metros de altura e, incluso, algunos que sobrepasan los dos mil años de edad, fáciles de ver en recorridos marcados de *trekking* que pasan por la costa del lago Futalaufquen, la cascada Yrigoyen, el cerro Cocinero, el lago Krüger (con servicios de alojamiento y gastronomía) y la laguna Escondida.

Vinos, paisajes, innovación y tradición. La Patagonia muestra así toda su potencia en una ruta tan múltiple como atractiva.

EPÍLOGO

☞ MARÍA BARRUTIA Y FLAVIA RIZZUTO

COMO EL VIAJERO QUE VUELVE LA VISTA ATRÁS Y OBSERVA, casi sorprendido y con satisfacción, el camino transitado, así nos sentimos al recorrer las páginas que preceden a estas palabras finales. Y, como a ese viajero, se nos hace inevitable evocar el punto de partida: las palabras antes de la palabra escrita, todas las personas –muchísimas, por cierto– que han participado de este proyecto con su trabajo, sus relatos y sus ganas de contar.

Desde hace años perseguíamos un deseo: comenzar a ordenar ideas, recopilar historias, recorrer la Argentina y sus vinos. Queríamos que esas futuras páginas revelaran aromas y sabores, que nos devolvieran historia, saberes transmitidos de generación en generación, innovación y búsqueda. ¡No iba a ser tarea fácil atrapar en papel tantas cosas para contar, recuerdos familiares, datos técnicos y geografías!

Luego de tantos años, la industria vitivinícola seguía –y sigue– sorprendiendo con su crecimiento y diversidad; valía la pena entonces el intento de organizar esta información en la ambiciosa empresa de escribir *El gran libro del vino argentino*.

Vides criollas, inmigrantes, asesores extranjeros y talento local aparecen en esta historia y nos permiten entender el presente y, por qué no, intentar vislumbrar el futuro. Allí, en el ritual gastronómico de siempre y en su renovación, encontramos las huellas de quienes moldearon la vitivinicultura, desde la viticultura, la enología, las bodegas, el periodismo especializado y la sommellerie.

Si bien la sommellerie es una profesión relativamente nueva en el país, su incorporación a la gastronomía local fue determinante a la hora de comenzar a contar el trabajo detrás de cada etiqueta. Vaya, entonces, nuestro reconocimiento para Marina Beltrame, quien, desde fines de los años noventa, contribuye a la formación de profesionales. Así se inició el camino de nuestra profesión; con pasión, salimos a servir de nexo entre consumidores y productores junto a colegas que abrieron caminos, como Andrés Rosberg, Aldo Graziani, Luciano Sosto, Máximo Lucioni y Fabricio Portelli, entre otros. Un gran paso fue la fundación de la Asociación Argentina de Sommeliers (AAS) en 2001 y su incorporación a la Association de la Sommellerie Internationale (ASI). Al mismo tiempo, se abrieron puertas en el mundo para la sommellerie argentina en los concursos nacionales e internacionales, y así encontró grandes representantes: Flavia Rizzuto (2002), María Mendizábal (2006), Agustina de Alba (2008 y 2012), Paz Levinson (2010 y 2014), Martín Bruno (2017), Valeria Gamper (2019) y Andrea Donadío (2022).

Hoy nuestra profesión crece gracias al trabajo de sommeliers que no solo ejercen su oficio en restaurantes, sino también en bares, bodegas, distribuidoras, en el sector del turismo y allí donde se descorche una botella de vino. Este trabajo contribuye día a día a acercar el vino, actuar como nexo entre la producción y el consumo. La sommellerie es, sin dudas, una vocación que se elige desde la pasión. ¶

Y como quien no quisiera terminar, nos detenemos un momento más para tratar de entender cómo llegamos hasta aquí. Rápidamente surgen los nombres de quienes abrieron este camino. Encontramos personas que comenzaron a hablar del vino que acompañaba la mesa argentina desde hacía mucho tiempo. Era necesario comenzar a contarlo, y allí estuvo el primer periodismo gastronómico argentino con Miguel Brascó, Lucía y Cristina Goto, Alicia Delgado, Elizabeth Checa, Raquel Rosenberg, Fany Polimeni, Alejandro Maglione, Pietro Sorba, Fernando Vidal Buzzi, María De Michelis, Derek Foster, María Esther Pérez. Todos ellos también nos enseñaron que trabajar de lo que nos gusta es un privilegio. ¶

Solo nos queda transmitir nuestro profundo agradecimiento a Javier Polak y a la editorial Catapulta por acercarnos la idea de este libro y habernos hecho parte de este enorme trabajo. Felicitamos a Rodolfo Reich por haber encontrado las palabras para contarlo; a Agostina Martínez Márquez por la coordinación; a Valeria Saía por la investigación y compromiso; a Federico García por sus imágenes; a Ezequiel Cafaro por su diseño y a Victoria Blanco por su mirada precisa e inteligente. ¶

Sentimos mucho cariño por *El gran libro del vino argentino,* y el final del recorrido no nos encuentra en la llegada, sino en un comienzo. Cerramos este libro pensando en lo que vendrá, en una Argentina en la que las fronteras y los límites del vino imaginados se extienden año tras año. ¶

BIBLIOGRAFÍA

Al gran pueblo argentino, salud (Felipe Pigna).

"Apogeo, destrucción y desolación en los viñedos entrerrianos", en *El diario* de Paraná (Jorge Riani).

Artículos de divulgación publicados por Wines of Argentina.

Artículos y entrevistas de diarios y revistas, como *Clarín, La Nación, Diario Uno, Lugares, Brando, Joy, Bacanal, Cuisine&Vins* y otros.

Artículos y estadísticas del Observatorio Vitivinícola Argentina (observatoriova.com) y del Instituto Nacional de Vitivinicultura (argentina.gob.ar/inv).

"Caracterización ampelográfica, fenológica y bioclimática de cepajes", en *Revista de la Facultad de Ciencias Agrarias* (varios autores).

Contribución al estudio de la vitivinicultura argentina (Emilio Maurín Navarro).

"El caso de cooperativa La Caroyense" (Ana Peresini, Universidad Nacional de La Plata).

El estilo López (Bodega López).

"El paisaje cultural del Alto Valle Calchaquí y sus componentes vitivinícolas" (Cátedra UNESCO de Turismo Cultural UNTREF - AAMNBA).

"El paisaje vitivinícola en los Valles Calchaquíes. Antiguas bodegas y nuevos emprendimientos enoturísticos en Salta y Tucumán" (Daniela Moreno, Javier V. Roig, Agustín Borzi y Graciela Moretti).

El vino del inmigrante (Pablo Lacoste).

"Entre Ríos vuelve a producir vino después de 60 años de prohibición", en *Lugares* (Gabriela Pomponio).

Entre Ríos, viñas y vinos (Susana T. P. de Domínguez Soler).

Entrevistas del programa *Pasión por el vino*, conducido por Oscar Pinco.

Historia de la vitivinicultura en Concordia, Entre Ríos (Alberto J. Eguiluz).

"Historia de San Rafael: la llegada de más franceses", en *Diario Uno* (María Elena Izuel).

"La Escuela Nacional de Vitivinicultura y su aporte a la modernización vitivinícola en Mendoza (1896-1914)" (Florencia Rodríguez Vázquez, Instituto de Ciencias Humanas INCIHUSA - CONICET).

"La formación y consolidación del mercado nacional de vinos en la Argentina, 1900-1914" (Patricia Barrio de Villanueva).

La geografía del vino (Guillermo Corona).

"La inmigración italiana y el inicio de la vitivinicultura moderna en San Rafael, Mendoza. Siglos XIX-XX" (Andrea Paola Cantarelli, INCIHUSA - CONICET y UNCuyo).

"Las viñas del cielo" (Dolores Lavaque y Carolina Garicoche).

Portal informativo de Salta para el turismo salteño (portaldesalta.com.ar).

Sitio oficial de Luján de Cuyo (lujandecuyo.gob.ar).

Sitio oficial de Maipú (maipu.gob.ar).
Sitio oficial de Tunuyán (tunuyan.gov.ar).

Sitio oficial de Tupungato (tupungato.gov.ar).

"Sobre los orígenes del malbec" (Rodolfo Plaza Navamuel).

"Terroir and vintage discrimination of Malbec wines based on phenolic composition across multiple sites in Mendoza, Argentina" (Roy Alexander Urvieta, Gregory Jones, Fernando Buscema, Ambrosio Rubén Bottini y Ariel Ramón Fontana).

"Una historia de trenes y vinos", en *La Nación* (Gustavo Choren).

Vino argentino (Laura Catena).

Vinos de la Patagonia (Gustavo Choren).

© *El gran libro del vino argentino*
1.ª edición

Catapulta

Colombia 260 (B1603)
Buenos Aires, Argentina
info@catapulta.net
www.catapulta.net

EDICIÓN GENERAL
☛ Victoria Blanco

INVESTIGACIÓN Y TEXTOS
☛ Rodolfo Reich

DIRECCIÓN DE ARTE Y DISEÑO
☛ Ezequiel Cafaro Studio

CURADURÍA GENERAL
☛ María Barrutia y Flavia Rizzuto

COORDINACIÓN Y PRODUCCIÓN
☛ Agostina Martínez Márquez

FOTOGRAFÍA
☛ Federico García y Pablo Betancourt

ASISTENCIA EN INVESTIGACIÓN Y TEXTOS CAPÍTULO 3 Valeria Saía
ASISTENCIA DE REDACCIÓN Natalia Torres
CORRECCIÓN Julieta Berardo
ILUSTRACIÓN AMPEROGRÁFICA Paula Marcantoni
ILUSTRACIÓN DE MAPA José País
RETOQUE FOTOGRÁFICO Isabel Roldán para Estudio García Betancourt
PRODUCCIÓN GRÁFICA Mariana Voglino y Verónica Álvarez Pesce
La fotografía de la página 135 es gentileza de la Bodega Costa & Pampa; la fotografía de la página 157 es de iStock

ISBN 978-987-815-107-6
Impreso en China en diciembre de 2022

El gran libro del vino argentino
1a ed. - Ciudad Autónoma de Buenos Aires: Catapulta, 2023.
428 p. ; 32 x 24 cm.
ISBN 978-987-815-107-6
1. Vino. 2. Viticultura. 3. Enología. I. Título.
CDD 641.220982

Hecho el depósito que establece la ley 11723. Libro de edición argentina. No se permite la reproducción total, el almacenamiento, el alquiler, la transmisión o la transformación de este libro en cualquier forma o por cualquier medio, sin el permiso previo y escrito del editor. Su infracción está penada por las leyes 11723 y 25446.

La presente publicación se ajusta a la representación oficial del territorio de la República Argentina establecida por el Poder Ejecutivo Nacional a través del Instituto Geográfico Nacional por la ley 22963 y su impresión ha sido aprobada por EX-2022-136218217- -APNDNSG#IGN, de fecha 21 de diciembre de 2022.